UN SOIR À PARIS

Sous le pseudonyme de Nicolas Barreau se cache un écrivain franco-allemand qui travaille dans le monde de l'édition. Il est l'auteur aux Éditions Héloïse d'Ormesson des best-sellers internationaux *Le Sourire des femmes* (2014), *Tu me trouveras au bout du monde* (2015), *La Vie en Rosalie* (2016) et *Un soir à Paris* (2017).

NICOLAS BARREAU

Un soir à Paris

ROMAN TRADUIT DE L'ALLEMAND
PAR SABINE WYCKAERT-FETICK

ÉDITIONS HÉLOÏSE D'ORMESSON

Titre original :

EINES ABENDS IN PARIS
Publié par Thiele Verlag

Quoi que tu fasses,
aime ce que tu fais.

Alfredo dans *Cinema Paradiso*

1

Un soir à Paris, plus ou moins un an après que le *Cinéma Paradis* eut rouvert ses portes et précisément deux jours après que j'eus embrassé pour la première fois la jeune femme en manteau rouge, tandis que j'attendais le rendez-vous suivant avec impatience et fébrilité, il arriva quelque chose d'incroyable. Quelque chose qui devait mettre ma vie sens dessus dessous et transformer mon établissement en un lieu magique – un lieu où aspirations et souvenirs allaient se rencontrer, et les rêves prendre corps.

En l'espace d'un instant, je devins partie intégrante d'une histoire plus belle encore que celles qu'on voit sur grand écran. Moi, Alain Bonnard, je fus arraché à mon orbite habituelle et catapulté dans l'aventure la plus extraordinaire de mon existence.

— Tu es un homme périphérique, un observateur qui préfère se tenir en marge des événements, avait un jour affirmé Robert. C'est ta nature, pas la peine de te faire des illusions.

Robert était mon ami, en premier lieu. En second lieu, il exerçait le métier d'astrophysicien et agaçait son entourage en transposant les lois astrophysiques dans la vie quotidienne.

Brusquement, je quittai donc mon statut d'observateur pour me retrouver au beau milieu d'une succession de faits tumultueuse, inattendue, troublante, qui allait me couper le souffle et, de temps à autre, me rendre fou. Le destin m'avait fait un cadeau que j'avais accepté, submergé par l'émotion, et j'avais failli perdre la femme que j'aimais.

Ce soir-là, toutefois, à la fin de la dernière séance, je sortais dans la rue mouillée par la pluie, la lumière d'un lampadaire se reflétant sur le trottoir, hésitante, et ne soupçonnais encore rien de tout cela.

J'ignorais aussi que le Cinéma Paradis abritait la clé d'un secret dont mon bonheur dépendrait.

Je fermai la porte, descendis la grille, m'étirai et pris une profonde inspiration. L'averse avait cessé, cédant la place à la bruine. L'air était doux et printanier. Je remontai le col de ma veste et me détournai, m'apprêtant à partir. Alors seulement, je remarquai l'homme en trench beige, de petite taille et fluet, qui se tenait dans la pénombre avec sa compagne blonde et observait le cinéma avec intérêt.

— *Hi*, déclara-t-il avec un accent américain. Êtesvous le propriétaire de cet établissement ? *Great film, by the way.*

Il indiquait la vitrine et son regard s'attarda sur l'affiche en noir et blanc de *The Artist*, film dont le caractère désuet, à commencer par l'absence de dialogues, avait totalement désarçonné les spectateurs outre-Atlantique.

Je hochai la tête. Je m'attendais à ce que l'inconnu me tende un appareil et me prie de prendre une photo de sa femme et de lui devant mon cinéma – bien que n'étant pas le plus ancien de Paris, c'est un de ces vieux établissements au charme un peu suranné, malheureusement menacés de disparition –, lorsque l'homme s'avança vers moi et me jeta un coup d'œil amical à travers ses lunettes en écaille. Soudain, il me sembla le connaître, mais je n'aurais pas pu dire d'où.

— Nous aimerions nous entretenir avec vous, monsieur…

— Bonnard. Alain Bonnard.

Je lui serrai la main, déconcerté.

— Avons-nous déjà été présentés ?

— Non, non, je ne crois pas. *Anyway… Nice to meet you*, monsieur Bonnard. Je suis…

La femme blonde avait quitté la pénombre et me fixait, une lueur amusée dans son regard bleu.

J'avais déjà vu ce visage quelque part, j'en étais certain. Plusieurs fois, même.

Il me fallut quelques secondes pour faire le lien. Et, avant que l'Américain achève sa phrase, je sus qui j'avais devant moi. Qu'on me pardonne si j'écarquillai les yeux et, de surprise, lâchai mon trousseau. Le cadre dans lequel je me trouvais m'apparaissait assez « surréaliste », pour reprendre le mot du timide libraire dans *Coup de foudre à Notting Hill*. Seul le cliquetis des clés atterrissant sur le trottoir me convainquit que je n'avais pas la berlue.

2

Enfant déjà, les plus beaux après-midi étaient ceux que je passais avec oncle Bernard. Quand mes camarades se rassemblaient pour jouer au foot, écoutaient de la musique ou tiraient les tresses des jolies filles, je descendais en courant la rue Bonaparte jusqu'à apercevoir la Seine, je tournais au coin des deux voies suivantes et débouchais dans la ruelle où se trouvait l'établissement de mes rêves – le Cinéma Paradis.

Oncle Bernard était le mouton noir de la famille Bonnard, dont la plupart travaillaient dans le domaine juridique ou administratif. Gérer un cinéma d'art et d'essai, ne rien faire d'autre que regarder des *films* et les projeter, alors qu'on savait bien qu'ils vous fourraient des bêtises dans le crâne… Voilà qui était peu respectable ! Mes parents jugeaient surprenante mon amitié avec cet oncle peu conventionnel qui n'était pas marié, avait manifesté en Mai 68, avec des étudiants, des acteurs et des réalisateurs en colère, comme François Truffaut, contre le renvoi du directeur de la Cinémathèque française par le ministre de la Culture, et passait parfois la nuit sur le canapé rouge fatigué de la cabine de projection.

Mais, comme j'étais bon élève et que je ne créais pas de difficultés, ils me laissaient faire. Ils espéraient sans doute que ce « dada » finirait par me quitter de lui-même.

Pour ma part, je ne l'espérais pas. Au-dessus du guichet démodé du Cinéma Paradis était accrochée une affiche où figuraient les visages de réalisateurs connus. Dessous, on pouvait lire : *Le rêve est réalité*. Cela me plaisait énormément. Et le fait que les inventeurs du Cinématographe soient des Français du nom de Lumière me transportait.

— Dis donc, oncle Bernard, m'étais-je exclamé en battant des mains, en proie à un enthousiasme d'enfant. Ils s'appellent *Lumière* et ils ont éclairé le grand écran. C'est génial !

Oncle Bernard avait ri et précautionneusement chargé sur le projecteur une des grosses bobines qu'on trouvait à l'époque dans tous les cinémas, et qui réunissaient des milliers d'instants pour en faire un tout merveilleux en tournant autour de leur support – pure magie, à mes yeux.

Profondément reconnaissant aux frères Lumière, je crois que j'étais le seul de ma classe à savoir qu'un de leurs premiers films, qui remontait à 1895 et durait moins d'une minute, avait immortalisé l'arrivée d'un train en gare de La Ciotat. J'avais aussi retenu que le cinéma français était *impressionniste* dans l'âme, comme me l'assurait régulièrement oncle Bernard. Je n'avais aucune idée de ce que ce mot signifiait, mais ce devait être quelque chose de fantastique.

Peu de temps après, Mme Baland, le professeur d'arts plastiques, avait emmené ma classe au Jeu de Paume où étaient encore exposées les toiles des impressionnistes, avant qu'elles soient transférées dans l'ancienne gare d'Orsay. J'y avais découvert, parmi les paysages baignés de lumière, aux petites touches délicates, une locomotive noire qui entrait dans une gare en crachant une fumée bleutée.

J'avais longuement scruté le tableau et il m'avait semblé comprendre pourquoi on qualifiait le cinéma français d'« impressionniste ». Cela avait un rapport avec des trains entrant en gare.

Oncle Bernard avait haussé les sourcils avec amusement lorsque je lui avais exposé ma théorie, mais il était trop bienveillant pour me corriger.

Au lieu de cela, il m'avait appris à manipuler le projecteur, et enseigné qu'il fallait toujours faire très attention à ce que la bande en celluloïd ne reste pas trop longtemps au-dessus du rayon lumineux.

J'avais réalisé pourquoi le jour où nous avions regardé ensemble *Cinema Paradiso*. Ce classique italien était un des films préférés de mon oncle – ce qui expliquait sans doute le nom qu'il avait donné à son propre établissement, même s'il ne s'agissait pas d'un film français à l'âme *impressionniste*.

— Pas mal pour des Italiens, hein ? avait-il grommelé sur un ton d'ours chauvin mal léché, sans parvenir à cacher son émotion. Oui, il faut avouer qu'eux aussi savent y faire.

J'avais hoché la tête, bouleversé par le destin tragique du vieux projectionniste, atteint de cécité après l'incendie de son cinéma. Naturellement, je m'identifiais au petit garçon, Toto, même si ma mère ne m'avait jamais frappé pour avoir dépensé l'argent du lait en séances de cinéma. Ce n'était pas la peine : je pouvais voir gratuitement les plus beaux films, même ceux qui n'étaient pas appropriés à un enfant de onze ans.

Oncle Bernard ne se souciait pas de limite d'âge, tant que c'était un « bon » film, avec une idée. Un film qui touchait les gens, qui les accompagnait dans la quête complexe de leur « être ». Qui leur offrait un rêve auquel ils puissent s'accrocher dans cette vie parfois difficile.

Cocteau, Truffaut, Godard, Sautet, Chabrol, Mall… Je les considérais tous comme des voisins.

Je croisais les doigts pour porter chance au jeune truand d'*À bout de souffle*, j'enfilais les gants d'*Orphée* pour traverser le miroir et libérer Eurydice des enfers. J'admirais la beauté surnaturelle de la Belle quand, munie d'un chandelier à cinq branches l'éclairant d'une lumière vacillante, ses cheveux blonds tombant jusqu'à la taille, elle monte l'escalier devant la Bête triste. Je tremblais comme Lucas Steiner dans *Le Dernier métro*, ce directeur de théâtre juif qui doit rester caché dans une cave, sous la scène, et se rend compte que, sur les planches, sa femme tombe amoureuse d'un autre comédien. Je m'époumonais avec les garnements de *La Guerre des boutons*, dont les deux bandes s'affrontent. Je souffrais avec Baptiste des *Enfants du paradis*, bouleversé d'avoir perdu pour toujours sa Garance dans la cohue. Je ressentais une profonde horreur lorsque Fanny Ardant, dans *La Femme d'à côté*, finit par abattre son amant d'une balle dans la tête et retourne l'arme contre elle. Je trouvais Zazie de *Zazie dans le métro* plutôt farfelue avec ses grands yeux et ses dents de devant écartées, et riais en voyant les Marx Brothers dans *Une nuit à l'Opéra* ou en suivant les joutes oratoires enlevées des couples qui se disputaient dans les comédies de Billy Wilder, d'Ernst Lubitsch et de Preston Sturges, qu'oncle Bernard se contentait d'appeler « les Américains ».

— Preston Sturges, m'avait-il un jour expliqué, a fixé les règles d'or pour qu'une comédie cartonne : une poursuite vaut mieux qu'une conversation, une chambre vaut mieux qu'un salon et une arrivée vaut mieux qu'un départ.

Aujourd'hui encore, je me rappelle ces commandements du comique au cinéma.

Bien entendu, « les Américains » n'étaient pas aussi *impressionnistes* que « nous, les Français », mais ils s'avéraient très drôles et leurs dialogues très pertinents – à la différence des films français où l'on avait souvent la sensation d'assister secrètement à des discussions verbeuses dans la rue, dans un café, au bord de la mer ou au lit.

Ainsi, à treize ans, on pouvait dire que j'en savais beaucoup sur la vie, même si je n'avais que peu d'expérience.

Tous mes amis avaient déjà embrassé une fille, et moi, je rêvais de la belle Eva Marie Saint que je venais de découvrir dans un thriller d'Hitchcock. Ou encore, de la lumineuse petite fille de *Jeux interdits* qui, au beau milieu des atrocités de la Seconde Guerre mondiale, s'invente un univers avec son ami Michel et plante des croix sur les sépultures d'animaux morts, dans leur cimetière secret.

Marie-Claire, une fille de mon école, me faisait penser à l'héroïne de *Jeux interdits*, et un après-midi, je l'avais invitée à m'accompagner. J'ai oublié ce que mon oncle projetait ce jour-là, mais je me souviens que ma main moite n'avait pas lâché la sienne pendant le film, même lorsque mon nez s'était mis à me démanger horriblement.

Dès l'instant où le générique de fin s'était mis à défiler, elle avait pressé ses lèvres rouge cerise contre ma bouche et nous étions devenus un couple, en toute innocence enfantine – jusqu'à ce que, à la fin de l'année scolaire, elle déménage dans une autre ville, non loin de Paris selon les critères des adultes, à l'autre bout du monde pour un garçon de mon âge. Marie-Claire était désormais inaccessible. Après quelques semaines d'un immense chagrin, j'avais décidé de rendre hommage à notre histoire malheureuse en lui consacrant un film.

Naturellement, je voulais devenir un réalisateur célèbre, mais le destin en décida autrement. Épousant les aspirations de mon père, j'avais étudié la gestion d'entreprise, qui permettait d'avoir « une situation », et travaillé quelques années dans une grosse société lyonnaise, spécialisée dans l'export de baignoires de luxe et de robinetteries de salle de bains haut de gamme. Malgré mon jeune âge, je gagnais beaucoup d'argent. Mes parents étaient fiers que le garçon qui n'avait pas le sens des réalités ait finalement tiré son épingle du jeu en grandissant. Je m'étais acheté une vieille Citroën décapotable et j'avais commencé à avoir de vraies petites amies. Au bout d'un moment, elles me quittaient toujours, déçues que je ne sois pas le battant qu'elles attendaient.

Je n'étais ni malheureux ni heureux, mais lorsque j'avais reçu une lettre d'oncle Bernard par un après-midi chaud et humide, j'avais su que tout allait changer et qu'au plus profond de moi, j'étais resté ce rêveur qui s'asseyait avec émotion dans une salle obscure pour pénétrer dans d'autres mondes.

Il s'était produit un événement que personne n'aurait cru possible. Oncle Bernard, soixante-treize ans tout de même, avait trouvé la femme de sa vie et voulait s'installer avec elle sur la Côte d'Azur, là où le temps était doux et où les paysages baignaient dans une lumière particulière.

J'avais ressenti un pincement au cœur en lisant qu'il avait l'intention de quitter le Cinéma Paradis.

Depuis que je connais Claudine, j'ai la sensation qu'avant, un projecteur s'interposait entre la vie et moi, avait-il écrit d'une plume maladroite.

Je veux maintenant tenir le rôle principal pendant les années qu'il me reste. Même si cela me rend triste de penser que le lieu dans lequel nous avons passé tant d'après-midi fantastiques risque de devenir un restaurant ou un de ces clubs à la dernière mode.

À l'idée que le cinéma pourrait disparaître, mon estomac s'était révulsé. Aussi, lorsque, poursuivant ma lecture, j'étais arrivé à l'endroit où oncle Bernard me demandait si j'envisagerais de revenir à Paris pour reprendre le Cinéma Paradis, j'avais poussé un soupir de soulagement.

Mon garçon, bien que tu mènes une tout autre vie maintenant, tu es l'unique personne que j'imagine me succéder. Enfant, tu partageais déjà la même passion que moi et tu possédais un excellent flair pour repérer les bons films.

Je n'avais pu m'empêcher de sourire en repensant aux discours pleins d'emphase qu'oncle Bernard me tenait autrefois. Puis, mon regard avait parcouru les dernières lignes de sa lettre. Longtemps après les avoir lues, j'avais fixé le papier qui s'était mis à trembler dans mes mains et avait paru se déchirer en deux comme le miroir devant Orphée.

Tu te rappelles, Alain, que tu me demandais toujours pourquoi tu aimais les films plus que tout ? Aujourd'hui, je vais te le révéler. Le plus court chemin vers le cœur passe par l'œil. Ne l'oublie jamais, mon garçon.

Six mois plus tard, sur un quai de la gare de Lyon, d'où partent les trains parisiens ralliant le Sud, je faisais des signes d'adieu à oncle Bernard qui s'en allait avec sa chère et tendre, une charmante petite dame dont le sourire réveillait de généreuses pattes-d'oie.

J'avais agité la main jusqu'à ne plus voir que son mouchoir blanc que le vent faisait voler avec entrain. Un quart d'heure plus tard, un taxi me déposait devant le lieu le plus marquant de mon enfance. Le Cinéma Paradis, qui m'appartenait désormais.

3

Par les temps qui courent, il n'est pas évident de diriger un cinéma d'art et d'essai, j'entends par là un cinéma qui tente de vivre principalement de la qualité de ses films, et non des recettes publicitaires et de la vente d'énormes seaux de pop-corn et de Coca-Cola.

La plupart des gens ont perdu l'habitude de lâcher prise, de s'abandonner pendant deux heures au cours desquelles les choses essentielles de la vie sont abordées, qu'elles soient gaies ou sérieuses. Ils ne savent plus se laisser emporter sans mastiquer et boire à la paille.

Après mon retour à Paris, entré dans un des multiplexes des Champs-Élysées, j'avais réalisé que ma conception du cinéma, auquel on devait témoigner un certain respect, était peut-être devenue un peu anachronique. Je me rappelle que soudain, alors que je venais seulement d'avoir vingt-neuf ans, je m'étais senti plutôt démodé, pas à ma place au milieu de tous ces bavardages et de toutes ces mains plongeant dans des sachets de chips.

Pas étonnant que, de nos jours, les longs-métrages deviennent toujours plus bruyants et plus rythmés :

il faut bien que les blockbusters hollywoodiens et les films d'action, censés attirer également en Europe plusieurs millions de spectateurs, couvrent le vacarme qui règne dans ce genre de salle et fournissent sans cesse de nouvelles sensations à un public souffrant d'un manque de concentration croissant.

— Il n'y a pas de pop-corn ici ?

Telle est la question qui revient en permanence dans mon établissement.

La semaine passée encore, un petit garçon grassouillet pleurnichait, pendu à la main de sa mère. Il devait trouver inouïe la perspective de rester assis près de deux heures dans un fauteuil pour regarder *Le Petit Nicolas*, sans s'empiffrer.

— *Pas de pop-corn ?* avait-il répété, stupéfait, avant de se dévisser le cou pour chercher du regard la vitrine abritant les friandises.

— Non, ici il n'y a que des films, avais-je répliqué en secouant la tête.

Même si cette réponse me procure toujours un sentiment de triomphe, il m'arrive de m'inquiéter pour mon avenir.

Après avoir quitté Lyon, j'avais investi dans la rénovation du Cinéma Paradis, fait ravaler la façade qui s'effritait, remplacer le tapis, nettoyer les fauteuils bordeaux et moderniser l'équipement technique, si bien qu'en plus des traditionnelles bobines, je pouvais aussi projeter des films tournés en numérique. Concernant ma programmation, j'avais une certaine exigence qui ne correspondait pas nécessairement au goût des masses.

21

François, étudiant à La Fémis, me donnait un coup de main pour les projections, et Mme Clément, une vieille dame qui avait autrefois travaillé au Bon Marché, tenait le guichet le soir, quand je ne vendais pas les tickets moi-même.

Lorsque j'avais rouvert le Cinéma Paradis, beaucoup de ceux qui connaissaient l'établissement du temps d'oncle Bernard étaient venus. Beaucoup d'autres avaient fait le déplacement par curiosité car quelques journaux avaient jugé bon de se fendre d'un entrefilet sur l'événement. Les premiers mois, les choses s'étaient bien engagées, puis j'avais connu des temps où la salle n'était remplie qu'à moitié, au mieux. Assez souvent, Mme Clément m'adressait un signe pour m'indiquer combien de spectateurs nous avions ce soir-là – parfois, dix doigts suffisaient.

Je n'avais jamais imaginé qu'un cinéma de taille modeste puisse être une mine d'or, pour autant, mes économies avaient fondu et il fallait que je trouve une solution. J'avais alors eu l'idée de proposer une séance supplémentaire le mercredi soir, avec tous les vieux films qui m'avaient enthousiasmé dans le passé.

Principale caractéristique de ce concept ? Le film changeait chaque semaine et il s'agissait toujours d'une histoire d'amour, au sens large du terme. J'avais baptisé cette série *Les Amours au Paradis* et m'étais réjoui de constater que la dernière séance du mercredi commençait à trouver son public. Quand j'ouvrais les portes de la salle après le générique et que je voyais des couples quitter les lieux, étroitement enlacés, les yeux brillants, un homme d'affaires porté par l'euphorie oublier son porte-documents entre deux rangées, ou une vieille dame se diriger vers moi pour me serrer la main et m'expliquer, le regard dans le vague, que le film lui rappelait sa jeunesse, alors, je savais que j'exerçais le plus beau métier du monde.

Ces soirs-là, une magie particulière flottait au-dessus du Cinéma Paradis. Mon établissement offrait du rêve aux gens, comme oncle Bernard l'avait toujours dit.

J'ajouterai que, depuis que la jeune femme en manteau rouge assistait tous les mercredis à la dernière séance et qu'elle me souriait timidement chaque fois qu'elle s'approchait du guichet, moi aussi, je me surprenais à rêver.

4

— Comment ça, tu ne lui as jamais posé la question ? Depuis combien de temps vient-elle dans ton cinéma ? avait demandé mon ami Robert, en se balançant impatiemment sur sa chaise.

Nous avions opté pour le Café de la Mairie, un petit établissement à gauche de l'église Saint-Sulpice. Nous étions installés en terrasse, et bien qu'on ne soit qu'au mois de mars et que le temps ait été plutôt pluvieux les semaines précédentes, le soleil chauffait nos visages.

Quand on déjeunait ensemble, Robert voulait toujours aller au Café de la Mairie ; selon lui, on y préparait la meilleure vinaigrette pour sa salade paysanne bien-aimée.

— Eh bien… avais-je commencé en le regardant vider avec entrain le contenu du flacon en verre. Je dirais que tout ça remonte à décembre.

Mon ami m'avait jeté un coup d'œil surpris.

— Tout ça ? Qu'est-ce que tu veux dire par là ? Il se passe quelque chose entre vous ou pas ?

J'avais secoué la tête et soupiré. Pour Robert, la question décisive était de savoir s'il se passait

« quelque chose » entre un homme et une femme. Le reste ne l'intéressait pas. Scientifique, il était dépourvu du moindre romantisme. Il ne connaissait pas de nuances et le bonheur des regards échangés à la dérobée lui était étranger. Quand il flashait sur une femme, il se passait quelque chose dès le premier soir la plupart du temps. Comment faisait-il ? Aucune idée. Bien sûr, il pouvait se montrer charmant et drôle. Et il témoignait aux femmes une honnêteté désarmante à laquelle la plupart pouvaient difficilement se soustraire, de toute évidence.

Je m'étais adossé à ma chaise et j'avais bu une gorgée de vin en clignant des yeux, parce que j'avais oublié mes lunettes de soleil.

— Non, il ne se passe rien, pas au sens où tu l'entends en tout cas, avais-je répondu sans fard. Mais elle assiste à la dernière séance depuis décembre, et j'ai le sentiment que… ah, je ne sais pas.

Robert avait piqué au bout de sa fourchette un gros dé de fromage dégoulinant de vinaigrette jaune d'or, et compté les mois avec l'autre main.

— Décembre, janvier, février, mars… avait-il énuméré avant de m'adresser un regard réprobateur. Tu es en train de m'expliquer que cette fille que tu trouves si fantastique vient dans ton cinéma depuis quatre mois et que tu ne lui as jamais ne serait-ce qu'adressé la *parole* ?

— Je ne la vois qu'une fois par semaine, après tout. Toujours le mercredi, quand je projette cette série, *Les Amours au Paradis*… Et j'ai déjà parlé avec elle, bien sûr. Est-ce que le film vous a plu ? Il fait un temps de chien aujourd'hui, non ? Vous voulez laisser votre parapluie ici ? Etc.

— Elle est accompagnée ?

— Non, non. Toujours seule. Mais ça ne veut rien dire, avais-je précisé en effleurant le bord de mon verre. Au début, je pensais qu'elle était mariée, parce qu'elle porte une bague. Mais j'ai bien regardé et constaté que ce n'était pas une alliance, enfin, pas une classique. Il y a de petites roses en or rouge dessus…

— Et elle est vraiment jolie, hein ? m'avait interrompu mon ami. Belles dents, belle silhouette et tout ?

J'avais hoché la tête, repensant à la première apparition devant le guichet de la jeune fille en manteau rouge. Je l'appelais « la jeune fille » alors que c'était une jeune femme, peut-être vingt-cinq ans, peut-être vingt-huit, avec des cheveux couleur caramel qui lui arrivaient aux épaules, raie sur le côté, un délicat visage en forme de cœur parsemé de minuscules taches de rousseur et des yeux sombres et brillants.

Elle me donnait l'impression d'être un peu perdue – dans ses pensées ou dans ce monde – et avait l'habitude de repousser sa chevelure derrière son oreille de la main droite, gênée, quand elle attendait que je détache son ticket. Mais quand elle souriait, la pièce paraissait se remplir de lumière et son air se faisait presque malicieux. Et, oui, elle avait une jolie bouche et des dents magnifiques.

— C'est un peu le style de Mélanie Laurent, tu vois ? avais-je poursuivi.

— Mélanie Laurent ? Jamais entendu parler. Qui est-ce ?

— Elle a joué dans *Beginners*.

Robert avait fourré le morceau de fromage dans sa bouche et s'était mis à mâcher, pensif.

— Je ne vois pas. Je connais seulement Angelina Jolie. Super silhouette.

— Oui, oui. Si tu venais plus souvent dans mon cinéma, tu saurais de qui je parle. Je ne te fais pas payer, de toute façon.

— Mais enfin, tu veux que je m'endorme ?

Mon ami aime les films d'action et de mafieux, si bien que – théoriquement parlant – nous n'aurons jamais à nous disputer le dernier fauteuil.

— Elle ressemble à la fille d'*Inglourious Basterds*, avais-je repris, tentant de réduire le fossé qui nous séparait. Celle qui met le feu au cinéma pour que les nazis y brûlent.

Robert s'était penché en avant. Il avait arrêté de mâcher puis haussé les sourcils, un éclat joyeux dans l'œil, et agité l'index devant ma figure.

— Tu parles de cette jolie juive blonde ? C'est *elle*, Mélanie Laurent ? Et tu dis que ton inconnue lui ressemble ?

— Un peu.

Robert s'était laissé retomber en arrière, faisant craquer une chaise de bistrot peu appropriée à un homme de sa stature. Ensuite, il avait secoué la tête.

— Mon vieux, ce que tu peux être stupide par moments, je n'en reviens pas, avait-il finalement lâché avec la franchise rafraîchissante que j'apprécie tant chez lui.

J'avais supporté ses remontrances ; après tout, je voulais qu'il me conseille. Cependant, lorsqu'il avait entonné son habituel « C'est exactement comme… » – avant de s'adonner au plaisir de développer de quelconques formules astrophysiques qui, de façon insolite, débouchaient sur une constante de Hubble qui m'était inconnue –, je n'avais plus rien compris et mes pensées s'étaient mises à divaguer.

Ai-je évoqué le fait que je suis plutôt réservé ? J'aimerais ajouter sur-le-champ : *pas ennuyeux pour autant*. J'ai une vie intérieure très riche et une imagination débordante. Ce n'est pas parce qu'on ne veut pas mettre tout de suite une femme dans son lit qu'on est un gros demeuré.

Contrairement à certains fonceurs, je vois beaucoup de choses. Pas au sens prophétique du terme, évidemment. Peut-être ai-je visionné trop de films dans ma vie, mais depuis que je gère le Cinéma Paradis, j'éprouve un grand plaisir à observer les gens et à en tirer des conclusions. Ainsi, sans que je le décide vraiment, leurs histoires accourent à ma rencontre comme autant de jeunes chiens fous.

Certains ne viennent qu'une fois, d'autres sont des habitués et il me semble les connaître. Je ne suis pas très bavard mais je suis attentif. Je leur vends des tickets et je vois leurs visages. Leurs histoires. Leurs secrets.

Il y a là le vieil homme de haute taille en costume de velours côtelé marron clair, qui peigne sommairement en arrière les quelques cheveux qu'il lui reste et ne rate aucun film de Buñuel, Saura ou Sautet. J'imagine que, dans sa jeunesse, il a épousé les idéaux du communisme, avant de devenir professeur. Ses yeux, sous des sourcils argentés en broussaille, sont clairs et étincellent d'intelligence. Il porte toujours des chemises d'un bleu vif sous sa veste un peu élimée aux revers, et je suis persuadé qu'il est veuf. Il compte parmi les rares hommes de sa génération qui ont survécu à leur femme, et il aimait certainement beaucoup la sienne. Son visage est ouvert et amical. Chaque fois qu'il quitte la salle de cinéma, il se fige un instant, comme s'il attendait quelqu'un, puis se remet à marcher, l'air surpris.

Il y a aussi cette femme à l'abondante chevelure noire, accompagnée de sa fillette. Elle doit avoir pas loin de quarante ans et toutes deux viennent régulièrement assister à la séance destinée aux enfants, le week-end. « Papa rentrera plus tard aujourd'hui », a-t-elle dit un jour à sa fille qui sortait en sautillant, accrochée à sa main. Elle portait une écharpe bariolée et son visage était pâle, triste et fatigué. De part et d'autre de sa bouche, des traits amers. Elle ne se présente jamais trop tard, plutôt trop tôt. Elle a du temps à tuer. Parfois, quand elle attend, dans le foyer, qu'on ouvre les portes de la salle, elle fait tourner son alliance autour de son annulaire, l'air absent. Je suppose que son mari la trompe et qu'elle le sait, mais se demande si elle doit le quitter.

L'homme rondouillard aux lunettes à monture en métal, qui vient surtout voir des comédies et aime rire, a été quitté par sa petite amie. Depuis, son ventre s'est encore arrondi et il paraît désorienté. Il travaille énormément, il a des cernes sous les yeux et arrive toujours juste avant le début de la séance.

Parfois, il a encore son porte-documents. Malgré tout, je crois que cette séparation est une bonne chose. Sa petite amie était une sorcière rousse renfrognée qui le critiquait en permanence, allez savoir pourquoi. Pourtant, il n'aurait pas fait de mal à une mouche.

Ainsi, soir après soir, je donne libre cours à mon imagination. Seulement, la spectatrice dont l'histoire m'intéressait le plus, qui venait toujours seule et que j'attendais chaque mercredi le cœur battant, me posait la plus grande énigme.

La jeune femme en manteau rouge avait ses habitudes : elle s'asseyait rangée dix-sept et je me demandais quel pouvait bien être son secret.

Je voulais à tout prix découvrir son histoire, que je soupçonnais d'être très particulière, et en même temps, j'avais peur qu'elle ne corresponde pas à la mienne. Je me sentais comme Perceval à qui on avait conseillé de ne pas poser de questions. Cette femme était absolument ravissante et, ce soir-là, j'allais enfin lui adresser la parole et l'inviter à dîner.

Une grosse main m'attrapait par la manche, me secouait, et j'avais réintégré la place Saint-Sulpice où j'étais assis au soleil avec mon ami, en terrasse d'un café.

— Hé, Alain, tu m'écoutes ? demandait Robert d'un ton réprobateur.

Ses yeux bleu clair m'avaient lancé un regard perçant. Derrière sa crinière blonde se dressait l'église avec ses étranges tours à pavillon carré, tel un énorme vaisseau spatial qui viendrait d'atterrir.

30

Manifestement, Robert était parvenu au bout de son monologue sur ce Hubble et sa constante.

— Je disais qu'il faut que tu lui adresses enfin la parole ce soir et que tu lui demandes de dîner avec toi ! Sinon, vous allez continuer à vous éloigner l'un de l'autre, comme les corps célestes.

Je m'étais mordu la lèvre inférieure et avais réprimé un rire.

— Oui. C'est exactement ce que j'étais en train de penser.

5

Je m'étais retrouvé bien trop tôt au cinéma, ce mercredi-là. Je m'y étais précipité après le déjeuner avec Robert, comme si j'avais un rendez-vous. Pourtant, ce n'était pas le cas. Mais, comme chacun sait, les moments les plus heureux sont toujours ceux qu'on attend.

J'avais donc traversé avec excitation le boulevard Saint-Germain baigné de soleil, me faufilant en dehors du passage clouté, entre les voitures arrêtées devant un feu rouge. J'avais allumé une cigarette et, quelques minutes plus tard, je longeais la rue Mazarine, à l'ombre.

Lorsque j'avais ouvert la porte du Cinéma Paradis, j'avais été accueilli par l'odeur familière du bois et du rembourrage des sièges, et je m'étais calmé un peu en changeant les affiches dans les vitrines.

Ce soir-là, dans la série *Les Amours au Paradis*, j'allais projeter *Le Rayon vert* d'Éric Rohmer. J'avais disposé de nouveaux dépliants sur le comptoir du guichet. Vérifié s'il restait assez de monnaie dans la caisse. Jeté un coup d'œil dans la salle de projection et préparé les bobines. Ensuite, je m'étais rendu dans la salle de cinéma et assis dans différents fauteuils de la rangée dix-sept, pour voir s'ils avaient quelque chose de spécial. En vain. Ce n'était même pas la dernière rangée, très convoitée par les amoureux parce qu'on peut s'y embrasser tranquillement, protégé par l'obscurité.

J'avais tué le temps en faisant des choses utiles et moins utiles, consultant sans cesse les aiguilles de l'horloge accrochée dans le foyer.

François était arrivé et avait aussitôt disparu dans la salle de projection. Mme Clément avait apporté des tartelettes à la framboise faites maison. Après que les spectateurs de la séance de 18 heures eurent acheté leurs tickets et pris place à l'intérieur – où était projeté *Et si on vivait tous ensemble ?*, le destin d'une inventive communauté de personnes âgées –, j'avais fait signe à François que j'allais boire un café.

Ce dernier était penché au-dessus de cahiers et de livres. Pendant les films, il avait le temps d'étudier pour ses examens.

— Je reviens vite, avais-je indiqué. Dis, François, tu pourrais plier boutique aujourd'hui ? J'ai quelque chose de prévu après la dernière séance.

Ce n'est qu'assis dans le bistrot voisin, en buvant mon crème, que j'avais réalisé que mon plan n'était pas des plus brillants. La dernière séance s'achèverait à 23 h 15, qui voudrait encore aller dîner ensuite ? Peut-être serait-il plus avisé d'inviter la femme en manteau rouge à déjeuner le week-end suivant. À condition qu'elle me laisse l'inviter, et qu'elle vienne au cinéma ce soir-là.

Brusquement, l'effroi m'avait glacé. Et si elle ne venait pas ce soir-là ? Et si elle ne venait plus du tout ? J'avais remué nerveusement mon café, alors que le sucre s'était dissous depuis belle lurette.

Jusqu'à maintenant, elle n'a jamais manqué une séance, m'étais-je dit. Ne sois pas idiot, Alain, elle viendra. En plus, on dirait qu'elle t'aime bien. Elle sourit toujours quand elle te voit.

Mais ce n'est peut-être qu'une simple amabilité ? avait soufflé une petite voix.

Non, non, il y a plus que ça. Je parie qu'elle attend que tu lui adresses enfin la parole. Tu aurais dû le faire depuis longtemps, espèce de lâche. Depuis longtemps !

J'avais entendu un léger grincement et levé les yeux. Le professeur à la veste en velours côtelé, assis à la table d'à côté, m'avait adressé un signe de tête derrière son journal. Son regard intelligent avait une lueur amusée.

Juste ciel, aurais-je parlé tout haut ?! Ferais-je déjà partie de ces gens qui ne contrôlent plus leurs propos ? Ou le vieil homme pouvait-il lire dans les pensées ?

J'avais incliné la tête en retour, déconcerté, et fini ma boisson d'un trait.

— J'ai vu que vous donniez *Le Rayon vert* aujourd'hui, avait déclaré le professeur. Un beau film, je le reverrai avec plaisir. – Un sourire subtil avait étiré ses lèvres. – Et, ne vous inquiétez pas : la jeune dame viendra certainement.

Je m'étais levé, rougissant, et j'avais attrapé ma veste.

— Eh bien… à plus tard, alors.

— À plus tard, avait-il répondu. Et bonne chance.

Je priais pour qu'il ait raison à propos de la jeune dame.

Elle était tout au bout de la queue qui s'était formée devant le guichet et, lorsqu'elle avait déposé un billet pour payer sa place, j'avais sauté sur l'occasion.

— Je vous vois régulièrement à la dernière séance, mademoiselle. Ma programmation vous plaît ? m'étais-je enquis en lui tendant ticket et monnaie.

Elle avait repoussé une mèche de cheveux derrière son oreille et souri timidement.

— Oh oui. Beaucoup, même.

— Moi, ça me plaît beaucoup que vous veniez si souvent, avais-je ajouté, fixant avec fascination sa petite oreille parfaitement dessinée, qui se teintait de rouge.

Elle souriait toujours, silencieuse, et avait placé les pièces dans son porte-monnaie. Que répondre à une réflexion aussi stupide ?

J'entendais déjà la voix de mon ami Robert : « Ne tourne pas autour du pot, va droit au but, mon vieux. Droit au but. »

— Enfin… Vous venez si souvent qu'il faudrait que je vous fasse une remise, avais-je commenté, tentant d'être drôle. Comme ces points fidélité dans les grands magasins, vous savez ?

Elle avait pris son ticket et m'avait regardé un moment droit dans les yeux. Puis elle s'était remise à sourire et je lui avais rendu son sourire, hypnotisé.

— Ce n'est pas nécessaire, monsieur. Les films méritent jusqu'au dernier centime.

La porte du cinéma s'était ouverte, une bourrasque avait balayé le foyer. Deux étudiantes étaient entrées en riant et s'était dirigées vers le guichet. Il fallait que je me dépêche.

La femme en manteau rouge avait tourné les talons.

— Un instant ! m'étais-je écrié, et elle avait pivoté vers moi. Vous… vous avez oublié quelque chose… Elle m'avait adressé un regard surpris.

— Ou plutôt, je… C'est *moi* qui ai oublié quelque chose, avais-je continué, tentative désespérée pour retenir son attention.

— Oui ?

— J'ai oublié de vous poser une question. Iriez-vous dîner avec moi après la séance… ou… ou boire un verre, peut-être ? Ainsi, nous pourrions discuter du film… si ça vous dit. Je… eh bien, j'aimerais beaucoup vous inviter, puisque vous ne voulez pas de points fidélité.

Mais qu'est-ce que je pouvais sortir comme débilités !

— Mais qu'est-ce que je peux sortir comme débilités, avais-je lâché en secouant la tête. Excusez-moi, s'il vous plaît. Oubliez cette histoire de points fidélité. Puis-je vous inviter ? Dites oui, s'il vous plaît !

Mon cœur tambourinait au rythme de mon discours confus, un staccato.

La femme au manteau rouge avait haussé les sourcils, mordu sa lèvre inférieure et incliné un peu la tête. Puis un large sourire avait étiré sa bouche. Les joues écarlates, elle avait enfin prononcé un mot.

Elle avait dit oui.

6

Naturellement, nous avions atterri à La Palette. Les gens autour de nous parlaient, riaient, mangeaient et buvaient, mais je ne les remarquais pas. Je n'avais d'yeux que pour la femme assise à ma table, et même un tremblement de terre n'aurait pu m'arracher à son champ d'attraction.

Jamais je n'avais souhaité aussi ardemment qu'une séance s'achève. Ce soir-là, je n'avais pas cessé de jeter des coups d'œil par la lucarne de la salle de projection pour savoir à quel moment du film nous en étions, un film vu si souvent que je connaissais les dialogues presque par cœur. Après que Delphine la rêveuse eut finalement découvert le rayon vert – ce curieux phénomène promoteur de bonheur, auquel on assiste parfois pendant quelques secondes, lorsque le soleil s'abîme dans la mer par temps clair –, et acquis la certitude de pouvoir oser l'aventure de l'amour, j'avais ouvert en grand les portes de la salle pour laisser les spectateurs retrouver leur propre vie.

Parmi les premiers, elle avait fait un pas de côté pour laisser passer les autres qui, avançant lentement, rêveurs, éblouis par l'éclairage, avaient réintégré la réalité et gagné la sortie en discutant.

— Je vous demande juste un moment, avais-je annoncé.

Elle s'était mise à évoluer le long des murs du foyer et à étudier les affiches.

— Tu crois que ce rayon vert existe vraiment ? avait demandé une étudiante à son petit ami.

— Je ne sais pas, mais on va se renseigner, avait-il assuré en passant tendrement le bras autour de ses épaules.

J'avais vu le professeur quitter la salle ; il s'était appuyé un moment sur sa canne et m'avait lancé un regard interrogateur. J'avais hoché la tête et désigné discrètement du menton l'endroit du foyer où la femme en manteau rouge se tenait toujours devant les affiches.

De la bienveillance et une expression joyeuse – à moins que ce ne soit le fruit de mon imagination ? – avaient traversé le visage du vieil homme, qui m'avait fait un clin d'œil avant de partir.

Ensuite, nous nous étions enfin retrouvés à deux. Plus loin, Mme Clément allait et venait entre les rangées, les parcourant comme chaque soir pour récupérer les éventuels objets oubliés.

— Bonne nuit ! avais-je lancé à François, qui avait brièvement passé la tête en dehors de la salle de projection.

J'avais enfilé ma veste, dit « On y va ? » et accompagné la femme en manteau rouge jusqu'à la sortie.

Souriants, nous avions emprunté en silence la rue plongée dans la pénombre. C'était un moment étrangement intime – cette proximité soudaine, le calme de la voie, le léger claquement de nos chaussures sur les vieux pavés.

Marchant à côté d'elle, je ne voulais pas détruire cet instant par des mots, mais tôt ou tard, il allait bien falloir que j'ouvre la bouche. J'étais justement en train de chercher une phrase appropriée lorsqu'elle m'avait regardé et avait repoussé ses cheveux derrière son oreille.

— Vous avez vraiment des oreilles ravissantes, m'étais-je entendu dire.

Je m'étais aussitôt maudit. Pour qui allait-elle me prendre ? Un fétichiste des oreilles ?

— Enfin, *tout* chez vous est ravissant, m'étais-je hâté d'ajouter. Je ne saurais exprimer à quel point je suis heureux que vous ayez accepté mon invitation. Ça fait un moment que je vous ai remarquée, vous savez.

— Moi aussi je vous avais remarqué, avait-elle souri. Au fait, je m'appelle Mélanie.

— Mélanie… quel joli nom.

N'était-ce pas un signe du destin ? Ce midi-là, n'avais-je pas confié à Robert que la femme en manteau rouge m'évoquait l'actrice Mélanie Laurent ?

— Vous ressemblez un peu à Mélanie Laurent, d'ailleurs, avais-je repris.

— Vous trouvez ?

L'idée paraissait lui plaire.

— Oui, oui… Absolument.

La glace était rompue, et je m'étais emballé.

— Il n'empêche que vous avez de plus beaux yeux encore.

40

Elle avait ri, flattée.

— Et vous ? avait-elle demandé.

Pour être honnête, je n'avais jamais véritablement songé à la beauté de mes yeux. Ils étaient marron et je les trouvais tout à fait corrects.

— Mes yeux ? Aucune importance, avais-je répondu.

— Non, je voudrais savoir comment *vous* vous appelez.

— Oh… Alain.

— Alain. Ça vous va bien, avait-elle commenté en inclinant un peu la tête sur le côté et en me scrutant. Vous ressemblez un peu à Alain Delon.

— C'est le plus gentil mensonge que j'aie entendu.

Je m'étais arrêté devant La Palette, un sympathique bistrot qui se trouvait tout près de mon appartement. Sans que j'aie beaucoup réfléchi, mon système de navigation interne m'avait amené rue de Seine, comme souvent le soir quand je voulais manger un morceau dehors après la dernière séance. J'avais ouvert la porte et nous étions entrés.

7

— Chaque fois que je cherche l'amour, je vais au Cinéma Paradis.

Mélanie avait pris une gorgée de vin rouge, entouré son verre des deux mains, et son regard s'était perdu dans un lointain mystérieux qui se trouvait au-delà de la devanture de La Palette et auquel je n'avais pas accès. Ses yeux brillaient et un sourire songeur flottait sur ses lèvres.

C'est probablement à ce moment-là que j'étais tombé amoureux d'elle.

Ses mots m'avaient profondément touché, j'avais aussitôt senti que cette unique phrase et le curieux petit sourire qui l'accompagnait faisaient vibrer mon cœur.

Quand j'y repense aujourd'hui, je me souviens qu'à l'époque, quelque chose d'insolite avait déjà attiré mon attention, même si je n'aurais pas pu dire ce que c'était précisément.

Des semaines plus tard, alors que je cherchais désespérément la femme en manteau rouge, cette phrase singulière devait me revenir. C'était la clé de tout mais je ne le savais pas encore, tandis que, spontanément, je plaçais mes mains autour de celles de Mélanie. C'était la première fois que nous nous touchions, et cela n'aurait pas pu être autrement.

— Ah, Mélanie, c'est joliment dit. Vous êtes un poète.

Elle m'avait regardé, son sourire s'adressait de nouveau à moi. Tenant toujours le verre, ses mains reposaient entre les miennes, et nous étions assis là, l'enserrant tous deux comme s'il s'agissait du bonheur, qu'on ne pouvait tenir que délicatement et tendrement, comme un oiseau, pour qu'il ne s'envole pas.

— Non, non, certainement pas. Un peu nostalgique, peut-être.

Nostalgique… La magie de ce mot m'avait ravi.

— Mais c'est merveilleux !

Je m'étais penché vers elle et le vin avait un peu oscillé.

— Que deviendrions-nous, dans cet univers sans âme, si quelques-uns ne gardaient pas souvenir de leurs expériences et ne portaient pas, dans leur cœur, la nostalgie des sentiments d'hier ?

Elle avait ri.

— Qui est le poète, ici ? avait-elle demandé.

Puis elle avait prudemment reposé son verre, et j'avais lâché ses mains à regret.

— Les souvenirs… avait-elle repris, avant de se taire un moment. Ils peuvent parfois vous attrister, même s'ils sont beaux. On aime y repenser, ils sont le plus grand des trésors, pourtant, ils vous rendent un peu mélancolique car quelque chose est révolu à tout jamais.

Elle avait appuyé sa joue contre sa main droite et dessiné, de l'index gauche, de petits cercles sur la table.

— *Tempi passati*, avais-je dit avec philosophie, en me demandant si j'oserais reprendre sa main. C'est pour cette raison que j'aime autant les films. Dedans, tout redevient vivant, même si c'est pour quelques heures seulement. Et on peut retrouver le paradis perdu.

J'avais pris sa main et elle ne l'avait pas retirée.

— C'est pour ça que votre établissement s'appelle ainsi, Cinéma Paradis ?

— Non... Oui... Peut-être.

Nous avions éclaté de rire.

— Pour être franc, je ne sais pas, au juste. Il faudrait que je demande à mon oncle à qui il appartenait, mais il est décédé, malheureusement, avais-je précisé en haussant les épaules.

Cher oncle Bernard ! À la fin de l'automne passé, un arrêt cardiaque avait mis un terme abrupt, mais paisible, à sa bienheureuse retraite dans le Sud.

— C'est vraiment un bon vin, avait-il encore lancé à Claudine ce soir-là, alors que, assis sur la terrasse, il levait son verre dans le soleil couchant. Tu vas nous chercher une autre bouteille, mon cœur ?

En revenant, Claudine avait trouvé oncle Bernard adossé à sa chaise en osier, les yeux à moitié ouverts. On aurait dit qu'il contemplait les pins parasols, dont il aimait tant le parfum estival. Mais il était mort.

Les funérailles s'étaient déroulées dans la plus stricte intimité. Il n'y avait que Claudine, un couple du village, avec qui ils avaient sympathisé, son plus vieil ami Bruno et moi. Mes parents, en voyage en Nouvelle-Zélande, avaient envoyé une lettre de condoléances et fait livrer une couronne.

Quoi qu'il en soit, ç'avait été un enterrement beau et digne. Aussi triste fut-il. Plutôt qu'une fleur, j'avais jeté dans la tombe d'oncle Bernard une vieille bobine de *Cinema Paradiso*.

En y repensant, j'avais soupiré et plongé mon regard dans les grands yeux marron de Mélanie, chargés de sympathie.

— En tout cas, il est mort heureux, avais-je conclu. Je l'aimais beaucoup. Avant, je pensais qu'il avait baptisé son cinéma du nom de ce film italien…

— *Cinema Paradiso*, avait complété Mélanie.

— Exactement. C'était un de ses préférés, mais l'établissement existait bien avant que le film sorte.

— Ce doit être fantastique de posséder une petite usine à rêves de ce genre.

— Fantastique et difficile à la fois, avais-je confié. Ce n'est pas avec ce genre de commerce qu'on devient riche. Ma famille a été épouvantée quand j'ai abandonné mon poste bien payé dans une grande entreprise lyonnaise qui exportait des baignoires et des lavabos à Abou Dabi, avec l'intention de faire revivre un cinéma d'art et d'essai.

Hé là, mon vieux, qu'est-ce que tu racontes ? Tu veux lui laisser entendre que tu es un pauvre type ?

La voix de Robert paraissait si réelle que j'avais levé les yeux au ciel malgré moi. Mais je n'avais vu que le serveur qui passait avec son plateau pour aller servir les clients de la table voisine.

— Pas possible ! Des baignoires et des lavabos ! s'était exclamée Mélanie avant de plaquer sa main contre sa bouche. Eh bien, peu importe ce qu'en dit votre famille, je suis heureuse que vous ne fassiez plus ce métier. Ça ne vous ressemble pas, je trouve. Et il faudrait toujours rester fidèle à ce qu'on est. À moins que vous n'ayez regretté votre décision, Alain ?

— Non, jamais !

J'avais laissé résonner l'écho de sa voix, qui venait de prononcer mon prénom pour la première fois. Je m'étais alors penché vers elle, écartant une mèche de cheveux de son visage.

— C'était la décision à prendre, avais-je assuré, et mon cœur s'était mis à battre la chamade tandis que je basculais la tête la première dans ses yeux brillants. Sinon, je ne vous aurais peut-être jamais connue.

Mélanie avait baissé le regard et soudain saisi ma main pour la presser brièvement contre sa joue.

Ah, j'aurais pu jouer éternellement à ce jeu des doigts qui s'entrelaçaient, se serraient et ne connaissaient que ce moment qui oublie le temps et laisse entrevoir le bonheur.

Toutes les histoires d'amour ne commencent-elles pas ainsi ?

— Je suis aussi très heureuse que le Cinéma Paradis existe, avait murmuré Mélanie.

Ma main toujours dans la sienne, je sentais la bague qu'elle portait, et j'avais caressé du pouce l'anneau en or rouge.

— Au début, je n'osais pas vous adresser la parole… Je pensais que vous étiez mariée.

— Non, non, je ne suis pas mariée et ne l'ai jamais été. C'est un souvenir de ma mère. Sa bague de fiançailles. Maman ne portait pas d'autre bijou, vous voyez, et quand elle est morte, j'ai gardé cet anneau pour conserver quelque chose d'elle avec moi. Je ne l'ai jamais enlevé depuis ce jour-là, avait-elle ajouté en faisant tourner la bague autour de son annulaire, pensive. Je vis toute seule.

— Le sérieux avec lequel elle avait prononcé cette phrase m'avait ému.

— Oh… je suis désolé, avais-je commenté avant de me mettre à bredouiller. Je… je veux dire, la mort de… de votre mère.

Évidemment, je n'étais pas désolé que Mélanie vive seule, toute seule même. Au contraire, je m'en félicitais, bien que je déplore les accents tristes de ses derniers mots.

— Vous n'avez personne à Paris ?

Elle avait secoué la tête.

— Pas de famille ? Pas de frère ? Pas de sœur ? Pas de petit ami ? Pas de chien ? Même pas un canari ?

Elle avait secoué la tête, encore et encore, et fini par rire.

— Vous êtes drôlement curieux, Alain ! Non, même pas un canari, puisque vous me posez la question. Quant à ma famille, seule ma tante Lucie, la sœur aînée de ma mère, vit encore, mais elle habite en Bretagne. Je lui rends visite de temps en temps. Il se trouve que je vais justement la voir ce week-end. Le bord de mer est très beau. Et sinon…

Elle avait hésité un moment, et bu une petite gorgée de vin avant de reposer son verre d'un air décidé. Manifestement, elle ne voulait pas achever sa phrase, mais il n'était pas difficile de deviner qu'elle pensait à un homme.

— C'est comme ça. Les choses sont ce qu'elles sont, avait-elle poursuivi. Mais ce n'est pas un problème. J'ai de bons amis, un patron merveilleux, des voisins sympathiques, et j'aime beaucoup vivre à Paris.

— Je ne peux pas croire qu'une femme aussi séduisante n'ait pas de petit ami, avais-je insisté.

Je l'avoue, mes paroles n'avaient rien d'original, mais je voulais acquérir une certitude absolue. Peut-être ce patron merveilleux partageait-il sa vie. Peut-être faisait-elle partie de ces femmes qui vivaient soi-disant seules et avaient en réalité, depuis des années, une liaison avec un homme marié.

Mélanie avait souri.

— C'est le cas, pourtant. Le dernier m'a trompée pendant un an avec sa collègue. J'ai trouvé une boucle d'oreille en jade vert dans son lit et nous nous sommes séparés, avait-elle soupiré avec une amusante expression de désespoir. J'ai le don de tomber amoureuse des mauvais numéros. Au bout du compte, il y a toujours une autre femme.

— Pas croyable, avais-je lâché. Ce sont tous des idiots finis.

8

Nous aurions sans doute pu rester à La Palette jusqu'au petit matin, à boire du vin, nous tenir la main, plaisanter, parler, sourire et nous taire, si les serveurs n'avaient pas commencé à manifester une certaine agitation. Ils repoussaient les chaises en bois contre les tables. Faisaient s'entrechoquer les verres. S'accoudaient au comptoir, regardaient dans notre direction en bâillant et attendaient.

Ils faisaient preuve d'une grande compréhension envers un homme et une femme sur le point d'oublier qu'il existait d'autres personnes sur terre. Qui avait écrit que l'amour était un égoïsme à deux ?

Finalement, un serveur s'était approché en se raclant la gorge.

— Pardon, mais nous allons fermer.

Nous avions levé les yeux, surpris, et constaté que nous étions les derniers clients.

— Mon Dieu, il est déjà 1 h 30 ! s'était exclamée Mélanie.

Elle avait eu un sourire d'excuse à l'adresse du serveur, retiré sa main de la mienne et attrapé son manteau rouge, soigneusement accroché à son dossier. Je m'étais levé pour l'aider à l'enfiler, puis j'avais sorti mon portefeuille de ma veste et payé.

— Merci beaucoup pour l'invitation. C'était une très belle soirée, avait assuré Mélanie lorsqu'on avait refermé la porte derrière nous.

Elle boutonnait son manteau tout en me regardant. Alors seulement, j'avais remarqué la coupe démodée de ce dernier, qui lui allait si bien.

— Oui, une soirée extrêmement belle, avais-je confirmé. Et qui a passé trop vite.

Nous étions au beau milieu de la nuit, je n'étais absolument pas fatigué et je refusais que la soirée soit finie – si cela n'avait tenu qu'à moi, elle aurait pu durer toujours comme pour les héros de *Before Sunrise*, ces deux jeunes gens qui passent un jour et une nuit à déambuler dans Vienne. Seulement, je pouvais difficilement demander à Mélanie de flâner avec moi aux Tuileries et d'y attendre l'aube de la manière la plus romantique qui soit : dans mes bras. Il faisait bien trop froid.

À cet instant, j'aurais aimé posséder un peu plus de la mentalité insouciante de Robert, façon « Chez moi ou chez toi ? ». D'un autre côté, je doutais que cette jeune femme au manteau passé de mode soit le genre qu'on puisse conquérir avec de telles avances. En outre, je vivais le début d'une histoire très particulière et pas d'une simple aventure, je le sentais bien.

Au cœur de cette nuit paisible, chaque mot paraissait peser beaucoup plus lourd que dans le bistrot cosy où, assis quelques minutes plus tôt à une table en bois foncé, nous parlions, mains entremêlées.

À présent, nous étions dans la rue, l'un en face de l'autre, et, aussi timide qu'un écolier, je ne voulais pas prendre congé de Mélanie.

J'envisageais de l'inviter à aller voir un film le soir suivant – une proposition plutôt commune pour le propriétaire d'un cinéma. Indécis, j'avais enfoui les mains dans les poches de mon pantalon, cherchant LA phrase grandiose.

— Bon… avait fait Mélanie en remontant les épaules, frissonnante. Je vais de ce côté. – Elle avait indiqué de la main le boulevard Saint-Germain. – Et vous ?

Mon appartement ne se trouvait qu'à quelques minutes de La Palette, rue de l'Université. C'était à l'opposé, mais peu m'importait.

— Quelle coïncidence, moi aussi, avais-je menti, et j'avais vu Mélanie sourire, ravie. Ma foi… Puisque nous allons dans la même direction, je peux vous accompagner un bout de chemin, si vous voulez bien.

Elle voulait bien. Elle avait passé son bras sous le mien et nous avions remonté sans hâte la rue de Seine jusqu'au boulevard Saint-Germain, encore animé malgré l'heure tardive, avant de passer devant le stand de crêpes blotti sur un côté d'un des squares de la vieille église de Saint-Germain-des-Prés. En journée, il y avait toujours une file de gens qui, alléchés par l'odeur, voulaient acheter une crêpe à la crème de marrons ou une gaufre au chocolat.

Devant la Brasserie Lipp, vivement éclairée, quelques taxis attendaient les noctambules. Nous avions changé de trottoir et continué à longer le

boulevard Saint-Germain, avant de traverser finalement le boulevard Raspail et de tourner peu après
dans la tranquille rue de Grenelle, avec ses hauts
immeubles anciens.

— On va toujours dans votre direction ? demandait Mélanie chaque fois que nous débouchions dans
une nouvelle voie.

Je hochais la tête, je disais « Oui » et la priais de
continuer à me parler de son amie, qui travaillait au
bar d'un grand hôtel et ne pouvait jamais l'accompagner à la dernière séance du mercredi soir ; de
son patron obèse et amateur de cigares, M. Papin.
Victime d'une pneumonie, il se trouvait à l'hôpital, si
bien que sa collègue et elle géraient seules son magasin d'antiquités, dans lequel on trouvait meubles
anciens, lampes Belle Époque, bijoux Art nouveau et
baigneuses en porcelaine peinte à la main.

— Vous travaillez dans un magasin d'antiquités ?
l'avais-je interrompue. C'est charmant ! Ça vous cor-
respond bien, je trouve.

Je me représentais Mélanie évoluant dans un
cadre enchanteur, entourée d'objets précieux, et je
m'apprêtais à lui demander le nom de la boutique
lorsqu'elle avait ajouté :

— Mon amie me demande toujours ce que je
trouve à tout ce bric-à-brac. Mais j'aime les vieilles
choses. Elles dégagent paix et chaleur. Et chacune a
son histoire…

Mélanie semblait d'humeur à se livrer. Marchant
près d'elle, écoutant sa voix mélodieuse, je contemplais sa bouche couleur framboise et songeais que le
bonheur devait procurer cette sensation-là.

Après s'être finalement arrêtée rue de Bourgogne, devant un immeuble ancien situé en face d'une petite papeterie à la vitrine encore éclairée, Mélanie m'avait lancé un regard interrogateur.

— Nous y sommes, avait-elle déclaré en désignant la porte cochère vert foncé flanquée d'un digicode. Vous êtes sûr que vous marchez dans la bonne direction ?

— Certain, avais-je répondu.

Elle avait haussé les sourcils, ses yeux scintillant d'amusement.

— Où devez-vous aller au juste, Alain ? Vous habitez ici aussi ? Rue de Bourgogne ?

J'avais secoué la tête avec un sourire gêné.

— J'habite rue de l'Université. Tout près de La Palette, en vérité. Mais c'était sans aucun doute le plus beau détour de ma vie.

— Oh, avait-elle fait en rougissant. Je l'espérais… pour être honnête.

Elle avait souri et repoussé une fois de plus une mèche de cheveux derrière son oreille, d'un geste vif. Je savais déjà que j'aimerais ce petit geste.

— Et j'espérais que vous l'espéreriez, avais-je soufflé, tandis que mon cœur se remettait à battre la chamade.

La nuit nous enveloppait comme si nous étions seuls à Paris. Et nous l'étions, en cet instant. Le visage clair de Mélanie se détachait dans la pénombre. Fixant sa bouche framboise, son sourire, j'avais songé que c'était le moment de l'embrasser.

Soudain, nous avions entendu un bruit et sursauté.

Sur l'autre trottoir, un homme âgé chaussé de pantoufles traînait les pieds. Il avait jeté un coup d'œil à la vitrine de la papeterie, et secoué la tête avec réprobation.

— Ils sont tous fous, tous ! avait-il lancé entre ses dents.

Alors, il s'était retourné vers nous et avait agité l'index.

— Un cou-ple d'a-mou-reux ! avait-il scandé, avant de lâcher un rire espiègle et de s'éloigner.

Nous avions attendu que le vieillard disparaisse. Ensuite, nous nous étions regardés et avions éclaté de rire. Puis nous avions continué à nous regarder. Des minutes ou des heures s'étaient-elles écoulées ? Je ne saurais le dire. Finalement, une cloche avait sonné quelque part et l'air s'était mis à vibrer. Robert aurait sûrement pu m'expliquer avec précision quelles particules chargées d'électricité tourbillonnaient entre nous telle une pluie d'étincelles.

— Ce ne serait pas le moment ? avait demandé Mélanie.

Sa voix avait tremblé, très légèrement, mais je l'avais remarqué.

— Quel moment ? avais-je fait d'un ton rauque.

Je l'avais prise dans mes bras, contre mon torse dans lequel mon cœur s'emballait au rythme fou d'un chef d'orchestre déchaîné.

Enfin, nous nous étions embrassés, et c'était exactement comme je l'avais imaginé. Mais beaucoup, beaucoup plus beau.

9

Je crois qu'aucun être aussi heureux que moi, cette nuit-là, n'avait encore emprunté la rue Bonaparte. Je marchais à grandes enjambées, le pas léger, les mains dans les poches de mon pantalon. Il était 3 heures du matin mais je n'éprouvais aucune fatigue. Il n'y avait pas âme qui vive et mon cœur était empli de joie à l'idée de tout ce qui m'attendait. La vie était belle et Fortune venait de déverser sa corne d'abondance sur moi.

Quiconque a déjà été amoureux voit ce que je veux dire. J'étais d'humeur à faire des claquettes sur le trottoir comme Gene Kelly dans *Chantons sous la pluie*. Malheureusement, je suis tout sauf un danseur de talent, si bien que je m'étais contenté de fredonner le refrain de la chanson culte et de shooter dans une canette de Coca-Cola.

Un homme ivre venu de la rue Jacob avait titubé vers moi, puis il avait tendu la main, paume vers le haut, l'air étonné. Non, il ne pleuvait pas, mais j'aurais accueilli toute ondée passagère comme une pluie d'or. Mon euphorie atteignait des sommets. Je me sentais invincible. J'étais le favori des dieux.

N'était-ce pas incroyable qu'après tous les millénaires pendant lesquels ce monde avait tourné autour de son axe, l'amour demeure la chose la plus merveilleuse qui puisse arriver à deux personnes ? Ce sentiment qui nous faisait repartir de zéro et entrevoir de belles et grandes perspectives ne disparaissait pas.

L'amour – ce sont les premières feuilles vertes du printemps, un oiseau qui gazouille sa mélodie, un galet qu'on fait ricocher sur l'eau, un ciel bleu ponctué de nuages blancs, un sentier sinueux qui longe une haie de genêts odorants, un vent tiède qui souffle sur les collines, une main qui se blottit dans une autre.

L'amour est la promesse de notre vie. Au début de tout, il y a toujours un homme et une femme.

Cette nuit-là, ils s'appelaient Mélanie et Alain.

En ouvrant la porte de mon appartement, j'entendais déjà les miaulements d'excitation. Je m'étais penché vers Orphée qui, dans le vestibule, se roulait de joie sur le tapis berbère.

— Alors, comment va ma petite princesse tigre ? avais-je demandé en caressant sa fourrure rayée de blanc et de gris.

Un ronronnement satisfait avait envahi l'entrée.

Orphée était accourue à ma rencontre. Un matin, je l'avais trouvée, poussant une plainte déchirante, devant ma porte. Elle était encore très petite, très maigre, et j'avais demandé dans l'immeuble si quelqu'un avait perdu son chat. De cette manière, j'avais enfin fait la connaissance de tous mes voisins. Seulement, le chat tigré n'appartenait à personne.

Méconnaissant totalement la biologie la plus élémentaire, je l'avais prise pour un mâle et appelée Orphée. Puis Clarisse, venue faire le ménage comme chaque semaine, avait mis les poings sur les hanches et secoué la tête avec énergie.

— Mais non, monsieur Bonnard ! C'est une fille, ça se voit tout de suite.

Effectivement, quand on regardait bien, ça se voyait. Orphée avait malgré tout gardé son nom et je pense qu'il lui plaît, même si elle n'obéit jamais quand je l'appelle.

— Tu ne vas pas croire ce qui m'est arrivé aujourd'hui, ma belle. Ça va t'en boucher un coin.

J'avais tapoté affectueusement son ventre clair, et Orphée avait basculé avec volupté sur le côté. Peu importait ce qui m'était arrivé, tant que je la gratouillais.

Après avoir sacrifié à notre rituel de bienvenue, je m'étais rendu dans la cuisine pour prendre un verre d'eau. Brusquement, j'avais très soif. Orphée, qui m'avait suivi, avait sauté sur l'évier d'un bond gracieux et poussé plusieurs fois mon bras avec son petit crâne dur.

— C'est bon, c'est bon, avais-je soupiré en ouvrant le robinet. Mais tu pourrais t'habituer à boire dans ton écuelle. Ça serait plus normal, tu comprends ?

Orphée ne m'écoutait pas. Comme tous les chats, elle avait sa propre idée de ce qui est « normal ». Et, manifestement, il était bien plus intéressant de boire au robinet.

J'avais regardé sa langue rose laper le mince filet d'eau religieusement.

— Votre chat s'appelle *Orphée ?*

Mélanie avait éclaté de rire lorsque je lui avais raconté que la seule femme dans ma vie était une chatte capricieuse qui portait accidentellement un nom d'homme.

— Est-ce qu'elle joue aussi de la lyre ?

— Non, pas vraiment. Mais elle aime beaucoup boire au robinet.

— C'est mignon, avait commenté Mélanie. Le chat de mon amie ne boit que l'eau des vases.

— Mélanie te trouve mignonne, avais-je répété à Orphée.

— Miaou, avait répondu Orphée.

Elle s'était interrompue un moment, puis s'était remise à laper l'eau.

— Tu ne veux pas savoir qui est Mélanie ?

J'avais jeté ma veste sur le dossier de la chaise de la cuisine, rejoint le salon en faisant légèrement craquer le parquet et allumé le lampadaire. Ensuite, je m'étais laissé tomber sur le canapé.

J'avais entendu un léger *pouf.* Orphée avait sauté en bas de l'évier et s'approchait, la démarche ondulante. Une seconde plus tard, elle était couchée sur mon ventre et ronronnait. Je m'étais étiré et j'avais enfoui mes mains dans sa fourrure soyeuse en fixant, perdu dans mes pensées, l'abat-jour en tissu blanc cassé du luminaire, diffusant une douce lumière. Il me semblait que le visage de Mélanie flottait juste au-dessus de moi. Elle avait souri.

Je ne quittais pas le lampadaire du regard, repensant aux baisers devant la porte cochère, rue de Bourgogne. Des baisers qui n'en voulaient plus finir mais avaient tout de même pris fin lorsque Mélanie s'était écartée.

— Il faut que j'y aille, avait-elle dit à voix basse.

J'avais lu de l'hésitation dans ses yeux. L'espace d'un instant, j'avais espéré qu'elle me propose de la suivre, mais elle en avait décidé autrement.

— Bonne nuit, Alain, avait-elle fait en posant doucement son index sur ma bouche, avant de se détourner et de composer son code.

Avec un léger bourdonnement, la porte cochère s'était ouverte sur une cour intérieure. Au milieu, un vieux châtaignier étendait ses branches.

— Ah, je n'ai pas du tout envie de te laisser t'en aller, avais-je confié en la reprenant dans mes bras. Encore un baiser !

Mélanie avait souri et fermé les yeux lorsque nos bouches s'étaient trouvées.

Après ce baiser, il y avait eu un *dernier* baiser, puis un *tout dernier*, très passionné, sous l'arbre.

— Quand se revoit-on ? m'étais-je enquis. Demain ? Mélanie avait réfléchi.

— Mercredi prochain ?

— Quoi ! Mercredi prochain seulement ?

Attendre une semaine me paraissait inimaginablement long.

— Ce n'est pas possible plus tôt, hélas. Demain, je pars passer une semaine chez ma tante, au Pouldu. Mais on ne va pas se perdre de vue…

Alors, j'avais laissé Mélanie partir une bonne fois pour toutes, avec la promesse que nous nous reverrions le mercredi suivant au Cinéma Paradis, à 20 heures précises.

Elle m'avait adressé un signe de la main, puis avait disparu dans l'immeuble au fond de la cour. J'étais resté planté là un moment, envoûté, et j'avais vu la lumière s'allumer derrière une fenêtre, dans un étage en hauteur, et s'éteindre peu de temps après.

Ici vit la femme que j'aime, avais-je pensé.

Ensuite, j'avais pris le chemin du retour.

10

Ce matin-là, le téléphone avait sonné pendant que je buvais mon café, fourbu après la nuit passée sur mon canapé où j'avais fini par piquer du nez, heureux, à l'aube.

Je m'étais levé de ma chaise en gémissant et j'avais cherché le combiné qui n'était pas sur sa base, pour changer. Je l'avais retrouvé sous la pile de journaux près de mon lit non défait.

C'était Robert qui, comme chaque matin avant son premier cours, avait déjà fait son jogging dans le bois de Boulogne et s'octroyait une pause dans son bureau, à l'université. Comme toujours, il était allé droit au but.

— Alors, c'était comment ? La supernova a explosé ? avait-il lancé, d'une voix enjouée.

J'avais sursauté. Il parlait encore plus fort que d'habitude.

— Mais enfin, Robert, tu es obligé de brailler ? Je ne suis pas sourd ! lui avais-je reproché en retournant m'installer à la table de la cuisine. Je n'ai dormi que deux heures, mais c'était…

Des qualificatifs tels que « magique », « merveil-leux » et « romantique » m'étaient venus à l'esprit – des mots qui n'auraient eu aucun sens pour lui.

— C'était génial, avais-je conclu. Dingue. Je suis emballé. C'est la femme que j'ai toujours attendue.

Robert avait eu un claquement de langue réjoui.

— Eh ben dis donc, avait-il commenté. Tu es lent à l'allumage mais une fois que tu t'es enflammé, tu fais des étincelles, hein ? J'espère que je ne dérange pas. Elle est encore chez toi ?

— Non, bien sûr que non.

— Comment ça, « bien sûr que non » ? Tu as passé la nuit chez elle ? Pas mal.

Je n'avais pu m'empêcher de rire.

— Personne n'a passé la nuit chez personne, avais-je expliqué à mon ami déconcerté. Mais ce n'est pas important.

J'avais repensé au regard hésitant de Mélanie, tan-dis que nous nous tenions devant la porte cochère, et j'avais soupiré.

— Enfin… Je n'aurais pas décliné une invitation, il faut que tu saches que je l'ai raccompagnée, avais-je poursuivi. Seulement, ce n'est pas le genre de femme qui partage son lit le premier soir.

— Dommage.

Robert paraissait déçu, mais son pragmatisme avait rapidement repris le dessus.

— Maintenant, il ne faut pas que tu lâches le mor-ceau. *Ne lâche pas le morceau*, tu entends ?

— Robert, je ne suis pas idiot, avais-je répliqué avec énervement, tout en coupant une rondelle de chèvre et en la déposant sur un morceau de baguette.

— Okay, okay, avait-il concédé avant de se taire un moment, sans doute pour réfléchir. Je te souhaite juste que ce ne soit pas une de ces femmes compliquées. Avec elles, pas moyen de prendre du bon temps.

— Ne t'inquiète pas, on a déjà pris beaucoup de bon temps, avais-je assuré. La soirée était très belle, et notre histoire ne fait que commencer…

J'avais songé au vieil homme en pantoufles qui nous avait appelés les « amoureux », au rire rafraîchissant de Mélanie qui lui échappait parfois sans crier gare. J'adorais l'entendre.

— On a beaucoup ri, beaucoup parlé… Tu vois, tout colle parfaitement. Elle aime comme moi les vieux objets, elle travaille même dans un magasin d'antiquités avec des figurines en porcelaine, des lampes et des meubles anciens, elle aime les chats et son film préféré, c'est *Cyrano de Bergerac*. C'est aussi un de mes films préférés… Tu ne trouves pas ça *grandiose* ?

Robert semblait peu impressionné. D'un « Bien, bien », il avait balayé tous les fantastiques points communs que je pensais avoir relevés.

— J'espère quand même que vous n'avez pas fait que discuter ?

— Non, certainement pas, avais-je souri, repensant aux baisers sous le vieux châtaignier. Ah, Robert, qu'est-ce que je peux ajouter ? Je suis incroyablement heureux. Tellement impatient de la revoir… C'est la jeune femme la plus merveilleuse que j'aie jamais rencontrée. Et elle n'a pas de petit ami, Dieu merci ! Elle m'a dit que la tour Eiffel la rendait toujours joyeuse.

Oh, et elle aime les ponts. – Je parlais avec l'euphorie de toutes les personnes fraîchement tombées amoureuses, que chaque détail de la personnalité de l'autre transporte de ravissement. – Surtout le pont Alexandre-III. Pour ses candélabres Belle Époque, bien sûr.

« Savez-vous à quel point la vue du pont Alexandre-III est belle en début de soirée, quand les lumières commencent à se refléter dans l'eau et que le ciel se teinte de lavande ? » m'avait confié Mélanie. « Il m'arrive de m'attarder sous ces lampadaires anciens pour contempler le fleuve et la ville. Chaque fois, je me dis que c'est magique ! »

— Elle m'a raconté que, quand elle emprunte un de ces ponts, il faut toujours qu'elle s'arrête un moment. Elle trouve Paris magique.

J'avais poussé un soupir de bonheur.

— On croirait entendre un foutu guide touristique, Alain. Es-tu sûr que cette fille habite vraiment *ici* ? Ça fait longtemps qu'on ne m'a pas décrit une carte postale aussi kitsch. J'ai déjà pris le pont Alexandre-III, mais je ne me suis jamais arrêté pour goûter la magie de Paris… pas seul, en tout cas. Je ne comprends pas qu'on puisse faire autant d'histoires pour quelques vieilles lanternes !

— Les ponts ont un charme très particulier, avais-je déclaré.

Robert avait ri. Mon exaltation devait l'amuser. Quand Robert trouvait une fille à son goût, ce n'était assurément pas parce qu'elle avait une prédilection pour les ponts et les candélabres Belle Époque.

— Très bien, tout ça me paraît très prometteur, avait-il conclu sur un ton condescendant. Vous vous revoyez quand ?

Cinq minutes plus tard, je me chicanais avec mon meilleur ami.

— Tu n'as pas son *portable* ? s'était-il exclamé, stupéfait. Mais enfin, comment peut-on être aussi bête ? Vous parlez pendant des heures de ponts et de je ne sais quels films débiles, et tu ne lui demandes pas l'essentiel ? Dis-moi que ce n'est pas vrai, Alain !

— C'est pourtant vrai, avais-je rétorqué brusquement. Sur le moment, ça ne m'a pas paru essentiel, voilà.

J'étais plus que contrarié. Pourquoi ne lui avais-je pas demandé son numéro de téléphone ? J'avais tout bonnement oublié, vérité peu glorieuse. Ce soir-là, que nous avions traversé avec la certitude instinctive d'être liés par davantage que la technologie moderne, un objet aussi terre à terre qu'un portable n'avait pas eu la moindre importance. Mais comment l'expliquer à mon ami ?

Robert bouillait d'impatience.

— Tu rencontres la femme de ta vie et tu ne prends même pas son *numéro* ? avait-il demandé avant de lâcher un rire incrédule. Elle est dure à avaler, celle-là. Alain, tu vis vraiment sur une autre planète. Allô ?! On est entrés dans le troisième millénaire, tu es au courant ? Vous comptez communiquer avec des pigeons voyageurs ?

— Je lui poserai la question la prochaine fois. Je la vois mercredi, après tout.

— Et si ce n'était pas le cas ? avait insisté Robert. Qu'est-ce que tu feras si elle ne vient pas ? Je trouve bizarre qu'elle ne t'ait pas demandé ton numéro. Ou donné le sien, au moins. Mes étudiantes veulent *toujours* mon numéro de portable. – Il avait eu un rire un peu suffisant. – Ça ne ressemble pas vraiment à une soirée réussie, si tu veux mon avis.

— Je n'en veux pas, avais-je répliqué. Et je ne vois pas en quoi tes étudiantes me concernent. Nous avons rendez-vous, et même si ça te dépasse, il existe encore des personnes capables de se réjouir pendant une semaine à l'idée de se revoir, qui respectent les engagements pris sans avoir besoin de revenir dix fois sur le sujet au téléphone, avant de faire machine arrière parce qu'une meilleure occasion se présente.

J'éprouvais l'envie irrépressible de rabattre le caquet de Robert.

— On n'est pas obligé de toujours choisir la voie la plus rapide, même si c'est comme ça que tu t'y prends avec tes étudiantes, avais-je asséné.

— Ce n'est qu'une question d'attraction avait répondu Robert, imperturbable. Mais chacun fait comme il l'entend. Quoi qu'il en soit, je te souhaite bien des réjouissances. Pourvu que tu ne te réjouisses pas pour rien.

Impossible d'ignorer le sarcasme dans sa voix. Je commençais à en avoir assez.

— Pourquoi en faire tout un plat ? m'étais-je agacé. Qu'est-ce que tu cherches à me prouver ?

Que je suis un gros abruti ? Accordé. Oui, j'aurais *dû* demander son numéro. Mais je ne l'ai pas fait. Et alors ! Mélanie sait bien où se trouve mon cinéma. Et je sais où elle habite.

— Elle s'appelle Mélanie ?

C'était la première fois depuis le début de ma conversation avec Robert que j'évoquais son prénom.

— Oui, marrant comme hasard, non ?

— Mélanie comment ?

Je m'étais tu un moment, consterné. Que dire ? *J'étais* un gros abruti. Je venais de me rendre compte que je ne connaissais pas le nom de famille de Mélanie. C'était impardonnable. J'avais tenté de chasser la panique diffuse qui montait en moi. Et si Robert avait raison ?

— Mouais… avais-je finalement lâché, embarrassé.

— Mon vieux, tu es irrécupérable ! avait soupiré Robert.

Puis mon ami m'avait sermonné : la vie n'était pas un film dans lequel les gens se rencontraient et se perdaient, pour se retrouver par hasard près de la fontaine de Trevi, quelques semaines plus tard, parce qu'ils avaient tous les deux eu l'idée d'y jeter une pièce et de faire un vœu.

— Je sais où elle habite, avais-je répété avec entêtement, et les nombreuses plaques nominatives fixées près de la porte cochère, rue de Bourgogne, m'étaient soudain revenues à l'esprit. Si elle ne devait pas se montrer mercredi pour une raison ou pour une autre, je pourrais toujours la retrouver en interrogeant ses voisins. Mais elle viendra, j'en suis sûr.

Mon cœur me le dit. Tu ne comprends rien à ces choses-là, Robert.

— Bon, bon. Si tu le dis. Peut-être que tout se déroulera comme prévu, avait-il concédé avec un rire un peu sceptique. Sinon, tu n'auras qu'à te poster sur les ponts de Paris et attendre que Mélanie se pointe un soir. Elle aime les ponts, non ?

Mélanie avait laissé un message pour moi au Cinéma Paradis. Ce même jour. C'était un triomphe, quoiqu'un peu regrettable. Un triomphe, parce que cela donnait tort à mon ami. Regrettable, parce que je n'avais pas été là pour recevoir ce mot. De cette façon, j'aurais pu revoir Mélanie avant son départ. Et cette fois, je lui aurais sûrement demandé son numéro de téléphone.

Lorsque j'étais entré dans le cinéma, à 16 h 30, François m'avait tendu une enveloppe blanche. Mon prénom était inscrit au recto. Surpris, je l'avais retournée.

— Qu'est-ce que c'est ?

— De la part de la femme en manteau rouge, avait expliqué François en toute sérénité, avant de me détailler derrière ses lunettes rondes à monture en métal. Elle a demandé « Alain » et m'a donné cette lettre.

— Merci.

Je lui avais littéralement arraché l'enveloppe des mains avant de disparaître dans la salle de cinéma, encore déserte. J'avais ouvert précipitamment le courrier, dans l'espoir audacieux qu'elle contiendrait quelque chose de beau. Il y avait juste un court texte.

Après avoir parcouru les lignes écrites à l'encre bleu foncé, j'avais soupiré de soulagement et relu la lettre, phrase après phrase.

> *Cher Alain,*
>
> *Es-tu arrivé à bon port, hier ? J'aurais aimé te raccompagner rue de l'Université, mais ce faisant, nous aurions sans doute passé la nuit à aller et venir, et il fallait que je me lève de bonne heure. Pour autant, je n'ai pas dormi. J'étais à peine en haut, dans l'appartement, que tu me manquais. Et ce matin, en regardant par la fenêtre, je me suis brusquement sentie très heureuse à la vue du vieux châtaignier.*
>
> *Je ne sais pas si tu seras déjà au cinéma quand j'y passerai (ce serait l'idéal, naturellement !) ou si je glisserai simplement mon mot derrière la grille, pour que tu trouves ce petit signe de moi en arrivant. Je ne suis pas une aventurière, Alain, mais je me réjouis – j'attends mercredi prochain avec impatience, j'attends avec bonheur de te revoir. Et de découvrir ce qui se passera ensuite.*
>
> *Je t'embrasse, M.*

Je ne suis pas une aventurière, avait-elle écrit, et cela m'avait touché, même si c'était une citation. Ou peut-être parce que c'en était une. On entendait ces paroles, adressées à ses amis par Delphine la réservée, dans *Le Rayon vert* que j'avais projeté la veille.

— Oh, douce Mélanie ! avais-je dit à mi-voix dans la pénombre de la salle. Non, tu n'es pas une aventurière, mais cela ne fait rien. C'est justement ce que j'aime en toi. Ta sensibilité, ta timidité. Ce monde n'est pas uniquement fait pour les audacieux et les intrépides, les braillards et les autoritaires, non : les craintifs et les tranquilles, les rêveurs et les originaux y ont aussi leur place. Sans eux, il n'y aurait pas de nuances, pas d'aquarelles bleu tendre, pas de non-dits qui donnent des ailes à l'imagination. Les rêveurs, eux, savent que les aventures véritables, les plus grandes, se déroulent dans le cœur…

J'aurais sûrement poursuivi mon plaidoyer pour les gens de la deuxième rangée si un froissement de tissu ne m'avait pas fait lever les yeux. Debout dans l'entrée de la salle, Mme Clément, appuyée sur son balai dans sa blouse fleurie, me regardait, extasiée.

— Madame Clément ! m'étais-je exclamé avant de me lever vivement de mon siège et de me racler la gorge pour me donner une contenance. Vous m'espionnez ? Depuis combien de temps êtes-vous là ?

— Ah, monsieur Bonnard, avait-elle soupiré sans répondre à ma question. C'est si beau, ce que vous avez dit à propos des eaux dormantes, des tableaux bleus et des rêves. J'aurais pu vous écouter pendant des heures. J'ai eu une boîte d'aquarelles, enfant, mais je ne me rappelle plus qui me l'avait donnée. Il arrive un moment où on arrête de peindre et aussi de faire des rêves. C'est dommage, non ? – Un sourire songeur avait traversé son visage. – Heureusement, quand on tombe amoureux, on se remet à rêver.

J'avais hoché la tête, décontenancé, et replié la précieuse lettre que j'avais glissée dans la poche de ma veste. J'ignorais qu'une philosophe sommeillait en Mme Clément.

— Elle vous a écrit ? Qu'est-ce qu'elle dit ? avait-elle demandé avec un sourire de conspiratrice.

— Quoi ?! avais-je lâché, surpris. Voyons, madame Clément !

Je me sentais en délicate posture et n'étais pas près de lui dévoiler le tréfonds de mon cœur. Mais d'abord, comment savait-elle cela ?

— François m'a parlé du mot, naturellement, avait-elle précisé en m'adressant un regard bienveillant.

J'avais haussé les sourcils.

— *Naturellement*, avais-je répété, heureux d'apprendre que la communication dans mon cinéma fonctionnait pour le mieux.

— On se demandait tous comment s'était passée votre soirée avec la jolie femme en manteau rouge, avait poursuivi Mme Clément, curieuse.

Elle avait réellement dit « tous », comme si elle faisait partie d'une cour dont les regards étaient braqués sur les moindres faits et gestes amoureux de son souverain.

— Mais, puisqu'elle a demandé après vous aujourd'hui et vous a même écrit une lettre d'amour, ce devait vraiment être une belle soirée.

— En effet, avais-je répondu sans pouvoir m'empêcher de rire. Seulement, chère madame Clément, pourquoi êtes-vous aussi sûre qu'il s'agit d'une lettre d'amour ?

Elle avait penché la tête sur le côté et mis son poing libre sur sa hanche.

— Écoutez, monsieur Bonnard, j'ai un peu de bouteille. Il suffit de voir votre visage pour comprendre ce qui se passe. Elle vous a écrit une lettre d'amour, et *voilà !* avait-elle lancé, avant de frapper énergiquement le sol avec le manche à balai. Et maintenant, laissez-moi balayer avant que la séance commence.

J'avais fait quelques pas de côté, esquissé une révérence et quitté les lieux. Apercevant mon visage dans le grand miroir Art déco, j'avais dû donner raison à Mme Clément. Cet homme mince, de haute taille, aux épais cheveux foncés, *était* amoureux. Ses yeux brillants et son sourire si particulier le trahissaient, il aurait fallu être aveugle pour ne pas le remarquer.

Je m'étais détourné et avais palpé l'enveloppe dans ma poche. Était-ce une lettre d'amour ? Je l'avais sortie et j'avais souri en parcourant les mots tendres.

Oui, j'avais souri sans soupçonner que, durant les semaines à venir, j'allais relire ce courrier encore et encore, m'y raccrochant avec le désespoir d'un homme qui se noie parce qu'il était le seul témoignage d'une belle soirée s'étant achevée rue de Bourgogne, dans une cour intérieure, sous un vieux châtaignier.

Fixant l'affiche des *Choses de la vie* que j'avais punaisée la veille dans le foyer, en début d'après-midi, et surmontée du bandeau *Mercredi prochain dans la série* Les Amours au Paradis, j'avais souhaité que l'on soit déjà ce fameux mercredi. J'aurais aimé violer les lois du temps et donner une semaine de mon existence pour revoir Mélanie sans plus attendre. Mais elle devait déjà être en route pour la Bretagne.

Les jours suivants, la lettre de Mélanie n'avait pas quitté la poche de ma veste, tel un talisman. Je la portais constamment sur moi, comme une garantie de bonheur. Je la lisais le soir quand, sous le regard attentif d'Orphée, je m'attardais sur le canapé avec un verre de vin rouge, sans pouvoir me résoudre à aller au lit ; je la lisais le lendemain matin quand, assis à une des tables rondes du Vieux Colombier, je buvais mon expresso puis fixais, sans vraiment la voir, la pluie qui crépitait sur le bitume.

Bien sûr que c'était une lettre d'amour. La plus belle surprise que cette semaine palpitante m'ait apportée.

C'est du moins ce que je pensais, jusqu'au moment où, après la dernière séance du vendredi, j'avais descendu la grille et qu'un petit homme en trench avait quitté la pénombre pour m'adresser la parole.

Je connaissais l'homme et la femme qui l'accompagnait. Seulement, il me fallut quelques secondes pour m'en rendre compte.

Qu'on me pardonne si j'écarquillai les yeux et, de surprise, lâchai mon trousseau de clés. Le cadre dans lequel je me trouvais m'apparaissait assez « surréaliste », pour reprendre le mot du timide libraire dans *Coup de foudre à Notting Hill*.

Devant moi se tenaient, comme tombés du ciel, le célèbre réalisateur new-yorkais Allan Wood et une créature d'une beauté vertigineuse, que j'avais souvent admirée sur grand écran.

Solène Avril, une des actrices les plus connues de notre temps, me tendit la main avec le même naturel que si nous étions de vieux amis.

— Bonsoir, Alain, fit-elle en m'adressant un sourire rayonnant. Je m'appelle Solène et *j'adore* ce cinéma.

11

— Mon Dieu, c'est exactement comme dans mon souvenir, fantastique. C'est merveilleux !

En proie à un ravissement enfantin, Solène Avril passait de rangée en rangée, caressant les accoudoirs des vieux fauteuils.

— Tu ne trouves pas ça incroyable, chéri ? Tu vois, je ne t'avais pas menti ! Tu avoueras qu'on n'aurait jamais trouvé ça en Amérique.

Allan Wood remonta ses lunettes en écaille sur son nez. Il s'apprêtait à répondre lorsque Solène se laissa tomber dans un siège et croisa gracieusement des jambes gainées de soie.

— C'est parfait, tout simplement parfait, poursuivit-elle en appuyant sa tête contre le dossier.

Pendant un moment, je ne vis plus que ses cheveux qui tombaient sur le velours rouge comme une coulée d'or, et son genou bien dessiné qui remuait au rythme de son pied, se balançant d'avant en arrière.

— Et l'atmosphère est *dingue*. Rien que l'odeur qui règne dans cette salle m'inspire… Aaah, magnifique, non ? Viens t'asseoir près de moi, chéri !

Allan Wood, resté debout à côté de moi pour s'imprégner de façon plus mesurée de l'atmosphère « dingue » de mon établissement, m'adressa un sourire d'excuse avant de rejoindre Solène. Je le suivis du regard, toujours sous le coup de la surprise, et face à ce scénario irréel, mon propre cinéma me parut soudain étranger.

Le lourd rideau de velours rouge, qui descendait jusqu'au sol et cachait le grand écran ; les vingt-trois rangées de fauteuils qui, suivant une pente douce, montaient jusqu'au fond où était pratiquée l'ouverture rectangulaire de la lucarne à travers laquelle le projectionniste pouvait voir écran et spectateurs ; les portraits en noir et blanc de comédiens, dans des cadres en ronce de noyer – Charlie Chaplin, Jean-Paul Belmondo, Michel Piccoli, Romy Schneider, Marilyn Monroe, Humphrey Bogart, Audrey Hepburn, Jean Seberg, Catherine Deneuve, Fanny Ardant et Jeanne Moreau –, souriant depuis les murs tendus de tissu sombre comme si l'éclat des lampes globes leur donnait vie.

Mais le plus beau, c'était la coupole qu'admiraient mes visiteurs du soir, vers laquelle je levais assez rarement les yeux. Elle se creusait au-dessus de la salle, ornée de vrilles peintes en vert foncé ; dans leurs feuilles se cachaient oiseaux de paradis et oranges dorées.

— Tu comprends pourquoi je ne peux tourner ces scènes qu'ici ? demanda Solène Avril en ouvrant grand les bras et en écartant les doigts, le geste dramatique. Je ne veux pas tomber dans le pathos, mais ce qu'on a ici... Ce qu'on a ici n'a rien à voir avec un de ces décors de studio, n'est-ce pas, chéri ? Ici, je pourrai être authentique, jouer avec tout mon cœur, je le sens.

Elle poussa un soupir de bonheur.

Allan Wood s'installa à côté d'elle, passa les bras autour des dossiers de gauche et de droite, et renversa la tête en arrière. Il se tut un moment.

— *Yeah, it seems like the perfect place*, lâcha-t-il finalement en fixant le plafond. *I really like it !* J'aime cette atmosphère nostalgique. Et ça sent… – Il agita sa petite main blanche en l'air, puis claqua des doigts comme s'il venait d'avoir une illumination. –… Ça sent… *l'histoire.*

Debout au fond de la salle, muet, je n'étais plus en mesure de juger si Allan Wood avait raison ou tort. Pour être franc, je n'étais pas même en mesure de juger si je n'hallucinais pas.

Il n'était pas loin de minuit et je m'attendais à ce que les deux têtes dépassant des fauteuils s'évaporent. J'allais me réveiller dans mon lit et secouer la tête, murmurant que j'avais rêvé d'un célèbre réalisateur américain et d'une des plus belles femmes au monde, venus dans mon établissement pour en faire le décor d'un film.

Je fermai les yeux et respirai profondément. Le parfum capiteux et poudré de Solène Avril flottait dans l'air. J'en sentais l'émanation à chacun de ses mouvements. Si c'était ça, l'odeur de l'histoire, je la trouvais envoûtante.

— C'est authentique ou vous utilisez un spray ?

— Euh… pardon ? fis-je en écarquillant les yeux.

Allan Wood s'était retourné vers moi. Ses sourcils sombres s'arquèrent.

— Je parlais du parfum d'ambiance. J'en ai un à la maison. Quand on le vaporise, on croirait se trouver confortablement installé dans une vieille bibliothèque, m'expliqua-t-il avant de quitter son siège.

— Non, non, assurai-je. Tout ici est authentique…

Je consultai l'heure. Il était minuit et rien ne se passait. Je haussai les épaules, résigné. Manifestement, je ne rêvais pas et cet inhabituel événement nocturne, qui allait mettre ma vie sens dessus dessous dans les semaines à venir, se produisait vraiment. Incroyable !

Allan Wood et Solène Avril étaient bien en ma compagnie, dans la salle vivement éclairée de mon établissement. Décidés à tourner au Cinéma Paradis – à condition que je donne mon accord.

Je secouai la tête et un petit rire m'échappa.

— Tout est authentique, répétai-je, même si je dois avouer que vous me semblez encore irréels. Vous comprenez, un épisode de ce genre n'arrive pas tous les jours à un homme ordinaire.

Allan Wood s'approcha et se planta juste devant moi. Une lueur amusée dans ses yeux marron bienveillants, il me tendit le bras et tira plusieurs fois la manche de son imperméable.

— Pourtant, nous *sommes* réels, déclara-t-il. Beau et bien réels. Allez, touchez-moi !

Je tirai sa manche et souris. Oui, il était « beau et bien » réel.

Le petit homme en trench, que j'avais d'abord pris pour une apparition, m'avait été sympathique dès le premier instant. Il avait en outre l'amabilité de ne pas tenir compte de mon désarroi. Cependant, même si elle se tenait à un mètre de moi, contemplant la fameuse photo d'Audrey Hepburn avec son fume-cigarette, je doutais encore de la présence de Solène Avril.

— Très élégant. Je devrais peut-être utiliser un de ces accessoires, qu'en penses-tu, chéri ? s'enquit-elle en faisant une moue pensive, avant de soupirer. Remarque, on n'a même plus le droit de fumer dans les bars, de nos jours. Notre monde est devenu si fade, vous ne trouvez pas, Alain ? – Elle me sourit. – Tout change, et pas en mieux, généralement. – Elle plissa le front et j'admirai sa mimique. – Quelle chance que Tiffany existe encore, au moins. Je trouve ça très rassurant.

Nous retournâmes dans le foyer. Regardant la rue, je songeais à l'étrange rencontre, une heure plus tôt. Une rencontre à laquelle j'étais aussi peu préparé qu'à l'atterrissage d'extraterrestres. Un jour, je ferais sans doute à mes petits-enfants le récit de l'irruption nocturne d'Allan Wood et de Solène Avril devant mon cinéma.

— Allan Wood ? avais-je bredouillé, après qu'il se fut présenté et que ma sensation diffuse de le connaître eut cédé la place à la certitude. C'est... alors là... C'est une sacrée surprise. Allan Wood de New York ? Mais bien sûr que votre nom me dit quelque chose !

Allan Wood était resté modeste.

— Je me réjouis que vous me connaissiez, monsieur Bonnard. Je constate que nous avons le même

79

prénom. C'est drôle, non ? Je peux vous appeler Allan ?

— Alain, l'avais-je corrigé, hébété.

Allan Wood ne paraissait pas noter la différence.

— Enchanté, Allan, avait-il déclaré avec un hochement de tête amical.

— Alain, chéri, il s'appelle *Alain*, pas Allan ! s'était exclamée Solène Avril en me regardant d'un air complice.

La star hollywoodienne avait grandi à Paris et connaissait les embûches nasales de la langue française.

— Oh, *I see*… *Al-len*, avait articulé Allan en accentuant la seconde syllabe. Eh bien… Allen, veuillez excuser cette visite-surprise. Solène m'a… comment dit-on… traîné ici. Elle voulait absolument me montrer le Cinéma Paradis, et c'est un heureux hasard de vous avoir rencontré…

Solène avait incliné la tête en souriant avant de m'adresser un clin d'œil, et je l'avais imitée, comme si j'étais un débile léger. Il faut dire que j'avais du mal à suivre la discussion.

— J'aimerais discuter avec vous de mon nouveau film, Allen, avait annoncé le petit homme en trench.

Exception faite de son accent et de quelques fautes, Allan Wood parlait étonnamment bien français. Son regard avait parcouru la vieille façade de mon établissement et il avait émis un claquement de langue appréciateur. Puis il m'avait tendu sa carte de visite, que j'avais glissée dans la poche de ma veste.

— J'aurai peut-être besoin de votre beau cinéma.

— Aha, avais-je répondu, parce que rien de mieux ne me venait.

Pourquoi Allan Wood aurait-il besoin de mon cinéma ? Certes, dans le milieu, le bruit courait que le réalisateur américain aux grandes lunettes en écaille cultivait quelques lubies, mais j'ignorais qu'acheter des cinémas français d'art et d'essai en faisait partie. D'un autre côté, à cet instant précis, cela m'était franchement égal. Totalement sous le charme de Solène Avril, je fixais, tel un zombie, la femme aux cheveux blond clair qui rajustait gracieusement sa cape en laine blanche. Enveloppant ses épaules à la manière d'un nuage aérien, elle lui donnait l'allure d'un ange qui flotterait au-dessus des pavés.

— Ah, tout ça est tellement *excitant*, avait-elle soufflé. J'ai l'impression de redevenir une petite fille. Est-ce qu'on peut entrer et jeter un coup d'œil, Alain ? *S'il vous plaît !*

Elle avait posé sa main sur mon bras et j'avais senti mes genoux flancher.

— Mais bien sûr, avais-je assuré. Bien sûr.

J'avais reculé en vacillant jusqu'à me retrouver dos à la grille. Je dois dire que moi aussi, je trouvais tout ça plutôt excitant. Même dans mes rêves les plus audacieux, je n'aurais pas pu imaginer qu'une icône du grand écran comme Solène Avril me sollicite un jour. Rien que ça, c'était du grand spectacle.

J'avais donc ramassé mon trousseau de clés tombé sur le trottoir, et peu après, nous étions entrés dans le foyer où Solène Avril avait aussitôt remarqué des éléments familiers. Poussant des exclamations enthousiastes (« Pas possible ! Je me souviens de ce miroir ! » ou « Regarde, chéri, *Le rêve est réalité*. La phrase était déjà accrochée au-dessus du guichet à l'époque, je t'en ai parlé ! »), elle n'avait cessé d'interrompre Allan Wood qui, avec force gestes et circonvolutions, m'exposait sa requête tandis qu'elle s'abandonnait à son voyage dans le temps.

Au début, j'avais eu un peu de mal à discerner le but de cette visite nocturne, tant ces deux-là paraissaient rompus à l'exercice de se couper la parole. Cela rendait la compréhension difficile, mais au bout d'un moment, j'avais tout de même compris les choses suivantes :

Allan Wood avait l'intention de tourner un nouveau film, avec Solène Avril pour vedette. Il devait s'intituler *À Paris, tendrement* et, bien entendu, avoir la capitale pour toile de fond. Il s'agissait d'une histoire romantique dans laquelle une femme cherche son amour de jeunesse, et un vieux cinéma d'art et d'essai y jouait un rôle central.

C'est pour cette raison qu'ils avaient fait le voyage jusqu'à Paris. Et il fallait que ce soit le Cinéma Paradis, parce que la capricieuse Solène connaissait l'établissement depuis son enfance et qu'elle avait la conviction de ne pouvoir bien jouer que dans ce lieu. En outre, après dix années passées en Amérique, elle traversait une phase sentimentale vis-à-vis de la capitale française. C'étaient même les réminiscences parisiennes de son actrice préférée qui avaient inspiré ce nouveau projet cinématographique au vieux réalisateur.

— Ah, soyez heureux de vivre à Paris, Alain. Ras le bol de l'Amérique, m'expliqua Solène en passant son bras sous le mien alors que nous sortions dans la rue, après une heure passée à inspecter chaque recoin du cinéma. Si vous saviez ce qu'ils m'ont manqué, ces merveilleux immeubles, ces ruelles pavées, les lumières qui se reflètent dans la Seine, l'odeur des rues quand il a plu, le parfum des châtaigniers aux Tuileries et tous les cafés, les bistrots et les boutiques de Saint-Germain. Les tartelettes au citron, les meringues.

Elle m'abreuvait de paroles tandis que nous descendions la rue en direction du quai et qu'Allan Wood guettait un taxi.

— En Californie, tout est immense, vous savez ? Les pizzas, les glaces, les magasins, les gens, le sourire amical des serveuses. Tout est XXL. C'est agaçant ! Et le temps ne change jamais. Le soleil brille toujours. Tous les jours. Vous comprenez à quel point ça peut être ennuyeux de ne plus avoir de saisons ?

Songeant au mois de février, au temps horrible qui avait plongé la plupart des Parisiens dans la dépression, je secouai la tête.

— Là, un taxi !

Allan agita la main. Quelques secondes plus tard, une voiture s'arrêtait sur le bas-côté, clignotant allumé.

Solène prit congé en déposant un léger baiser sur ma joue, pendant qu'Allan lui ouvrait la portière arrière. Puis ce dernier se retourna vers moi.

— Eh bien, Allen… C'était très agréable, assura-t-il en fouillant les poches de sa veste avant de me tendre sa carte de visite, pour la seconde fois ce soir-là. Si vous avez un empêchement, appelez-moi.

Sinon, on se voit dimanche soir au Ritz. On en profitera pour discuter de tout ça, okay ?

Il me donna une poignée de main d'une fermeté étonnante pour un homme de sa stature.

— Réfléchissez à cette offre, mon ami. Si vous mettez votre cinéma à notre disposition, votre caisse se remplira, ajouta-t-il en m'adressant un clin d'œil à la manière d'Al Pacino. *Real money*, vous voyez ?

Sur ces paroles, il monta à son tour dans le taxi. La portière claqua, la voiture s'éloigna et alla grossir le flot des lumières longeant la rive gauche. De l'autre côté du fleuve, les bâtiments du Louvre s'élevaient, noirs dans le ciel bleu nuit. Il était minuit et demi et je me tenais au bord de la Seine, parfaitement réveillé et totalement dépassé par les récents événements.

En l'espace de trois jours, j'avais embrassé la femme en manteau rouge, reçu une lettre d'amour et obtenu un rendez-vous au Ritz avec Solène Avril et Allan Wood, qui m'appelaient Alain et Allen.

Si mon existence continuait à être aussi palpitante, je ne serais bientôt plus en mesure de regarder des films. J'étais dans la peau de Jean-Paul Belmondo, même si *À bout de souffle* n'était qu'une histoire rasoir comparée à la mienne. Je fourrai la seconde carte de visite d'Allan Wood dans la poche de ma veste, où se trouvait la lettre de Mélanie, et éprouvai soudain la sensation grisante de me trouver au cœur de la vie.

— Qui a dit que l'existence ne réservait plus de surprises ? demanda Robert en écrasant sa septième Gauloise.

Il essayait de rester cool, mais son expression était éloquente. J'avais rarement vu mon ami aussi impressionné que ce samedi après-midi. Depuis une heure, nous étions assis sous l'auvent rayé de bleu, de rouge et de blanc du Bonaparte, où j'avais attisé la curiosité de Robert avec une phrase énigmatique, révélant seulement que j'avais des nouvelles sensationnelles.

— Mais enfin, Alain, c'est pour ça que tu me réveilles ? Je dors encore à moitié, qu'est-ce qu'il peut y avoir de si sensationnel dans ta vie ? avait-il demandé sur un ton maussade. *Moi*, j'ai passé une nuit sensationnelle avec Melissa, tu peux me croire.

— Je veux bien te croire, avais-je répondu en me demandant laquelle de ses étudiantes était Melissa. Pour autant, ce n'est rien par rapport à ce que j'ai à t'annoncer.

— Laisse-moi deviner : tu as son numéro de portable. Sensationnel. Félicitations, avait-il lâché en bâillant sans retenue. Je peux raccrocher, maintenant ?

— Non, Robert, tu ne t'en tireras pas aussi facilement. Quand je dis sensationnel, je veux dire sensationnel. Tu ne devineras jamais avec qui j'ai rendez-vous au Ritz pour dîner, demain soir.

— Arrête de tourner autour du pot.

J'étais resté inflexible.

— Angelina Jolie ? avait-il proposé avant de rire de sa propre plaisanterie.

— Hé ! Pas mal, avais-je commenté, et le rire avait cessé.

— Quoi ? C'est une blague ?

— Non. Allez, devine.

Je ne l'avoue pas volontiers, car cela me présente peut-être sous un jour défavorable, mais après toutes ces années en tant qu'« homme périphérique », cela m'avait fait un bien fou que Robert soit aussi décontenancé. Après que je lui eus tout raconté, il était resté muet un long moment. Je crois que c'était la première fois de sa vie qu'il se retrouvait sans voix. Comme on l'imagine, ce n'était pas dû au fait que la charmante Mélanie m'ait écrit une lettre prometteuse et tienne à me revoir, donnant tort aux impitoyables pronostics de Robert. Non, ce genre d'information était pour mon ami un élément accessoire, gentillet, qu'il avait gratifié d'un « Bien, bien. Et sinon ? » En revanche, l'affaire Solène Avril – voilà qui revêtait une tout autre dimension.

— *Solène Avril ?* La vache ! s'exclama-t-il en allumant une nouvelle cigarette. Pas croyable ! Raconte : elle est aussi sexy en vrai ?

Je hochai la tête, déchirai l'emballage du sucre posé à côté de ma tasse et en versai un peu dans mon café.

— Sans aucun doute. Ça te coupe le sifflet de voir brusquement cette femme en chair et en os.

Robert poussa un soupir et se remit à tirer frénétiquement sur sa cigarette.

— Mon vieux, j'ai chaud rien que d'y penser. Et tu dis que ce joli minois a passé *une heure* dans ton cinéma ?

— Avec Allan Wood, oui.

— Allan Wood ? Qu'est-ce que ce vieux schnock fabrique avec cette bombe ?

— Rien du tout, pour autant que je puisse en juger. Il veut juste tourner un film avec elle. Dans mon établissement !

— *Solène Avril !* Qui l'aurait cru ! lâcha Robert, railleur. Il faudrait être dingue pour ne pas avoir envie de la mettre dans son plumard. – Il m'adressa un regard sans équivoque. – Et vous vous revoyez demain soir ? Au Ritz ? Je parie que la poupée y loge dans une suite avec lit king-size. Mon vieux, tu as un de ces bols !

— Bon sang, Robert ! m'écriai-je. On se retrouve pour discuter du déroulement du tournage. Tu peux penser à autre chose ?

— Non, trancha Robert avec détermination. Pas avec cette femme !

— Quoi qu'il en soit, moi, ça ne m'intéresse pas. Je suis déjà *amoureux*, tu te rappelles ?

Je songeai à Mélanie, qui ne reviendrait de Bretagne que mercredi, et me demandai ce qu'elle pouvait bien faire à cet instant précis. Peut-être se promenait-elle au bord de la mer en pensant aussi à moi.

— Mais quel rapport avec l'amour ? s'enquit Robert.

Il me jeta un coup d'œil d'incompréhension, et je vis presque le mot « idiot » se former derrière son front plissé. Puis une autre idée lui traversa le crâne et son visage s'éclaira.

— Dis donc, Alain… Tu crois que je pourrais t'accompagner ? En tant qu'ami ?

Je ris, amusé.

— Sûrement pas, mon cher ! Ce repas au *Ritz* est purement professionnel.

— Ha, ha ! Purement professionnel, il n'y a que toi qui crois ça ! déclara Robert en faisant la moue. Au moins, invite-moi au début du tournage.

— Je vais voir s'il y a moyen d'organiser quelque chose, répondis-je avec un petit sourire.

— Hé, qu'est-ce qui te prend, mon vieux ? Tu veux gâcher ma vie ? J'aimerais juste faire sa connaissance.

Ses yeux bleu clair me fixaient, pleins d'une innocence désarmante. Je commençais à comprendre pourquoi la plupart des femmes étaient incapables de lui résister. Difficile de se soustraire à ce léopard au regard de chaton.

— Et la sensationnelle Melissa, alors ? demandai-je, même si je connaissais la réponse.

— Quoi, Melissa ? s'étonna Robert avant de finir son café. Melissa est une gentille jeune femme qui doit se pencher sur les lois de Newton parce qu'elle a bientôt un examen. En plus, tout est relatif, comme l'a déclaré avant moi M. Einstein que j'apprécie tant.

— Ce n'est certainement pas ce qu'il voulait dire.

— Bien sûr que c'est ce qu'il voulait dire, contesta Robert avec un sourire légèrement sournois. Donc... Tu es mon ami ou pas ?

Je repoussai ma tasse et soupirai avec résignation.

— Je suis ton ami, pas de problème.

— Et moi le tien. Au fait, tu as les vêtements qu'il faut pour un dîner au Ritz ? Je parie que tu trouverais encore le moyen de t'y pointer en pull. Au Ritz !

On peut dire beaucoup de choses sur ma personne, mais mon meilleur ami Robert Roussel, professeur d'astrophysique et coqueluche de ses étudiantes, avait perdu son pari. Car, ce dimanche soir-là, lorsque mon taxi s'arrêta devant le Ritz, je portais un élégant costume bleu foncé, une chemise d'un blanc immaculé et une cravate. Mon apparence ne laissait nullement à désirer, même Robert aurait dû le concéder.

Cependant, il devait avoir raison sur un point : le dîner avec Solène Avril allait s'achever sur une note bien différente de ce que j'avais imaginé. Une note tout sauf professionnelle.

12

Un scénario bien ficelé doit être capable de surprendre le public. Pour ce faire, le réalisateur choisit un moment de la vie de son héros, un incident inattendu, ou une prise de conscience subite, et change tout. Ce tournant, qui divise l'existence des personnages en un avant et un après, l'améliorant ou l'aggravant, constitue le cœur de l'intrigue. Dans ce processus, il n'est pas rare que le hasard ou le destin – au bout du compte, cela ne fait pas grande différence – jouent un rôle.

Un homme assiste à un assassinat commis dans un train. Un matin, un employé trouve dans une cabine téléphonique un billet de train pour Rome, et il décide de se risquer à faire le voyage au lieu d'aller travailler. Dans la poche du costume de son mari, une femme découvre une note d'hôtel accusatrice. Un enfant meurt dans un accident de voiture, et son décès déséquilibre toute une famille. Lors d'un pique-nique au bois de Boulogne, un homme réalise qu'il aime en réalité l'amie de son épouse. Deux frères et une sœur brouillés apprennent, à la lecture du testament, que leur mère leur ordonne de faire ensemble le pèlerinage de Compostelle pour pouvoir toucher l'héritage. Un jeune bibliothécaire empêche une femme malheureuse de sauter d'un pont, et ils tombent amoureux. La fille d'une milliardaire cache le séduisant voleur qui tambourine à sa porte d'hôtel. Cinq ans après la guerre, un homme marié tombe, dans un café, sur son premier amour.

Ah oui, j'en ai une autre : un soir, le propriétaire d'un petit cinéma d'art et d'essai se promène avec une célèbre actrice sur une des plus belles places parisiennes.

Il existe toujours un moment unique qui met tout en branle et modifie le contexte. Cause et effet. Action et conséquence. Le papillon qui bat des ailes et déclenche un tremblement de terre à des kilomètres de là.

Dans la vraie vie, cependant, contrairement à ce qui se passe au cinéma, on ne peut choisir les moments fatidiques qui entraînent un changement radical. Souvent, on ne soupçonne nullement qu'on se dirige vers l'un d'entre eux.

Rien ne troublait le calme de la place Vendôme, majestueuse dans le crépuscule. On aurait dit une île intacte, oubliée par la grande ville. Sur la colonne imposante qui se dressait au milieu, la statue en bronze de Napoléon veillait sur le temps et l'humanité, auguste. Sous les arcades entourant l'espace découvert s'alignaient quantité de banques, ainsi que les boutiques les plus élégantes et les bijouteries les plus chères de Paris. On ne passait pas par hasard place Vendôme, et tandis que mon taxi s'arrêtait devant l'entrée du Ritz, je me demandais quand j'y étais venu pour la dernière fois. J'étais incapable de m'en souvenir.

Le voiturier vint ouvrir la portière. Je quittai la banquette arrière et entrai, pour la première fois de ma vie, dans un des plus luxueux hôtels au monde.

Dans le hall, je regardai autour de moi et remarquai la conciergerie, à ma droite. Une seconde plus tard, un employé aux cheveux grisonnants s'approchait et me demandait discrètement s'il pouvait m'être utile.

— Bonsoir. J'ai rendez-vous avec M. Allan Wood et… euh… Mme Avril, déclarai-je, et l'espace d'un instant, je craignis qu'il ne me croie pas.

— Mais certainement, monsieur Bonnard. Vous êtes attendu. Si vous voulez bien me suivre ?

Le vieil homme en livrée, pas impressionné pour un sou, me précéda à pas mesurés. Quant à moi, j'étais profondément intimidé, ne serait-ce que parce qu'il connaissait mon nom. Après avoir traversé le hall, nous longeâmes un patio agrémenté de statues en pierre et en marbre, où des clients fumaient, installés autour de tables rondes.

À l'heure du thé, on y proposait de petites tartes aux framboises et des mini-sandwichs exquis sur des présentoirs en argent – je le savais grâce à Robert, qui appréciait la discrétion des lieux quand il venait avec l'élue de son cœur et ne voulait pas être vu.

« Même un pauvre professeur peut s'offrir un thé au *Ritz* », avait-il plaisanté.

Un épais tapis aux ornements orange étouffait le bruit de nos pas tandis que nous nous dirigions vers un ensemble canapé-fauteuils démodé. Derrière, sur le manteau d'une cheminée en marbre, une gigantesque composition mêlant glaïeuls bleu foncé, tulipes violettes, roses et orchidées blanches atteignait presque le plafond. Je regardais autour de moi avec étonnement. Où que mon regard se pose, ce n'étaient que fleurs, tableaux, miroirs, antiquités et, par endroits, clients assis dans des fauteuils avec un verre ou un iPhone.

— Par ici, s'il vous plaît, monsieur Bonnard !

L'homme en livrée ouvrit une immense porte derrière laquelle on percevait un léger brouhaha. Nous étions arrivés au restaurant.

J'eus l'impression de pénétrer dans un temple du printemps. Au-dessus de tables nappées de blanc s'étirait un ciel bleu tendre parsemé de nuages – un trompe-l'œil rendu encore plus vivant par un vrai arbre en fleurs, au milieu de la salle. Je levai les yeux, m'attendant à voir des oiseaux voleter en gazouillant, mais on n'avait tout de même pas poussé aussi loin l'évocation de la nature.

Un jeune serveur aux cheveux noirs gominés nous rejoignit et, après un échange à voix basse avec l'homme en livrée, se chargea de continuer à me guider.

— S'il vous plaît, monsieur Bonnard, par ici.

Il me précéda, évoluant avec aisance entre les tables. Cela ne m'étonnait pas outre mesure qu'il connaisse mon nom, et je commençais à avoir le sentiment d'être un VIP.

« Je vous en prie, monsieur Bonnard. » « Volontiers, monsieur Bonnard. » « Certainement, monsieur Bonnard. »

La fréquence avec laquelle mon patronyme était prononcé s'était brusquement accrue depuis mon entrée dans le grand hôtel. Franchement, cela ne m'aurait pas beaucoup surpris si un inconnu était venu me demander un autographe.

Pour autant, c'était sans doute là le privilège de certaine jeune femme blonde. Vêtue d'une petite robe noire sans manches, elle me faisait signe avec entrain depuis le fond de la salle, après avoir justement dit au revoir à un homme corpulent qui se réjouissait d'avoir obtenu un autographe.

Je levai la main, affichai un sourire engageant, ramenai les épaules en arrière et gagnai à pas circonspects la table où j'étais attendu.

— Elle est solaire : tout le monde recherche sa présence.

Allan Wood regardait avec admiration son actrice fétiche qui traversait le restaurant, perchée sur ses talons hauts, pour aller se « refaire une beauté ».

Je hochai la tête. Solène, rayonnante, était sans aucun doute l'astre de cette soirée. Elle était charmante, vive, extrêmement amusante. Elle avait l'art d'attirer l'attention, comme s'il n'y avait rien de plus naturel et sans qu'on puisse dire comment elle s'y prenait. Peut-être était-ce la façon dont elle racontait une anecdote, rejetait la tête en arrière et éclatait de son rire contagieux, disait « Oh là là, chéri ! » à Allan Wood ou, simplement, la manière dont elle beurrait son morceau de pain.

Elle faisait tout avec ardeur, et une grande légèreté.

La tension qui m'avait accompagné pendant la journée avait disparu dès l'instant où je m'étais assis et où Solène m'avait lancé joyeusement :

— Allez, Alain, buvez une coupe de champagne avec nous ! On s'amuse follement !

En effet, nous nous amusions follement. Cela peut paraître étrange, mais au bout d'un quart d'heure, j'avais oublié que j'étais attablé avec des célébrités. Je m'étais immergé dans l'atmosphère de décontraction que dégageait le couple mal assorti, qui, comme je l'avais supposé, n'était *pas* un couple.

Au cours des semaines suivantes, j'allais me rendre compte que Solène Avril appelait « chéri » chaque représentant de la gent masculine, parce que c'était plus simple que de retenir les prénoms.

— Je dois déjà mémoriser des textes affreusement longs, je ne vais pas, en plus, encombrer mon cerveau avec tous ces noms, avait-elle coutume de dire en riant.

Cadreurs, éclairagistes, journalistes avec lesquels l'actrice avait bavardé plus de dix minutes – tous se voyaient baptisés « chéri ». Les serveurs du Ritz, qui nous servaient plats et boissons avec respect et distinction, la mine impassible, n'échappaient pas à la règle. Ce soir-là, ils étaient les seuls à me rappeler que je n'étais pas en train de vivre une soirée sans cérémonie entre amis, à La Palette.

Naturellement, les hommes que Solène n'appréciait pas n'avaient pas droit au « chéri ». C'étaient des « idiots » ou des « raseurs », ce qualificatif étant presque la pire insulte dans sa bouche.

— *He was a bore, wasn't he*, chéri ? avait-elle demandé à Allan Wood avec un accent américain prononcé, alors qu'elle évoquait son précédent petit ami, le pilote de course italien Alberto Tremonte. Pas croyable, coureur automobile et *tellement* barbant ? J'ai failli *mourir* d'ennui, je vous assure.

En revanche, les hommes qui partageaient sa vie n'avaient jamais droit au « chéri ». Les heureux élus se voyaient surnommés « mon lion » ou « mon petit tigre », le dernier en date étant un propriétaire terrien, Ted Parker.

Curieusement, elle avait retenu comment je m'appelais.

— Alain, racontez-nous une anecdote amusante sur votre vie, avait-elle demandé au début du repas.

Cela la divertissait au plus haut point qu'Allan Wood écorche mon prénom, et elle aimait le lui faire remarquer.

— C'est Alain, pas Alleng, corrigeait-elle le réalisateur.

— Mais c'est ce que je viens de dire : Alleng, protestait chaque fois ce dernier, bon enfant, en haussant les sourcils avec une expression de surprise.

— Alleng… Bang ! Bang ! s'exclamait Solène en me poussant du coude, et nous nous esclaffions jusqu'à ce que des larmes coulent sur nos joues.

Allan Wood riait avec nous. Il avait un sens de l'humour fantastique et faisait partie de ces êtres enviables capables de se moquer d'eux-mêmes. Je l'avais déjà remarqué lorsque les entrées avaient été servies. Parmi les plats de la carte longue comme le bras, Allan avait choisi l'œuf cocotte.

— Œuf cocotte ? Un nom plutôt sexy, avait-il commenté.

Moins d'une demi-heure plus tard, il se penchait au-dessus de son assiette, effaré. Au milieu, un ramequin dans lequel des œufs à moitié crus et des morceaux de champignons nageaient dans une épaisse sauce brune.

— Bonté divine, qu'est-ce que c'est que *ça* ?! s'était-il exclamé en considérant avec méfiance le mélange visqueux auquel on attribuait en général un effet sexuellement stimulant. Un autre client l'a déjà eu en bouche ? Ce n'était vraiment pas la peine. Je suis peut-être vieux, mais mes dents sont encore en bon état !

— On mange ce genre de chose quand on a une *idée* derrière la tête, chéri, l'avait informé Solène, les commissures de ses lèvres frémissant de façon suspecte.

— Difficile à croire, avait lâché Allan avant de tremper bravement un gros morceau de pain dans la petite cocotte et de le mâcher avec circonspection. Intéressant… – Il avait hoché la tête à plusieurs reprises. – Oui, le goût est intéressant. Mais je préfère quand même les *fried eggs, sunny side up*. – Il avait avalé le tout avec une grande gorgée de vin rouge, sans hésiter, puis il avait jeté sa serviette à côté de son assiette et s'était tourné vers moi. – Maintenant, je suis impatient de manger mon steak. Mais avant ça, on doit discuter, tous les deux.

Par cette phrase, Allan Wood en était venu très directement au motif véritable de ce dîner, et Solène, qui trouvait « terriblement ennuyeux » tout ce qui touchait aux affaires, s'était levée et avait pris son sac laqué de noir pour aller se refaire une beauté.

Avant même qu'elle revienne, l'essentiel était éclairci. Si j'avais encore hésité à mettre mon établissement à disposition pour le tournage d'*À Paris, tendrement*, ces doutes se seraient rapidement envolés – la nature avenante d'Allan Wood et la somme non négligeable qu'il me laissait entrevoir pour les éventuels désagréments et la fermeture temporaire du Cinéma Paradis étaient des plus convaincantes.

— Une semaine devrait suffire pour mettre ces quelques scènes en boîte, avait-il assuré, et dans sa bouche, cela paraissait simple et anodin.

Lorsque nous trinquâmes avec bonne humeur à notre « projet commun » et qu'Allan Wood m'informa qu'il comptait démarrer le tournage trois semaines plus tard, je ne me doutais pas de ce que cela impliquait pour mon établissement, et encore moins pour moi-même. Je ne soupçonnais absolument rien de l'agitation des semaines à venir. De mon désespoir. De mon espérance. De cette confusion, ces chemins enchevêtrés ayant pour point de départ une triste histoire survenue des années plus tôt à Paris.

Tandis qu'on nous servait le plat principal et que j'écoutais Allan Wood m'exposer sa nouvelle entreprise, je me demandais ce qu'oncle Bernard en aurait dit. Même si *À Paris, tendrement* ne serait pas un film *impressionniste* au sens strict du terme, il me semblait que cette histoire lui aurait plu. J'aurais aimé lui raconter que son vieux cinéma allait retrouver le lustre d'antan. Et que j'y avais trouvé l'amour de ma vie.

Allan Wood était parvenu au bout de son récit.

— Alors, qu'en pensez-vous ? me demanda-t-il.

— Ça promet d'être un très bon film.

Brusquement, je me sentis fier et heureux. Je songeais à Mélanie, que j'aurais aimé avoir à mes côtés. J'avais hâte de connaître sa réaction, sûr qu'elle se montrerait aussi impressionnée que moi.

Je m'imaginais déjà accrochant dans la salle une nouvelle photo encadrée. On y voyait Solène Avril et Allan Wood sous une inscription au feutre noir :

Nous avons apprécié notre passage au Cinéma Paradis – Solène et Allan.

— Je me réjouis qu'on puisse tourner chez Alain et pas chez ces raseurs de La Pagode, confia Solène après que nous eûmes, d'un commun accord, renoncé au dessert et pris un expresso, servi avec une coupelle en argent garnie de mignardises. Ça va être une semaine amusante, je suis impatiente d'y être.

La Pagode, rue de Babylone, est un des plus insolites cinémas de Paris. Enfant, oncle Bernard y avait vu des films de Laurel et Hardy, et je savais grâce à lui que cet édifice de style japonais était à l'origine une salle de bal que le directeur du Bon Marché avait fait bâtir pour sa femme, à la fin du dix-neuvième siècle. Situé dans le septième arrondissement, il était niché dans un charmant jardin où Solène avait été embrassée pour la première fois, à l'âge de treize ans.

— Le décor était beau, mais le baiser horrible, expliqua-t-elle en riant. J'ajoute que je n'ai jamais mis les pieds dans l'établissement. Mes parents habitaient Saint-Germain et quand on allait voir un film, dans le temps, ce qui n'arrivait pas très souvent pour être honnête, on choisissait toujours le Cinéma Paradis. On s'est ratés de justesse, Alain, hein ?

Je souris à l'idée que nous aurions pu nous croiser. J'estimais que cinq ans devaient nous séparer, Solène et moi. Une différence d'âge importante lorsque l'on est enfant, mais insignifiante plus tard.

Repensant à tous les après-midi passés au Cinéma Paradis, à oncle Bernard, dont j'avais parlé à Solène et Allan ce soir-là, à mon premier baiser et à la petite fille aux longues nattes, j'eus le sentiment confus qu'une boucle était bouclée.

— J'ai une idée ! Que diriez-vous d'organiser la première au Cinéma Paradis ?

Solène, ravie de son illumination, avait réintégré le présent. Elle ôta une peluche blanche de la veste d'Allan Wood.

— Ça serait charmant, tu ne trouves pas, chéri ?

Peu après minuit, nous étions installés dans le bar. Après avoir fait porter la note sur sa chambre, Allan Wood avait eu une idée, lui aussi.

— Et maintenant, on va aller prendre un *drink* au Bar Hemingway. Je crois qu'un dernier verre avant d'aller dormir me ferait du bien.

— Ah oui, un petit *nightcap*, allez, Alain !

Solène avait déjà passé son bras sous le mien et m'entraînait dans un couloir interminable. De part et d'autre, des vitrines où étaient exposés bijoux et sacs à main, cigares et porcelaines, vêtements, articles de bain et chaussures, destinés aux nantis de ce monde. Solène ne leur avait pas accordé un seul coup d'œil.

Nous nous retrouvâmes donc peu après installés dans un canapé en cuir du bar de l'hôtel, entourés de lambris de bois, de tableaux et de bustes d'Hemingway, de fusils de chasse, de cannes à pêche et de vieilles machines à écrire noires aux petites touches rondes. Tenant nos mojitos, nous fêtions Paris, car Paris est une fête.

J'avoue que mes deux nouveaux amis n'avaient aucune peine à s'inspirer de l'humeur excessivement festive qui s'était emparée de Paris dans les années 1920. On célébrait la vie pour conjurer les horreurs inconcevables de la guerre.

— Si vous avez eu la chance de passer votre jeunesse à Paris, reprit Allan pour la seconde fois, citant approximativement le grand Hemingway d'une voix un peu pâteuse, où que vous alliez par la suite, Paris ne vous quitte plus car Paris est une fête. – Il agita son verre et faillit en renverser le contenu. – À Paris !

— À Paris ! lançai-je avec Solène.

— Et au plus grand écrivain de tous les temps !

— À Hemingway ! nous écriâmes-nous avec entrain, et quelques clients nous regardèrent en riant.

— J'avais eu la surprise d'apprendre que le fluet réalisateur new-yorkais, que je n'imaginais pas armé d'une carabine, ne serait-ce que pour sa propre sécurité, idolâtrait un homme dont le nom était associé à la chasse au gros gibier, à la guerre et au danger, et qui, disait-on, ne manquait pas une occasion de faire le coup de poing.

— Vous savez, je suis un grand fan d'Hemingway, m'avait confié Allan alors que nous pénétrions dans le bar. C'était un homme, un *vrai*, non ? – Il avait tapoté affectueusement le buste d'Hemingway placé dans un coin. – Je l'admire. Il savait se battre. *Et* écrire ! Je mets quiconque au défi d'en faire autant.

Ensuite, il s'était arrêté devant la machine à écrire noire, installée sur un socle à l'arrière du comptoir, et avait actionné quelques touches.

— Un jour, je ferai un film dans lequel Hemingway jouera un rôle, avait-il ajouté sur un ton déterminé.

Allan Wood n'entrait pas dans les lieux pour la première fois. Le barman, un bavard qui ne répugnait pas à signer ses livres de cocktails (on pouvait les acheter sur place), l'avait salué de la main avant d'ôter de la table le petit écriteau *Réservé* et de nous inviter à prendre place.

Tandis que nous buvions nos mojitos, la langue d'Allan se délia. Il évoqua sa fille, qu'il avait vue pour la dernière fois dans ce même bar, quelques années plus tôt.

— Une triste rencontre, lâcha-t-il pensivement. Je crois qu'elle ne m'a jamais pardonné d'avoir quitté sa mère pour épouser une autre femme. Depuis cette funeste soirée, je n'ai plus entendu parler d'elle.

Il était de notoriété publique que le réalisateur avait à son actif trois mariages et maintes relations, dont étaient nés plusieurs enfants. Mais je découvrais qu'il avait une fille à Paris.

Une jeune serveuse, chemisier blanc et cheveux sombres noués en un chignon parfait, posa sur notre table une nouvelle coupelle avec des noisettes et des amandes salées. Elle portait au-dessus de la poitrine un badge indiquant son nom. Allan Wood rajusta ses lunettes.

— Merci… Melinda, fit-il aimablement.

La jeune femme mince s'éloigna en souriant, et Allan Wood la suivit tristement du regard. Il était évident qu'il pensait à sa fille.

— Elle se tenait toujours très droite elle aussi, précisa-t-il. Comme une ballerine.

Solène se leva et des clients la regardèrent avec curiosité.

— Allez, chéri, la soirée a été si belle, on ne va pas commencer à broyer du noir. Tu la reverras un jour. On finit toujours par se revoir, assura-t-elle en prenant son sac à main. J'ai envie d'aller fumer une cigarette et de prendre l'air, faire quelques pas dehors avant d'aller au lit. Qui m'accompagne ?

Allan secoua la tête, il voulait encore rester. Il alla s'accouder au comptoir. Lorsque nous quittâmes le Bar Hemingway, il engageait la conversation avec le barman.

Deux types en blouson de cuir étaient avachis dans des fauteuils, près de la porte, sous une photo représentant Ernest Hemingway avec un poisson. En nous voyant passer, ils se mirent à chuchoter.

Dehors, devant l'hôtel, je donnai du feu à Solène qui tira une longue bouffée puis rejeta la fumée avec un soupir de satisfaction. Je réalisai alors que nous étions seuls. À cette heure avancée de la nuit, même le voiturier avait disparu.

Je m'allumai aussi une cigarette et contemplai la colonne éclairée qui se dressait dans le ciel noir d'encre tel un obélisque doré. Sans raison particulière et bien que je n'aie aucune idée derrière la tête, je me sentais étrangement emprunté. Sur cette place paisible, je ressentais avec une grande acuité l'aspect exceptionnel de la situation.

— À quoi songez-vous, Alain ? s'enquit Solène.

— À rien. Non, ce n'est pas vrai. Je pensais… eh bien… À la tranquillité du lieu. On se croirait sur une île déserte.

— Le bonheur est toujours une petite île, déclara Solène en souriant. Je crois que nous venons de penser la même chose au même moment. Venez, marchons un peu.

Elle passa son bras sous le mien. Nos pas résonnaient tandis que nous passions devant les boutiques aux vitrines éclairées, et les effluves de tabac se mêlaient à la senteur poudrée du sillage de Solène.

— Vous avez un parfum peu commun. Qu'est-ce que c'est ? demandai-je.

Me regardant de côté, elle remonta de sa main libre une mèche qui s'était détachée de sa coiffure.

— Il vous plaît ? C'est L'Heure Bleue de Guerlain. Il existe depuis 1912, vous vous rendez compte ?

— Incroyable. Il me plaît beaucoup.

— Vous me plaisez aussi, Alain.

— Moi ? Impossible ! m'exclamai-je avec un sourire gêné. Je suis une catastrophe ambulante, un homme qui ne chasse pas et ne boxe pas. Je ne sais même pas jouer du piano.

— Une vraie catastrophe, effectivement, commenta-t-elle avant de rire. Je parie que vous ne savez pas danser non plus, mais ce n'est pas grave. Ce qu'il y a là-haut… – Elle tapota mon front. –… Voilà ce qui compte, c'est séduisant et ça me plaît énormément. Vous êtes érudit, vous avez de l'esprit, de l'imagination. Je vois ça tout de suite. – Elle me jeta un coup d'œil malicieux. – Si, si, vous êtes un vrai intellectuel, un peu timide peut-être, mais je trouve ça adorable !

Un intellectuel timide ! Je secouai la tête. Il était étonnant de voir tout ce que les gens projetaient sur vous, juste parce que vous ne parliez pas à tort et à travers.

— Intellectuel, il ne faut pas exagérer…

— Vous ne connaissez pas les fermiers texans, soupira Solène.

Elle s'arrêta soudain et se planta devant moi.

— Et moi ? Je vous plais ? D'un point de vue purement théorique, je veux dire.

Quelques fins cheveux blond clair balayaient son visage. Elle se tenait là, souriante, comme nimbée de lumière dans la pénombre, et attendait une réponse.

Solène Avril venait-elle de me faire une proposition ? De nouveau, cette sensation d'irréalité s'empara de moi. Il me sembla que le sol se mettait à osciller légèrement sous mes pieds, comme si je percevais les mouvements de la terre. Je me raclai la gorge.

— Enfin, Solène, que veut dire cette question ? Bien sûr que vous me plaisez. Et pas seulement d'un point de vue théorique. Regardez-vous ! Vous êtes aussi éloignée de la théorie que… qu'une journée d'été d'un… d'une nuit polaire. Est-ce qu'il existe un seul homme capable de vous résister ? Vous êtes une femme superbe, resplendissante… et vraiment… très séduisante…

Je m'interrompis et passai la main dans ma chevelure.

— Y aurait-il un mais ?

— Solène… je…

— Oui ? fit-elle, un éclat singulier dans ses yeux d'un bleu intense.

Peut-être suis-je le plus grand idiot que la planète ait jamais porté, car j'étais sans conteste en train de vivre un de ces instants jamais appelés à se répéter, mais une image mentale vint alors s'interposer entre Solène et moi, comme le disque lunaire occultant le disque solaire.

Je vis un vieux châtaignier et une jeune femme en manteau rouge, qui demandait à voix basse : « Ce ne serait pas le moment ? »

— Je suis désolé, conclus-je. Ce n'est pas le bon moment.

— Il y a donc quelqu'un ?

— Oui. Et pas n'importe qui, Solène. Je suis tombé amoureux d'une femme qui vient à mes séances depuis quelques mois, et c'est du sérieux. Mercredi, je l'ai embrassée pour la première fois. J'ai la sensation que je l'ai toujours aimée, même si je ne la connais pas depuis longtemps, vous comprenez ? demandai-je en posant une main sur mon cœur. J'espère que vous ne m'en voudrez pas.

Solène se tut, puis elle esquissa un sourire et glissa de nouveau son bras sous le mien.

— Eh bien, on dirait que c'est notre destin de nous rater de justesse. Bien sûr que je ne vous en veux pas, mais vous n'auriez pas pu attendre quelques jours avant de l'embrasser ? Au moins, j'aurais eu une chance.

J'éclatai de rire, soulagé qu'elle ne le prenne pas mal. Solène Avril avait sûrement quantité d'opportunités et elle le savait. Tandis que nous nous remettions à marcher, elle me lança un regard mutin et poussa un soupir.

— Parfait, Monsieur-je-flotte-sur-un-petit-nuage. Dans ce cas, je vous souhaite bonne chance ! Je me remanifesterai dans dix ans.

— Dans dix ans, vous m'aurez oublié.

— Ou *vous* m'aurez oubliée.

— Cela me paraît difficile : votre sourire s'étale sur grand écran.

— Bien fait pour vous.

Nous avions maintenant fait une fois le tour de la place Vendôme, et Solène m'entraîna devant la vitrine d'une joaillerie, à quelques mètres de l'entrée du *Ritz*.

Elle considéra les montres, les bagues et les colliers étincelants, vendus à des prix astronomiques.

— Vous devriez peut-être offrir un beau bijou à l'heureuse élue.

— J'ai peur que ça ne soit pas dans mes moyens.

— Plutôt dans les miens. Aujourd'hui, en tout cas. Cartier, Chanel, Dior… pas de problème. Il vous reste une cigarette pour moi ?

Je lui tendis le paquet, puis lui donnai du feu.

— Merci, dit-elle avant de tirer une bouffée et de suivre la fumée du regard, songeuse. Mes parents ne roulaient pas sur l'or. Notre appartement devait être aussi grand que ma salle de bains actuelle à Santa Monica. J'étais belle, ambitieuse et odieuse. J'ai quitté Paris dès que l'occasion s'est présentée. Avec un étudiant de San Francisco. Victor. – Sa mine s'assombrit un instant et elle fit tomber la cendre de sa cigarette. – J'ai vécu quelques années à Carmel. – À ce souvenir, sa voix se fit tendre. – Vous connaissez Carmel ?

Je secouai la tête, mais elle ne parut même pas le remarquer.

— Carmel… Rien que le nom donne la sensation que c'est un joyau, vous ne trouvez pas ? C'est une petite ville au bord du Pacifique. Il y a une vieille mission franciscaine et une plage de sable doré qui n'en finit pas. Le regard porte loin, c'est à peine imaginable. Quand on est assis là-bas, on oublie tout.

Elle se remit à fumer, silencieuse. Je continuais à me taire. Au beau milieu de la nuit, les confidences appelaient la discrétion.

— C'est sur la plage de Carmel qu'on m'a repérée, reprit-elle. À l'époque, je bossais dans un coffee-shop pour joindre les deux bouts. Brusquement, je suis devenue le visage que tout le monde s'arrachait. Auditions, essais, le premier film. Ensuite, ma carrière a décollé. C'en était presque inquiétant. – Elle rit. – D'un jour à l'autre, j'ai gagné de l'argent. Beaucoup d'argent. C'était si facile, j'avais du mal à y croire. – Elle secoua la tête. – Avec un de mes premiers cachets, j'ai offert un voyage à Saint-Tropez à mes parents. Au Belrose.

Elle s'adossa au mur, à côté de la joaillerie, et remonta son étole autour de ses épaules.

— Ma mère rêvait depuis toujours d'y passer des vacances avec mon père. Seulement, ils ne pouvaient pas s'offrir un voyage coûteux. Saint-Tropez, c'était le must pour eux. Dans la pièce où ma mère cousait, il y avait une affiche ancienne représentant la Côte d'Azur, qu'elle regardait sans arrêt. Avant leur départ, Maman m'a encore appelée. Elle avait une voix claire qui vibrait d'excitation, presque celle d'une jeune femme. Elle était tellement heureuse ! « Je crois que c'est le plus beau jour de ma vie, ma chérie », voilà ce qu'elle m'a confié.

L'espace d'un instant, Solène eut l'air triste, et je me demandai pourquoi.

— Quelle idée fantastique, avançai-je prudemment.

Solène se tourna vers moi, les yeux brillants.

— Non, elle n'avait rien de fantastique, lâcha-t-elle avec amertume, avant de jeter son mégot rougeoyant par terre.

Elle pressa les lèvres et je redoutai de la voir fondre en larmes.

— Mes parents ont eu un accident mortel sur le trajet. Un routier épuisé, qui n'a pas regardé dans le rétroviseur avant de changer de voie. Ils ne sont jamais arrivés à Saint-Tropez.

— Mon Dieu, mais c'est affreux ! m'écriai-je et, sans réfléchir, je passai le bras autour de ses épaules. Ma pauvre Solène !

— C'est bon, assura-t-elle en s'essuyant les joues. Ça remonte à loin. Je ne sais pas pourquoi j'y repense aujourd'hui. C'est tellement bizarre de me retrouver de nouveau à Paris, après toutes ces années. C'est peut-être pour cette raison.

Elle essaya de sourire, puis, d'un geste vif, écarta une mèche de cheveux tombée sur mon front.

— Merci pour la balade, Alain. Vous êtes vraiment charmant. Votre petite amie a de la chance.

C'est alors que cela arriva. Sans crier gare. Sur le moment, je pensai qu'un éclair venait de zébrer le ciel au-dessus de nous. Je remontai instinctivement les épaules, attendant le grondement du tonnerre. Une fois encore, une lumière crue déchira la pénombre, puis une autre. Je levai la main pour me protéger et fermai les yeux, ébloui.

Lorsque je les rouvris, je fixais l'objectif d'un appareil photo.

13

— Dans la vie, on peut compter sur trois choses, avait expliqué Solène. L'amour, la mort et les paparazzi.

Ce mardi matin, je repensais à ces deux phrases tandis que j'empruntais le boulevard Saint-Germain sans me douter de rien. J'avais employé le début de la matinée à m'acquitter de deux ou trois tâches. J'avais déposé des documents chez mon conseiller fiscal, récupéré mes chemises au pressing et acheté de la nourriture pour chat. La veille, je n'étais pas allé au cinéma, et si on faisait abstraction du fait qu'Orphée, profitant d'un moment d'inattention, avait fait tomber du plan de travail de la cuisine et attaqué à belles dents le poulet que je me réservais, la soirée précédente n'avait été marquée par aucun événement particulier. J'avais presque oublié ce que cela faisait de dormir tout son soûl, pour une fois.

La journée était encore jeune et le soleil invitait le printemps dans les rues de Paris. Le temps idéal pour s'installer en terrasse et lire le journal avec un grand café crème. Je mis mes lunettes de soleil et dépassai avec allant deux jeunes filles qui, manteau léger et foulard enroulé autour du cou, feuilletaient des magazines devant un kiosque.

Je songeais que, cet après-midi-là, j'informerais Mme Clément et François que, sous trois semaines, nous aurions des invités de marque et devrions fermer le cinéma quelques jours, lorsque je fus bousculé par un groupe de touristes japonais qui, bavardant et riant, armés d'appareils photo et munis de sacs de shopping colorés, suivaient une guide brandissant son parapluie rouge en l'air.

Je m'écartai pour les éviter et me trouvai brusquement nez à nez avec un autre kiosque.

Des anneaux Cartier – est-ce le nouveau ?

La une du *Parisien* me sauta aux yeux. Je détaillai la photo, hébété. Un jeune homme aux cheveux châtain foncé me regardait. Il fixait l'objectif, l'air ahuri. Près de lui, une blonde en robe de soirée noire souriait.

Il me fallut quelques secondes pour reconnaître l'homme.

— Pas possible ! lâchai-je.

Le vendeur s'était montré très amical. Il m'avait même proposé un sac. En plus du *Parisien*, j'avais acheté *Le Monde*, *Le Figaro*, *Libération*, *Les Échos*, *L'Équipe* et *Paris Match*. Ensuite, sous le coup de l'émotion, chargé de mes journaux, de mes croquettes pour chat et de mes chemises, je m'étais rué au Café de Flore, quelques mètres plus loin, et rendu à l'étage.

À ce moment-là de la journée, il ne se passait pas grand-chose au premier étage du *Flore* et on n'était pas dérangé. En temps normal, les Parisiens évitaient les établissements tels que Les Deux Magots ou le Café de Flore, où affluaient chaque jour les curieux venus capturer un peu de l'éclat d'une époque révolue. Mais s'il fallait en choisir un, on optait plutôt pour le Flore, non loin de l'église de Saint-Germain-des-Prés, et on préférait la tranquillité de l'étage, où la plupart des touristes ne s'aventuraient pas, sauf pour aller aux toilettes.

Je traversai la salle claire, où n'étaient installées que deux dames absorbées dans une discussion animée. J'aurais parié qu'elles travaillaient dans l'édition. Elles levèrent les yeux à mon arrivée, puis consacrèrent de nouveau toute leur attention à la liste posée devant elles. La première parlait et soulignait ses paroles de gestes vifs. La seconde hochait la tête avec intérêt et prenait des notes dans un Moleskine noir.

Je me retranchai derrière une des tables du fond, près d'une fenêtre. Je ne quittai pas mes lunettes de soleil, par mesure de précaution. Un serveur en gilet sombre s'approcha alors pour prendre ma commande.

Après avoir demandé un crème et des œufs brouillés, je m'attendais presque à un « Bien sûr, monsieur Bonnard ». Mais le serveur ne dit même pas « Bien sûr, monsieur ». Il grogna un « Oui » indifférent et reprit la carte.

Les serveurs du Flore sont difficiles à épater et généralement mal lunés. Il faut dire qu'au fil des ans, ils ont accueilli dans leur café d'éminents personnages raisonnant remarquablement sur l'art, la philosophie ou la littérature. Comparé à eux, un petit propriétaire de cinéma qui faisait la une du *Parisien* et n'y donnait pas une impression de grande intelligence, ne pesait pas bien lourd.

— Mince, des paparazzi ! avait sifflé Solène ce dimanche soir-là, alors que nous venions d'être surpris par les flashs des photographes sur la place Vendôme dont la sérénité était trompeuse. Venez, Alain. Restez cool.

Elle m'avait pris par la main et entraîné rapidement vers l'entrée du Ritz, sans tenir compte des deux hommes en blouson de cuir qui nous suivaient et tentaient, par leurs questions, de faire réagir l'actrice.

J'avais admiré l'attitude souveraine avec laquelle Solène les avait ignorés. Muette, elle s'était dirigée vers l'hôtel en regardant droit devant elle. Avant d'y pénétrer, elle s'était retournée, un sourire subtil aux lèvres.

— Messieurs, si vous souhaitez m'interroger concernant mon nouveau film, vous n'aurez qu'à assister à la conférence de presse, demain à 14 heures. Bonsoir.

À l'évidence ces messieurs n'avaient que faire du nouveau projet d'Allan Wood. La question était plutôt de savoir qui couchait avec qui.

— C'est le revers de la médaille quand on est célèbre, avait commenté Solène dans un éclat de rire, après que, comme deux enfants ayant cassé une vitre, nous fûmes passés en courant à côté du portier pour nous réfugier dans le hall, le temps d'un quart d'heure. Je l'avais presque oublié. – Elle avait levé les mains, feignant le désespoir. – Avant, j'étais dans tous mes états chaque fois qu'un de ces abrutis bondissait d'un coin pour me mitrailler, et que je découvrais ensuite les histoires les plus folles dans la presse à scandale. Mais il vaut mieux rester cool. La publicité fait partie du boulot. Quand on ne parle plus de vous, c'est qu'on se trouve en perte de vitesse. À ce moment-là, autant prendre une retraite anticipée ou s'engager dans la protection des animaux. – Elle avait cligné de l'œil. – Maintenant, quand ces scribouillards dépassent les bornes, je leur envoie mon avocat.

Elle avait croisé les jambes et considérait le bout pointu de sa chaussure laquée de noir, pensive.

— Vous n'imaginez pas les relations qu'on m'a prêtées... Il y a trois mois, c'était le jardinier. Gros titre : *Elle lui dit « chéri ». Est-ce l'amant de lady Chatterley ?* avait-elle cité en souriant largement. Plutôt mignon, non ? Ces journaux font vraiment feu de tout bois pour supplanter la concurrence. – Elle m'avait lancé un regard de conspiratrice. – J'espère qu'ils ne vous ont pas trop effrayé, Alain.

— Ce n'est pas si grave, avais-je répondu.

L'incident sur la place Vendôme avait propulsé Solène dans le présent. Sa tristesse semblait s'être évanouie. Tout comme les paparazzi. Peu après, je prenais le chemin du retour.

Je me carrai dans mon siège en cuir capitonné et étudiai avec amusement la une du *Parisien*. Il était stupéfiant de voir tout ce qu'on avait brodé autour de cette photo de Solène et moi.

La belle Solène Avril a-t-elle trompé son propriétaire terrien texan ? Dimanche soir, elle a été aperçue avec un homme séduisant devant la vitrine d'un joaillier, place Vendôme.

L'homme séduisant sourit, flatté.

Le serveur revint et posa brutalement sur la table un plateau où se trouvaient un pot de café argenté, un verre d'eau, une tasse et une petite verseuse remplie de lait chaud. Je mélangeai café et lait, repris ma lecture et me brûlai la langue en buvant une grande gorgée.

Sont-ils venus choisir leurs bagues de fiançailles ? L'actrice hollywoodienne, qui habite une villa luxueuse à Santa Monica et se trouve actuellement à Paris avec le réalisateur Allan Wood pour tourner un film dans les prochaines semaines, paraissait détendue et heureuse tandis qu'elle disparaissait dans le Ritz avec l'inconnu.

Je secouai la tête, décontenancé, et reposai *Le Parisien* : mes œufs brouillés arrivaient. Pendant que je les mangeais avec un peu de pain, je parcourus les autres journaux.

Eux aussi avaient consacré un article au nouveau projet d'Allan Wood et à l'actrice qui en tiendrait le principal rôle féminin. Bien que vivant à l'étranger depuis de nombreuses années, Solène Avril était très appréciée en France – sans doute parce qu'elle était originaire de Paris et parlait couramment le français.

Seul *Le Parisien* mentionnait le séduisant inconnu qui achetait des bagues de fiançailles chez Cartier. Quant aux autres canards, ils annonçaient que certaines scènes du film seraient tournées au Cinéma

Paradis. Solène Avril l'avait annoncé lors de la conférence de presse, la veille, et les journalistes avaient rapporté ses propos avec zèle.

« *Je suis allée petite fille dans ce cinéma – c'est pour moi un événement très particulier d'y tourner. Et Paris sera toujours Paris. Je réalise seulement maintenant à quel point cette ville m'a manqué* », citait *Le Figaro*, et *Le Monde*, titrant *Paris, je t'aime ! Solène Avril et Allan Wood au Paradis !*, avait publié un article qui abordait de façon plus détaillée le contenu du nouveau film.

À Paris, tendrement relatera l'histoire de Juliette, qui accompagne son futur mari Sam (joué par Ron Barker) en voyage d'affaires à Paris et retrouve par hasard son grand amour de jeunesse, Alexandre (Howard Galloway) dans le cinéma de son enfance. Ils auront trois jours pour se rendre ensemble dans les endroits qu'ils préféraient, convoquer une époque où tout paraissait possible et où les sentiments possédaient une intensité qu'ils n'ont plus jamais connue.

« *Bien sûr que certaines choses dans la vie sont révolues à tout jamais. Dans* À Paris, tendrement, *il m'importe de montrer que les rêves du passé ne doivent jamais être considérés comme totalement perdus. Ils sont peut-être délaissés ou refoulés, mais ils existent toujours. De même que l'amour existe toujours. Il faut juste le trouver. Et où trouver l'amour mieux qu'à Paris ?* » a déclaré Allan Wood, le réalisateur réservé ne faisant qu'une brève apparition à la conférence de presse.

Solène Avril, principal rôle féminin dans le prochain Wood, se réjouit grandement que le *Cinéma Paradis, établissement riche de traditions, soit appelé à servir de toile de fond à quelques scènes.*

« En Amérique, les cinémas d'art et d'essai ont presque tous disparu, malheureusement », a indiqué la star française. « Je suis rassurée qu'il existe encore des hommes comme Alain Bonnard, soucieux de qualité et fidèles aux valeurs anciennes, même si cela n'est pas dans l'air du temps. »

Dessous, on pouvait voir une photo de Solène Avril et Allan Wood, debout devant une vieille cheminée. Même dans *Paris Match*, on trouvait un photomontage de Solène Avril, Howard Galloway et la tour Eiffel, assorti de quelques lignes sur le séjour imminent des acteurs à Paris. Le court texte s'achevait sur la question de savoir si la belle Solène et le séduisant Howard pourraient aussi former un jour un couple dans la vraie vie.

Je repliai les journaux, les fourrai dans le sac plastique et attendis le serveur, qui n'avait plus montré le bout de son nez à l'étage depuis longtemps. Finalement, je coinçai le ticket de caisse et un billet de vingt euros sous ma soucoupe, pris ma veste, mes sacs, mes chemises, et me dirigeai vers l'escalier où cendriers et tasses portant l'inscription Café de Flore étaient exposés dans une vitrine. En bas, au niveau de la caisse, je passai devant trois serveurs qui discutaient. Ils me lancèrent un regard indifférent, puis se remirent à parler. Ces ignorants ne savaient pas à qui ils avaient affaire. À Alain Bonnard, un homme soucieux de qualité et fidèle aux valeurs anciennes.

Après cette pause-lecture au Flore, qui m'avait diverti et laissé entrevoir les effets de la notoriété, je songeai soudain que les semaines à venir pourraient bien s'avérer riches en émotions. La suite des événements allait me donner raison.

J'empruntais à peine la rue Saint-Benoît, chargé de mes sacs et mes chemises, lorsque mon téléphone portable sonna.

— Fichtre ! s'exclama Robert. Chapeau, monsieur Bonnard, chapeau ! J'ai toujours su qu'un dandy sommeillait en toi. Tu es plus rapide que l'éclair.

— Comme toi, non ? répliquai-je. Depuis quand lis-tu *Le Parisien ?*

— Depuis que mon ami se retrouve à la une ! contre-attaqua Robert avant d'éclater de rire. Remarque, il m'a fallu un moment pour te reconnaître. J'ai déjà vu des photos de toi plus flatteuses.

— C'était un instantané, me défendis-je en souriant, repensant à mon visage ahuri. Les paparazzi ne dorment pas.

— Alors ? reprit Robert.

— Alors rien. C'était une chouette soirée. Après, on a fumé une cigarette.

— La cigarette *d'après ?* ricana Robert.

Je me rendais bien compte qu'il me charriait, mais je me sentis rougir.

— Parfaitement, rétorquai-je. La cigarette d'après le *repas*. Quant au reste, ça n'a rien à envier à un épisode de *Bonne nuit les petits*.

— Tu m'ôtes toutes mes illusions, soupira mon meilleur ami.

— Tu m'en vois inconsolable. Dis donc, tu as déjà réfléchi à une carrière au *Parisien ?* Tu possèdes le genre d'imagination qu'il faut pour le boulot.

— Je sais, commenta-t-il, le prenant pour un compliment. Mais je préfère quand même l'astro-physique. On se voit ce midi ?

— Non, pas le temps. Je t'appellerai.

— Pouah, *don't call us, we'll call you !* On croirait déjà entendre une de ces fichues stars.

Je me mis à rire.

— Forcément, mon cher. Je suis célèbre, mainte-nant.

Je jure que c'était censé être une plaisanterie, mais lorsque j'arrivai au cinéma, ce jour-là, les événements me détrompèrent.

— Oh, monsieur Bonnard ! Vous n'allez jamais croire ce qui arrive ! s'écria Mme Clément, au comble du ravissement, en agitant *Le Monde* sous mon nez. Un journaliste demande après vous. Il veut écrire sur le Cinéma Paradis. Tenez… voilà sa carte de visite. Il voudrait que vous l'appeliez *tout de suite*. Je lui ai un peu fait faire le tour du propriétaire et il a dit qu'il trouvait notre vieux cinéma tout à fait merveilleux. N'est-ce pas excitant ? On est célèbres !

Elle passa la main dans ses courts cheveux gris et jeta un coup d'œil complaisant dans le miroir du foyer.

— Mon Dieu, quand je raconterai ça à Gabrielle… Solène Avril et Howard Galloway dans notre établis-sement !

Mon Dieu, pensai-je à mon tour.

Manifestement, j'avais sous-estimé la vitesse à laquelle ce genre d'information se répandait : au Cinéma Paradis, tout le monde était déjà au courant.

— Pourquoi ne pas nous avoir parlé du tournage, monsieur Bonnard ? demanda François.

Son ton était aussi impassible que d'habitude, et seul le fait qu'il haussait légèrement un sourcil trahissait sa perplexité.

Mon projectionniste est une bonne pâte qui prend les choses comme elles viennent. Son calme est inébranlable et, même dans ce contexte, il se contentait de me regarder, l'air interrogateur, tandis que Mme Clément se demandait à mi-voix auxquelles de ses connaissances elle pourrait rapporter des nouvelles aussi sensationnelles.

— Je l'ai appris récemment, expliquai-je avec un certain sentiment de culpabilité. En fait, tout n'est définitif que depuis dimanche soir et je comptais vous en parler aujourd'hui. Mais, visiblement, la presse m'a coupé l'herbe sous le pied.

Je considérai la carte du journaliste du *Monde*, un certain Henri Patisse qui avait griffonné quelques mots sous son nom, demandant que je l'appelle. Je plissai le front. J'en avais déjà plein le dos des journalistes.

— Que voulait exactement ce monsieur ? En matière de bagues de fiançailles Cartier, je ne peux pas lui être utile.

— Des bagues de fiançailles Cartier ?! lança Mme Clément, yeux écarquillés. Qu'est-ce que ça veut dire, monsieur Bonnard ? Vous allez vous fiancer ?

Contrairement à mon meilleur ami, elle paraissait ne rien savoir de l'incident nocturne, place
Vendôme.

— Vous ne lisez pas *Le Parisien* ? demandai-je,
sur un ton plus cynique que je l'aurais voulu.

— *Le Parisien* ? Pour qui me prenez-vous, monsieur Bonnard ? demanda Mme Clément, offensée.
Vous devez penser que, parce que je vends des tickets, je ne lis que la presse à potins. Seulement, je
viens d'une maison convenable. Chez nous, on lisait
Le Figaro au petit déjeuner. Je n'ai pas toujours été
assise derrière un guichet, vous savez ? Dans le passé,
j'ai travaillé dans une bibliothèque. Mais quand mon
mari est mort, j'ai dû subvenir seule aux besoins de
mes enfants et j'ai accepté un boulot au Bon Marché,
parce qu'il était beaucoup mieux payé, et ce n'est pas
une honte…

— Madame Clément, je vous en prie ! l'interrompis-je en levant la main pour l'apaiser, constatant
que j'avais dû toucher un point sensible. C'était une
boutade, rien de plus. Oubliez ça, d'accord ? Pour en
revenir à aujourd'hui, je me réjouis que vous ne lisiez
pas *Le Parisien*, on y trouve parfois les pires bêtises.

Mme Clément hocha la tête, radoucie.

— Alors, que voulait ce M. Patisse ?

— Oh, il faisait très sérieux, poursuivit Mme Clément dont le visage affichait désormais une expression de satisfaction extrême. Très aimable et
attentif. Il a noté tout ce que j'ai pu lui révéler. Que
l'établissement avait appartenu à votre oncle et que
vous l'avez repris alors que vous exerciez un autre
métier.

Elle me regardait comme une mère fière de son rejeton, et je ne pus m'empêcher de penser que ma propre génitrice avait jugé que je me berçais d'illusions en décidant d'abandonner le lucratif export de baignoires de luxe dans les Émirats arabes unis pour me consacrer au cinéma.

— Mon garçon, as-tu bien réfléchi ? Lâcher un poste aussi fantastique pour ce vieil établissement, vraiment, je ne sais pas si… avait-elle dit, hésitante.

Mon père l'avait approuvée, l'air grave.

— De nos jours, les bons boulots ne vous tombent pas du ciel, Alain. Il y a un moment où il faut devenir adulte.

C'étaient ses paroles exactes et, à l'époque, je m'étais demandé pour la première fois si devenir adulte signifiait forcément trahir ses rêves et gagner le plus d'argent possible. Apparemment, oui.

Je poussai un soupir involontaire.

— J'ai bien fait de raconter ça au journaliste du *Monde*, n'est-ce pas, monsieur Bonnard ? s'inquiéta Mme Clément.

— Oui, oui, naturellement, ce n'est pas un secret.

— Il s'est montré enthousiasmé par notre série *Les Amours au Paradis*. « Mon Dieu, *Jules et Jim*, ça fait une éternité que je ne l'ai pas vu, je reviendrai », voilà ce qu'il a dit en feuilletant le programme.

Mme Clément désigna du doigt l'affiche en noir et blanc accrochée dans le foyer, montrant Jeanne Moreau, casquette à la Gavroche et moustache dessinée, courant sur un pont avec ses deux amis, en proie à un fou rire.

— Il est resté longtemps devant en secouant la tête et… En bref, il veut écrire un article sur le Cinéma Paradis et sur vous, monsieur Bonnard. Sur l'exploitation d'un cinéma d'art et d'essai. Ce n'est pas toujours facile, on le sait tous !

Elle jeta un coup d'œil à François qui marmonna quelques mots approbateurs, puis ils me regardèrent comme si j'étais d'Artagnan. Pour un peu, je me serais mis à crier :

« Un pour tous ! Tous pour un ! »

Mme Clément et François étaient des fidèles de la première heure, et leur soutien me toucha.

— Bon. J'appellerai ce monsieur de la presse plus tard.

Je souris à l'un et à l'autre. Effectivement, il n'était pas toujours facile de gérer un petit cinéma, mais cela avait son charme et pouvait parfois se révéler vraiment excitant, comme les jours passés l'avaient prouvé.

Pour autant, je ne croyais pas que l'irruption d'un journaliste ait un lien direct avec ma personne ou la redécouverte du Cinéma Paradis. Un récit sur mon établissement ne présentait qu'un intérêt limité pour un journal tel que *Le Monde*. À moins qu'on soit en août et que la presse cherche désespérément des sujets qui comblent le creux estival, avant que la rentrée fasse revenir les Parisiens dans la capitale. À moins, encore, qu'on soit en avril et qu'une actrice nommée Solène Avril ait, pour des raisons sentimentales, déclaré qu'un certain cinéma avait sa préférence…

Avant de disparaître dans mon bureau, près du guichet, je me retournai.

124

— À propos de ce tournage, nous allons fermer une semaine au début du mois de mai pour laisser le champ libre à l'équipe de tournage. Il n'y aura donc pas de séances pendant ce temps-là. Sinon, rien ne changera.

À cet instant précis, je croyais dur comme fer aux mots que je venais de prononcer. Seulement, beaucoup de choses allaient changer. Pour ne pas dire tout.

14

Le lendemain matin, lorsque j'ouvris la fenêtre, un ciel d'un bleu éclatant s'étendait sur Paris. Je vis un petit nuage blanc, qui paraissait flotter juste au-dessus de moi, et ma première pensée fut pour Mélanie que je reverrais enfin ce soir-là. Je songeai à ses cheveux adorablement ébouriffés, à sa bouche framboise, et poussai un soupir ravi. Une semaine avait passé depuis la nuit où nous nous étions séparés sous le vieux châtaignier, après un millier de baisers, mais il m'était arrivé tant de choses ces derniers jours que quatre semaines auraient tout aussi bien pu s'écouler. La plupart du temps, j'avais à peine eu le loisir de me livrer à ma nouvelle occupation préférée, rêver de la femme en manteau rouge, mais les événements extraordinaires que j'avais vécus avaient adouci mon attente. Aussi, cette semaine m'avait semblé plus longue et plus courte à la fois qu'une semaine normale.

De toute façon, plus rien n'était normal. Rien que la veille, trois autres journalistes désireux de consacrer un article au Cinéma Paradis avaient appelé et pris des renseignements sur le début du tournage.

Quant à M. Patisse du *Monde*, il ne s'était pas privé de revenir l'après-midi même pour poser ses questions puis me photographier à côté de mon vieux projecteur avec, dans les yeux, un éclat qu'on ne voit d'habitude que dans les prunelles d'un enfant de six ans devant son premier train électrique.

— Génial, monsieur Bonnard ! Merveilleux ! s'était-il exclamé en contrôlant l'écran de son appareil photo, et je n'aurais pas pu dire s'il parlait de moi ou du projecteur. Et maintenant, encore une fois s'il vous plaît… souriez !

Ma réputation croissait de seconde en seconde. Robert, qui avait insisté pour qu'on aille manger un morceau ensemble, ce soir-là – allant jusqu'à poser un lapin à la sensationnelle Melissa –, s'était montré très impressionné par ma nouvelle vie, si palpitante. Même mes parents, qui avaient dû lire *Le Figaro*, avaient laissé un message sur mon répondeur, me félicitant pour mon « beau succès ».

— C'est fantastique, mon garçon, tires-en profit, avait conseillé Papa.

J'ignorais ce qu'il entendait par là, au juste. Devrais-je désormais louer mon cinéma pour des tournages ? Avais-je une quelconque influence là-dessus ? Quoi qu'il en soit, je ne peux nier que ses paroles approbatrices m'avaient fait plaisir.

Ces derniers jours avaient balayé comme une tornade mon existence d'ordinaire si paisible ; pourtant, j'avais tout le temps eu la sensation de porter Mélanie dans un coin de mon cœur. Je palpais régulièrement sa lettre qui ne me quittait jamais, et je me demandais ce qu'elle penserait de ma situation. J'avais tant à lui raconter, tant à partager avec elle. Mais il faudrait patienter.

Il faudrait patienter car les principales choses que je voulais lui dire ne concernaient que nous deux. L'attente avait accru mon désir et il me venait à l'esprit quantité de mots que je comptais chuchoter à son oreille délicate, quand le soir se ferait nuit et que la nuit se ferait matin.

Je me préparai un expresso et imaginai Mélanie empruntant la rue dans son manteau rouge, le pas souple, avec ce beau port de tête et un sourire plein d'espoir.

Je l'attendrais dehors et la prendrais dans mes bras. Non, je courrais à sa rencontre, empli d'impatience. « Te voilà enfin », telles seraient les paroles que je prononcerais. Et je ne la laisserais plus jamais partir.

Cela faisait bien longtemps que je n'avais plus chanté sous la douche. Mais le matin en question…

— Viens, je suis là, je n'attends que toi, m'époumonais-je, reprenant encore et encore le refrain d'une vieille chanson de Georges Moustaki. Tout est possible, tout est permis.

Oui, je m'étais rarement senti aussi présent. Je n'attendais plus que Mélanie, qui venait ce soir-là. Tout était possible, il n'y avait pas de limites et la vie s'apparentait à une journée de printemps qui n'en finirait pas, riche de promesses.

Je rangeai mon appartement en fredonnant. Je donnai de l'eau fraîche et des croquettes à Orphée qui, sentant mon agitation, s'enroulait autour de mes jambes, plaçai deux bouteilles de chablis au réfrigérateur et dévalai l'escalier pour aller acheter chez le fleuriste, rue Jacob, une brassée de roses que je disposai dans chaque pièce.

J'avais l'intention de réserver deux couverts au Petit Zinc, un bon restaurant non loin de l'église de Saint-Germain-des-Prés, à un saut de puce de chez moi. Je demanderais une table près d'une fenêtre, dans une des niches aux piliers Art nouveau joliment peints en vert tendre, qui donnaient l'impression de se trouver sous une tonnelle.

Je mis les dernières roses dans un vase en verre, sur la table ronde en merisier poli. Les fleurs rouges, jaune clair et roses, à l'opulence estivale, ployaient sous leur propre poids. Un rayon de soleil, prisonnier de l'eau du récipient, dessinait sur le bois de petites taches de lumière tremblantes. L'espace d'un instant, j'y vis l'illustration de l'état de mon cœur – rempli de clarté, de chaleur et d'une impatience joyeuse.

Je restai immobile un moment, puis passai la main dans mes cheveux encore humides et parcourus mon environnement du regard, considérant mon œuvre avec satisfaction. Tout était parfait. J'étais fin prêt pour une soirée exceptionnelle, fin prêt pour l'amour qui, le soir même, ferait son entrée chez moi du pas léger d'une demoiselle.

En quittant mon appartement, je souris à mon reflet dans le miroir. Jamais je n'avais été aussi prêt à accueillir le bonheur.

Ce soir-là, le Cinéma Paradis faisait salle comble : une demi-heure avant la première séance, il n'y avait plus de ticket à vendre. Pour la première fois, je dus éconduire le petit homme rondouillard qui, comme toujours, avait surgi à la dernière minute avec son porte-documents, dans le foyer où se pressaient les spectateurs. Je n'avais pas de place non plus pour la femme aux cheveux noirs, venue cette fois sans sa petite fille, un foulard en soie vert émeraude sur sa chevelure. J'écartai les bras dans un geste de regret et regardai mes deux habitués quitter les lieux, déçus, et échanger quelques mots avant de traverser la rue ensemble.

Ils étaient aussi surpris que moi. Ou, pour reprendre les paroles de Mme Clément : « Aussi surpris que nous tous. »

Two Days in New York de Julie Delpy est sans nul doute un film remarquable. *Les Choses de la vie* de Claude Sautet, qui devait être projeté lors de la dernière séance, ce mercredi-là, et dans lequel on découvre, à chaque visionnage, ce qui compte réellement dans l'existence, l'est encore plus. Pour autant, cela n'expliquait pas l'affluence subite que le Cinéma Paradis avait du mal à absorber.

Une vague d'intérêt déferlait sur notre établissement. Ce tsunami ne devait faiblir ni les semaines, ni les mois suivants. Les articles bienveillants de la presse qui, pour changer, s'était entichée d'un cinéma d'art et d'essai où l'on ne vendait pas de popcorn – un « détail » manifestement jugé inhabituel et très sophistiqué –, le prochain tournage d'*À Paris, tendrement* et la proposition surprenante du ministère de la Culture de distinguer votre serviteur pour

« services rendus au cinéma français », tout cela atti-
rait les spectateurs en masse.

Des gens que je n'avais jamais vus se présentaient
en nombre à mes séances et en ressortaient conquis
par ma programmation, sous le charme d'un établissement presque oublié où le temps semblait s'être
arrêté, et qui savait faire barrage à la routine du quo-
tidien le temps de quelques heures.

Même si la plupart entraient par simple curiosité
ou parce qu'ils étaient anxieux de rater ce qui pouvait valoir le déplacement, beaucoup étaient différents en quittant le Cinéma Paradis. On le voyait à
leurs visages.

Le moment magique intrinsèque à chaque bon
film paraissait se refléter dans leurs yeux. Portés
par des images plus grandes qu'eux, émus par des
gestes ayant laissé des traces imperceptibles dans leur
cœur, enrichis par des phrases chargées de sincérité qu'ils pouvaient emporter chez eux comme une
poignée de diamants, les spectateurs sortaient de la
salle. Cette métamorphose était au moins aussi belle
qu'un réjouissant effet secondaire : j'étais brusquement devenu le propriétaire d'un cinéma *à succès*
– porté, pour ma part, par une vague de sympathie et
d'admiration, courtisé par les journalistes mais aussi
par une grande chaîne souhaitant lancer une OPA
amicale sur mon entreprise, à des conditions éton-
nantes et avec la promesse que « les choses ne chan-
geraient pas », même sous leur direction.

Le gérant d'une boîte de nuit huppée m'avait
même approché avec l'intention de transformer le
Cinéma Paradis en un établissement haut de gamme

où les habitués du luxe pourraient se la couler douce devant un film, en buvant des cocktails et en dégustant de la *finger food* raffinée.

J'avais décliné poliment, sachant bien que sécurité et liberté n'allaient pas forcément de pair. Pourtant, en ces semaines agitées, le Cinéma Paradis semblait à même de m'offrir les deux : sécurité financière et liberté entrepreneuriale. Qu'y avait-il de plus exaltant pour un homme que de récolter les fruits d'un projet qu'il a porté avec calme et détermination ?

Alain Bonnard a réussi à accomplir une chose absolument magique, une chose devenue rare à notre époque, il y a de quoi l'envier, avait écrit M. Patisse dans son article.

J'étais conscient que l'intérêt qu'on me témoignait était dû essentiellement à l'intervention de Solène Avril. Je n'étais pas assez présomptueux pour supposer que Paris connaissait une sorte de révolution nostalgique dont j'avais été le précurseur. Il n'empêche, tout succès se nourrit également d'un peu de chance. Et c'est à ma porte que cette dernière avait sonné.

S'il fallait employer les mêmes mots que mon père, je dirais que ma carrière dans le domaine cinématographique était à son apogée.

Ce deuxième mercredi d'avril aurait pu aussi constituer le prélude des plus belles semaines de ma vie, sauf qu'il s'était passé un événement que j'aurais jugé impossible ce matin-là, tandis que, plein d'entrain, je fleurissais mon appartement.

La femme en manteau rouge n'était pas venue.

La lune brillait haut dans le ciel bleu nuit, au-dessus des vieux immeubles de la ville. Son disque rond se blottissait contre un nuage qui flottait, solitaire. Lorsque je pris enfin le chemin de la rue de Bourgogne, hésitant, je songeai que la nuit était idéale pour deux amoureux. Pourtant, j'empruntais seul les rues étroites, les murs répercutaient le bruit de mes pas et mon cœur était lourd.

Mélanie n'était pas venue, et je ne savais pas pourquoi.

Un peu avant 20 heures, alors que les spectateurs de la deuxième séance, assis dans leur fauteuil, s'amusaient avec Julie Delpy et son père, un Français peu conventionnel, j'étais sorti devant le cinéma pour accueillir Mélanie. À 20 h 15, ne la voyant toujours pas, j'avais cru, confiant, à un retard. Peut-être faisait-elle partie des gens incapables d'être ponctuels (je ne connaissais pas encore cette facette de sa personnalité). J'avais souri avec indulgence. Qui n'avait jamais été en retard de sa vie ? Peut-être un coup de fil l'avait-il empêchée de quitter son appartement à temps, peut-être le train en provenance de Bretagne avait-il été retardé, peut-être avait-elle voulu se faire particulièrement belle.

Il pouvait y avoir mille raisons. J'avais donc allumé une cigarette et fait des allées et venues devant mon établissement. Mais plusieurs minutes s'étaient écoulées et une peur diffuse avait gâté mon sourire.

Si Mélanie avait eu un empêchement, pourquoi n'avait-elle pas appelé au cinéma ? Même si elle ne possédait pas mon numéro personnel, elle aurait très facilement pu trouver celui du Cinéma Paradis et se manifester.

Tandis que la deuxième séance touchait à sa fin et que les complications que connaissait la famille franco-américaine, victime du choc des cultures, arrivaient à leur paroxysme, je tournais dans le foyer comme un lion en cage.

Se pouvait-il que Mélanie ne soit pas revenue de Bretagne ? Sa vieille tante souffrait peut-être d'une grave pneumonie ; Mélanie veillait à son chevet et, submergée par l'émotion, elle avait oublié notre rendez-vous.

Sans conviction, j'avais sorti mon téléphone de ma poche et jeté un coup d'œil à l'affichage. Il indiquait trois nouveaux appels et je ne connaissais aucun des numéros. En proie à l'excitation, j'avais rappelé.

J'avais eu au bout du fil deux journalistes (j'ignorais comment ils avaient dégoté mes coordonnées) et une charmante vieille dame qui avait fait un faux numéro en utilisant son portable – un cadeau de sa fille pour son quatre-vingt-troisième anniversaire. Elle m'avait priée cent fois de l'excuser.

— Les touches sont si petites, je tape toujours à côté, avait-elle gloussé.

— Ce n'est pas un problème, vraiment, avais-je assuré avant de rempocher mon téléphone.

De nouveau sorti pour guetter Mélanie, je m'étais soudain demandé si nous avions vraiment rendez-vous ce mercredi-là.

Avait-elle dit qu'elle se rendait au Pouldu pour une ou deux semaines ? Non, j'avais sa lettre, cette lettre qui ne me quittait pas depuis sept jours et que je connaissais par cœur. Et on pouvait y lire :

... je me réjouis – j'attends mercredi prochain avec impatience, j'attends avec bonheur de te revoir. Et de découvrir ce qui se passera ensuite.

Nous étions ce fameux mercredi. Sans le moindre doute. J'avais rangé la lettre en soupirant et mis les mains dans les poches, je m'étais approché de la porte vitrée et j'avais regardé fixement dehors.

Mme Clément, qui lisait le journal derrière sa caisse – c'était *Le Parisien*, qu'elle laissait retomber, gênée, chaque fois que je passais devant elle –, m'avait lancé un coup d'œil soucieux.

— Tout va bien, monsieur Bonnard ? s'était-elle enquise. Vous m'avez l'air nerveux. C'est à cause de tout ce monde ?

J'avais secoué la tête. Non, ce n'était pas à cause de tout ce monde. Seule une femme me rendait nerveux. Une femme qui avait l'habitude de se présenter chaque mercredi et qui n'était pas venue, ce soir-là.

Le film terminé, j'avais ouvert la porte de la salle et les spectateurs étaient sortis dans la rue, certains prenant au passage le programme posé sur le comptoir du guichet. Leurs rires et leurs bavardages s'étaient mêlés à ceux des personnes venues pour la dernière séance.

Le foyer me paraissait presque trop petit pour accueillir tous ces gens qui regardaient autour d'eux avec curiosité, faisaient la queue pour payer leur place et voir un long-métrage des années 1970 dont le principe était de raconter une histoire avec sincérité.

Parmi ces nouveaux arrivants, j'avais découvert le vieux professeur. Tenant fermement son ticket, il s'était présenté à la fin de la file et, entrant dans la salle, m'avait murmuré avec stupéfaction qu'il n'aurait pas cru possible que *Les Choses de la vie* attirent autant les foules.

— Je trouve ça magnifique, avait-il conclu en me souriant. J'avais hoché la tête d'un air contraint et refermé la porte derrière lui. Ce soir-là, il m'aurait suffi qu'une seule spectatrice soit présente pour être pleinement satisfait.

J'étais passé voir François dans la salle de projection et j'avais regardé le grand écran à travers la lucarne rectangulaire. Michel Piccoli venait de percuter l'arbre à toute vitesse avec son Alfa Romeo Giulietta et la panique s'était emparée de moi tandis qu'il se souvenait de son existence, étendu dans l'herbe, muet.

Et si Mélanie avait eu un accident ? Et si, en proie à l'excitation de nos retrouvailles, elle avait traversé le boulevard Saint-Germain sans regarder à gauche puis à droite, et qu'une voiture l'avait renversée ? J'avais grimacé et mordillé ma lèvre inférieure avant de faire un signe de la main à François, toujours penché sur ses livres. Ensuite, j'avais de nouveau tourné dans le foyer sous le regard attentif de Mme Clément, puis décidai d'aller boire un café au lait dans un bistrot proche.

— Si une jeune femme me réclame, surtout demandez-lui de m'attendre, avais-je informé ma caissière.

— Vous voulez parler de la jolie blonde avec laquelle vous aviez rendez-vous la semaine dernière ? m'avait-elle demandé en haussant les sourcils.

J'avais opiné du chef sans donner plus de détails, et j'étais sorti.

Quelques minutes plus tard, je m'asseyais sur une des chaises en bois usé du bistrot et buvais mon café à grandes gorgées. La chaleur se diffusant dans mon corps m'avait fait du bien, mais l'inquiétude ne m'avait pas quitté.

Après la fin de la dernière séance, j'avais attendu une heure de plus au Cinéma Paradis. En dépit de toute vraisemblance, il se pouvait toujours que Mélanie surgisse, à bout de souffle, avec un sourire contrit et une phrase qui dissipe tout.

— Ne vous mettez pas martel en tête, monsieur Bonnard, m'avait conseillé Mme Clément en enfilant son manteau. Il y a forcément une explication simple.

Oui, il y en avait peut-être une, sûrement même. Cependant, tenaillé par un mauvais pressentiment, j'avais décidé de me rendre chez Mélanie.

Comme la semaine précédente, je traversai le boulevard Saint-Germain, passai devant la Brasserie Lipp à l'auvent orange et blanc puis empruntai en courant la rue de Grenelle, qui s'étirait en longueur, jusqu'à atteindre la droguerie faisant l'angle avec la rue de Bourgogne. Je tournai à gauche et me retrouvai bientôt devant la grande porte cochère verte, naturellement fermée. Je considérai les nombreuses plaques nominatives, indécis. Je ne pouvais pas réveiller quelqu'un à cette heure indue, et je ne savais même pas où sonner.

Je traînai un moment près de l'entrée, puis rejoignis la petite papeterie devant laquelle le vieil homme dérangé, chaussé de pantoufles, nous avait qualifiés de « cou-ple d'a-mou-reux ». Je regrettais presque de ne pas le voir. Je m'allumai une cigarette. J'attendais, sans savoir quoi au juste, mais je n'avais aucune envie de quitter l'immeuble abritant, derrière sa façade, une cour intérieure avec un châtaignier et, peut-être, une jeune femme prénommée Mélanie.

C'est alors que j'eus de la chance.

La porte du bâtiment s'ouvrit avec un léger bourdonnement. Un taxi qui s'approchait cacha un instant l'homme en long manteau de laine sombre qui venait de sortir et monta précipitamment dans le véhicule.

Avant même que le taxi reparte, j'avais changé de trottoir et m'étais glissé de l'autre côté du battant, qui se referma derrière moi.

La lueur de la lune baignait la cour. Dans le feuillage du vieux châtaignier, je perçus un bruissement ; je levai instinctivement les yeux mais ne distinguai rien de spécial. Dans les étages de l'immeuble du fond, trois fenêtres étaient encore éclairées et je crus reconnaître, parmi elles, celle derrière laquelle Mélanie avait disparu, la dernière fois. Mais impossible d'en être sûr.

Désemparé, je fixais l'embrasure. Un battant était ouvert et une clarté chaude et dorée s'en échappait. Je me demandais si je devais crier le nom de Mélanie, si c'était stupide ou déplacé. C'est alors qu'une main de femme surgit et referma le battant d'un coup sec. La lumière s'éteignit.

Je nageais en pleine confusion. Était-ce Mélanie dont j'avais aperçu la main sur la poignée ? Si elle était à Paris, pourquoi ne pas être venue à notre rendez-vous ? Ou était-ce la main d'une autre ? Me serais-je trompé d'appartement ? Et qui était l'homme en manteau sombre qui avait quitté l'immeuble et pris un taxi, quelques minutes plus tôt ?

J'entendis de nouveau un bruissement dans le feuillage, au-dessus de moi, et sursautai. Puis un gros chat noir atterrit d'un bond à mes pieds et me fixa de ses yeux verts.

Ce soir-là, je ne connaissais pas encore les dessous de l'histoire, et je ne me doutais pas que l'animal était en fait une réponse à l'une de mes questions.

À cet instant, de façon absurde, je repensai à une scène d'un vieux film de Preston Sturges, dans lequel un chat noir apparaît. Le couple se demande ce que cela signifie, et on leur répond : « Tout dépend de ce qui se passe après. »

La rue de Bourgogne était déserte et je ne croisai pas non plus âme qui vive dans la rue de Varenne. Songeur et déconcerté, je pris le chemin du retour. Je ne prêtai même pas attention aux inévitables plantons montant la garde devant les bâtiments ministériels aux façades couleur grès. Les maisons de la presse et les magasins d'antiquités, les marchands de primeurs, les boulangeries d'où s'échappe le matin l'odeur alléchante de la baguette fraîche, les pâtisseries et leurs tartes sophistiquées, leurs petits gâteaux et leurs meringues aux couleurs pastel semblables à des nuages et s'effritant à la première bouchée, les restaurants et les cafés, les traiteurs où l'on pouvait, pour une somme modérée, se régaler d'un coq au vin avec des endives braisées et d'un verre de rouge – partout, les rideaux étaient baissés.

À cette heure avancée de la nuit, Paris avait tout d'un astre abandonné. Et j'étais son habitant le plus solitaire.

15

— Mouais, fit Robert en continuant à tartiner son croissant de beurre et de confiture, impassible. Je t'ai dit depuis le début que c'était une erreur de ne pas lui avoir demandé son numéro. Maintenant, tu es dans la mouise. Ça ne sent pas bon, si tu me poses la question.

Malheureusement, je lui avais posé la question. C'était moi qui l'avais appelé, tôt ce matin-là, et lui avais demandé de venir. Il fallait que je parle à quelqu'un. À un bon ami. Mais le mauvais côté des très bons amis, c'est qu'ils ne disent pas toujours ce que vous avez envie d'entendre.

Depuis 9 heures, nous étions donc assis rue Jacob, discutant à la terrasse d'un café à côté de l'hôtel Danube. J'adressai un signe à la serveuse – une femme gigantesque avec une tête bizarrement projetée en avant et d'épais cheveux foncés qu'elle portait noués en chignon bas –, et commandai mon second café au lait, espérant mettre de l'ordre dans mes idées.

J'avais mal dormi. C'était ingrat de ma part, mais même si Robert avait eu la gentillesse de venir m'écouter, alors que c'était sa matinée de repos, j'avais espéré un soutien moral plus puissant. Maussade, je fixais mon ami qui mâchait son croissant avec insouciance.

— Qu'est-ce que tu racontes ? On n'en sait pas assez pour pouvoir affirmer que ça ne sent pas bon, répliquai-je, faisant fi de mes propres doutes. D'accord, de prime abord, on peut trouver étrange qu'elle ne se soit pas manifestée, mais ça ne signifie pas nécessairement qu'elle, qu'elle…

Je repensai à l'homme que j'avais vu la veille au soir, rue de Bourgogne, et ma gorge se serra. Était-il sorti de l'appartement de Mélanie, ou d'un *quelconque* appartement ? Était-ce la raison pour laquelle Mélanie n'était pas venue à notre rendez-vous ? À moins qu'elle n'habite juste dans le même immeuble ? Tenaillé par l'incertitude, je poussai un long soupir.

Robert finit son café et chassa quelques miettes de la table.

— Pourquoi te casser la tête, Alain ? Écoute, oublie cette fille. L'affaire est plus compliquée que tu le penses, crois-moi, assura-t-il en se penchant en avant et en plongeant ses yeux francs dans les miens. C'est une évidence !

— Je ne peux pas me tromper à ce point. Tu n'as pas vu son regard quand on s'est séparés. Elle avait l'intention de me revoir, je le sais bien, insistai-je. Il doit s'être passé un événement grave. Un événement qui l'empêche de venir ou de m'appeler.

— Oui, oui, tu l'as déjà dit, lâcha Robert en s'agitant impatiemment sur sa chaise. Mais la probabilité que ta chérie ait été renversée par un poids lourd est extrêmement faible. – Il leva les yeux et se mit à calculer : – D'une sur… cent mille, je dirais. Bien sûr, rien ne t'empêche de contacter tous les hôpitaux et les commissariats de Paris, mais personnellement, je ne crois pas que ça se révèle probant.

— Ce n'est pas forcément un accident, objectai-je. Il peut y avoir autre chose… Une chose à laquelle on ne pense pas du tout.

— Eh bien moi, j'ai les idées plutôt claires. Tu veux les entendre ?

— Non.

— Très bien, poursuivit-il, imperturbable. Maintenant, on va laisser de côté ton sixième sens et tes rêves, et se concentrer sur les faits. – Robert dressa l'index. – Je suis un scientifique, je vois les choses comme elles sont.

La géante au chignon m'apporta un café. Je me cramponnai à la tasse, tandis que Robert se lançait. Je comprenais pourquoi ses séminaires rencontraient autant de succès : son discours était très efficace et on se soustrayait difficilement à la fascination qu'exerçaient ses mots, à la logique qui imprégnait ses phrases.

— Résumons : tu adresses la parole à une femme sur laquelle tu as des vues depuis un bail. Elle est apparemment célibataire, c'est ce qu'elle dit en tout cas. Elle t'a raconté qu'elle ne tombait jamais sur les bons ou un truc dans le genre, non ? Bien. Vous passez une super soirée, promenade, baisers, regards langoureux et tout le tralala, c'est juste ?

La présentation me paraissait un peu réductrice, mais Robert avait raison sur le principe. Je hochai donc la tête.

— Vous fixez un rendez-vous, reprit-il. Le mercredi suivant, pas le lendemain.

— Parce qu'elle va voir sa tante, précisai-je une fois de plus.

— En effet, elle va voir sa vieille… *tante*, répéta-t-il, et dans sa bouche, le mot prit soudain des allures de mensonge. Bref, vous vous embrassez dans la cour, au beau milieu de la nuit, tout est fantastique. Ensuite, elle ne te propose *pas* de monter. Elle ne te donne *pas* son numéro.

Je me taisais.

— Elle va passer une semaine chez sa tante et il ne lui vient pas à l'idée de te donner son numéro ? Alors qu'elle vient de tomber amoureuse ? Dans ces moments-là, on passe son temps libre pendu au bout du fil. C'est une *femme*, mon cher. Les femmes aiment téléphoner. Et maintenant, venons-en au point crucial, annonça-t-il en pointant son couteau sur moi. Elle n'a *pas* envie d'être appelée. C'est peut-être trop dangereux. Quelqu'un pourrait surprendre votre conversation. Quelqu'un pourrait consulter son portable…

— C'est ridicule ! m'exclamai-je, et je sentis un léger malaise monter en moi. N'importe quoi. Tu généralises ton cas. Et arrête d'agiter ton couteau sous mon nez ! – Je m'adossai à ma chaise. – C'est ce que tu appelles se concentrer sur les faits ? Tu ne fais qu'aligner les conjectures.

— Je connais les femmes, commenta sobrement Robert.

Ce n'était pas de la frime, il avait effectivement connu beaucoup de femmes, et j'avais souvent l'impression qu'il les étudiait avec au moins autant d'attention que les étoiles de la Voie lactée.

— Celle-là est différente, me défendis-je.

Il me gratifia d'un regard compatissant.

— Très bien. Continuons plutôt à étudier notre histoire. Mélanie…

— Mélanie m'écrit une lettre, le coupai-je sur un ton triomphant. Pourquoi le ferait-elle si elle ne tenait pas à me revoir ?

Robert leva la main.

— Minute. C'est un argument de plus pour étayer ma théorie. Réfléchis un peu ! Elle t'écrit une lettre, mais elle ne veut pas te téléphoner. Sinon, elle t'aurait demandé ton numéro.

— D'accord, laissons tomber cette lettre, répondis-je, vexé. Les gens comme toi ne doivent même plus savoir ce que c'est qu'un stylo.

— Pas la peine de m'injurier, remarqua Robert avec un sourire engageant. Chacun agit à sa façon. – Il tapota la table avec son couteau. – Le fait est qu'elle ne t'appelle pas de toute la semaine, même pas quand elle te pose un lapin. Alors qu'elle connaît l'adresse de ton cinéma. Note bien, elle est peut-être tellement vieux jeu qu'elle ne réussit pas à trouver un numéro de téléphone sur Internet. Elle travaille dans un magasin d'antiquités, non ?

— C'est dingue à quel point tu m'as écouté, ironisai-je.

— J'écoute toujours avec attention, Alain. Après tout, tu es mon ami, et ton bien-être me tient à cœur.

— À condition que tu en aies un, de cœur.

Robert posa lentement sa main sur son torse.

— Oh que oui, j'en ai un. Rouge, sain et plein de vitalité. Tu veux sentir ?

Je secouai la tête.

— Fait numéro deux : elle ne se présente pas à votre rendez-vous alors qu'elle est chez elle, comme tu as pu le constater toi-même plus tard…

— Je ne suis pas sûr que c'était bien son appartement ! m'écriai-je. Je n'ai pas fait attention si c'était le premier, le deuxième ou le troisième étage…

— Fait numéro trois : au beau milieu de la nuit, un inconnu sort de l'immeuble. Ce qui expliquerait qu'elle n'ait pas eu de temps à te consacrer. C'était sans doute un de ces hommes qui ne sont pas les bons.

Robert se carra dans son siège avec satisfaction.

— Il me semble que cette Mélanie t'a joliment baladé la comédie avec ses manières de petite nature. Je me demande si ce n'est pas une combine. Elle voulait jouer sur les deux tableaux et tu es tombé à point nommé. Telles que je vois les choses, elle s'était simplement disputée avec son petit ami, ensuite, ils sont partis en vacances et se sont rabibochés. Ou alors, elle était bien en Bretagne chez sa tante et son mec s'est pointé. Réconciliation sur l'oreiller, et basta.

Il piqua un morceau de pain au bout de son couteau et le brandit comme un trophée.

— Ne fais pas cette tête-là, Alain, ce genre de truc m'est déjà arrivé. On atterrit au beau milieu d'une histoire et on ne comprend pas ce qui nous arrive. Ce n'est pas ta faute. Tu n'avais aucune chance dès le départ.

— Non, non, Robert, je sais que c'est différent, protestai-je, essayant de m'arracher à l'envoûtement de sa chaîne de raisonnement. Pourquoi toujours supposer le pire ? – Appuyée contre la porte du café, la géante regardait dans notre direction avec intérêt, et je dis à son adresse :

— Mon ami est pessimiste, vous savez.

Elle eut un large sourire mais, trop loin pour me comprendre, fit un signe interrogateur pour demander si nous voulions un autre café. Je secouai la tête.

— Ton ami est réaliste, contra Robert.

— On ne sait même pas si c'était bien son appartement, répétai-je. Si ce n'est pas chez elle que la lumière était allumée, ta théorie s'effondre.

— Alors, tu n'as pas le choix, conclut Robert en agitant son trophée et en me fixant avec indulgence. Il ne te reste plus qu'à retourner rue de Bourgogne pour en avoir le cœur net.

— Figure-toi que cette idée m'a déjà traversé l'esprit. Je vais m'en occuper ce soir. Après, on verra.

— C'est ça, on verra, me railla Robert. Amuse-toi bien à sonner à droite et à gauche.

— Je finirai par y arriver, ne t'inquiète pas. Ça ne peut pas être difficile à ce point.

— Oh non ! Ce sera très divertissant, je vois ça d'ici. Tu vas sûrement faire plein de nouvelles connaissances.

Manifestement, cela amusait beaucoup Robert de m'imaginer planté devant les interphones, dérangeant des inconnus.

— Quelle chance que tu n'aies que son prénom, sinon ça serait trop facile, lâcha-t-il avant d'éclater de rire.

— Quelle chance que tu sois si drôle.

— Ah, voilà Melissa ! s'exclama Robert.

Il bondit et remua la main, tandis qu'une jeune femme mince, cheveux roux, longs et lisses, se dirigeait vers nous. Souriante, elle portait un jean, des baskets claires et une veste en daim brun sur un tee-shirt à motif bariolé.

— Melissa, je te présente mon ami Alain. Installe-toi un moment avec nous, on a quasiment fini.

Il passa son bras autour d'elle et l'embrassa sur la bouche.

Melissa m'adressa un signe de tête et laissa Robert l'entraîner sur la chaise à côté de lui. Elle avait des yeux étonnants, d'un vert très clair.

— Salut, Alain. Ça va ? J'ai beaucoup entendu parler de vous. Le meilleur ami de Robert, oh là là ! commenta-t-elle en accentuant les trois derniers mots.

Sa manière d'être, joyeuse et amicale, me plut d'emblée.

Souriant, je me demandai ce que Robert avait bien pu raconter à mon sujet à sa nouvelle petite amie.

— J'ai aussi beaucoup entendu parler de vous, répondis-je, et son regard s'illumina.

— Ah ! Vraiment ? demanda-t-elle avant d'ébou-riffer les cheveux de Robert avec exubérance. J'espère que tu ne dis que du bien de moi, mon petit professeur !

— Bien entendu, ma mignonne, assura Robert. Je ne peux pas faire autrement.

Ignorant généreusement son « petit professeur », il me lança un clin d'œil, l'air éloquent.

Je ne t'avais pas menti, hein ! Sensationnelle, non ? semblait-il dire.

J'eus un large sourire.

Robert prit la main de Melissa, désinvolte, et entre-laça ses doigts dans les siens.

— Ma chérie, j'espère que tu me pardonnes d'être parti en catastrophe ce matin, mais ce jeune homme a des ennuis.

— Oh… Je suis désolée. J'espère que ce n'est rien de grave.

— Justement… commençai-je.

— Des broutilles, intervint Robert.

Melissa nous regardait à tour de rôle, étonnée.

— Hier soir, une femme qu'Alain a embras-sée une seule fois lui a posé un lapin, et il prend ça pour le plus terrible des coups du sort, expli-qua Robert avec suffisance en écartant les mains, le geste théâtral. Et malheureusement… il ne connaît que son prénom : Mélanie. Ça te dit quelque chose, Mélanie ?

— Mais oui ! s'écria Melissa avant de rire. Mon professeur de violoncelle s'appelle Mélanie. Mélanie Bertrand, mais ce n'est sûrement pas elle. Elle a des cheveux aussi gris que du fer et elle donne des coups d'archet sur son instrument comme une possédée. C'est un démon, petit et sec. Chaque fois que je fais une fausse note, elle me fixe très sévèrement. Je vais vous l'imiter. – Elle plissa son joli front, et glapit en contrefaisant sa voix : « Mademoiselle Melissa, il faut travailler, travailler, travailler ! Ce n'est pas de cette manière que vous arriverez à un résultat ! »

Nous nous esclaffâmes.

— Non, ce n'est pas la Mélanie que je cherche, confirmai-je.

— Mon ami s'est mis en tête de retrouver cette fille. Je le lui ai déconseillé, précisa Robert. On peut employer son temps de façon plus sensée.

Il posa sa main sur le genou de Melissa et sourit comme quelqu'un qui savait tirer le meilleur parti de son temps.

— Je vais quand même la chercher. Mais, merci d'être venu.

Je me levai et pris mon portefeuille.

— Impossible de lui faire entendre raison, regretta Robert. C'est ce que j'apprécie tant chez lui. Non, non, laisse, c'est pour moi. – Il repoussa ma main. – Mais, sérieusement, Alain... Reste cool ! Tu pourrais attendre tranquillement au lieu de stresser. Elle sait où est ton cinéma, et si elle tient à votre relation, elle se manifestera, non ?

Il jeta un coup d'œil à Melissa, attendant qu'elle abonde dans son sens.

— Pas forcément, commenta Melissa, que je trouvais décidément très sympathique.

150

Elle appuya son visage étroit sur sa paume et me considéra coquettement. Avec ses yeux scintillants et ses longs cheveux coiffés la raie au milieu, elle me faisait penser à une naïade.

— Pour ma part, je trouve tout ça très romantique, confia-t-elle avant de pousser un petit soupir enchanté. N'abandonnez pas, Alain. Cherchez-la !

16

Il y avait vingt noms. Uniquement des patronymes. Devant la porte cochère verte, rue de Bourgogne, j'étudiais dans le détail les plaques en laiton gravées de noir.

Robert avait dit que l'affaire était plus compliquée que je le pensais, mais il ne savait pas de quoi il parlait. Personne ne pouvait le savoir. Avec le recul, le fait que mon ami ait tapé dans le mille sans le vouloir n'est pas dénué d'ironie. L'affaire était effectivement bien plus compliquée, pour ne pas dire plus complexe, que nous le pensions tous.

Mais ce jeudi-là, en ce début de soirée où la chaleur du soleil s'attardait dans la voie étroite, tandis que je fixais ces noms, indécis et résolu à la fois, soutenu par une certaine dose d'optimisme, je me dis : ma foi, c'est un peu pénible, mais tout à fait dans le domaine du possible.

J'avais prévu de procéder de façon systématique. Comme l'appartement de Mélanie se trouvait sans doute à l'un des étages du bâtiment de derrière, j'allais d'abord me concentrer sur les plaques du haut. Je parcourus les patronymes du regard et, songeant qu'il arrivait souvent que nom et prénom constituent une sorte d'unité, je murmurai, histoire de voir :

— Bonnet, Rousseau, Martin, Chevalier, Leblanc, Pennec, Duvalier, Dupont, Ledoux, Beauchamps, Mirabelle...

Mirabelle ? Mélanie Mirabelle ? Voilà qui me semblait aller bien ensemble.

Pour commencer, j'allais sonner n'importe où et m'introduire dans les lieux sous un prétexte quelconque. Ainsi, je pourrais traverser la cour et accéder à l'immeuble du fond.

Je pressai donc avec détermination un bouton correspondant vraisemblablement au rez-de-chaussée du bâtiment de devant, et j'attendis. Rien ne se passa. Je m'apprêtais à sonner ailleurs lorsque je perçus un grésillement dans l'interphone.

— Oui ? fit une voix tremblante, appartenant de toute évidence à une vieille dame. Allô???

Je pris une profonde inspiration et tentai d'adopter un ton pressé et néanmoins indifférent, comme ces coursiers d'UPS qui se garent négligemment dans la rue en mettant juste leurs warnings.

— J'ai un pli au nom de Mirabelle. Vous voulez bien m'ouvrir ?

— Allô ? croassa la voix. Je n'entends rien.

— Oui, allô ! fis-je, m'efforçant de parler plus fort. Excusez-moi, madame, j'ai un pli pour...

— Allô ? Dimitri ? Dimitri, c'est toi ? Tu as encore oublié tes clés, mon garçon ?

Je collai mon visage à l'interphone et m'époumonai :

— Non, ce n'est pas Dimitri, c'est UPS ! Pouvez-vous m'ouvrir, s'il vous plaît, madame ?

— Aaah ! s'exclama la vieille femme, et des bruits parasites suspects se firent entendre. Pour l'amour de Dieu, ne *hurlez* pas comme ça, vous m'avez fait peur. Je ne suis pas sourde.

Un silence. Puis, sur un ton traînant :

— Vous venez voir Dimitri ?

— Non, criai-je en retour. J'ai…

— Dimitri n'est pas là, annonça-t-elle d'une voix stridente.

Je me demandais qui pouvait bien être ce fichu Dimitri. J'avais l'impression de me retrouver coincé dans un mauvais film d'espionnage, et Dimitri me tapait déjà sur les nerfs.

— Pas grave, rétorquai-je en essayant de rester calme. Je ne viens pas voir Dimitri.

— Allô ? lança-t-elle de nouveau. Il faut parler plus *clairement*, jeune homme, sinon je ne vous comprends pas. Dimitri sera là plus tard. Alors, revenez *plus tard* !

La vieille était soit sourde, soit maboule. Ou les deux. Je décidai de changer de tactique et de réduire ma requête à l'essentiel.

— J'ai du courrier pour Mirabelle ! répétai-je avec énergie. Veuillez m'ouvrir, madame. Je veux juste le lui remettre.

Silence tendu. J'entendais littéralement les rouages de son cerveau travailler.

— Isabelle ? Isabelle n'est pas là non plus ! fit-elle finalement.

J'éclatai de rire. Avais-je atterri chez les fous ? Saisi par un accès d'humour noir, je demandai :

— Et Mélanie ? Est-ce que Mélanie est là ? Est-ce qu'une Mélanie habite dans l'immeuble ? Vous savez ça ?

— Mélanie ? s'exclama-t-elle encore. Il n'y a pas de Mélanie ici. – Visiblement en colère, elle marmonna quelques mots incompréhensibles. – Des inconnus n'arrêtent pas de sonner chez moi pour m'interroger. Pourtant, j'ai déménagé de la rue de Varenne. Il n'y a aucune Mélanie ici. Je ne sais *rien*. – Sa voix prit un ton hystérique. – Qui êtes-vous, d'abord ?

— Alain Bonnard, répondis-je avec force. Ouvrez-moi la porte !

— Jamais ! Disparaissez !

Nouveau grésillement dans l'interphone, puis silence absolu. J'espérais que la vieille dame n'était pas subitement morte de peur. Sinon, elle resterait étendue dans son entrée jusqu'au retour de Dimitri.

En soupirant, je sonnai chez Roznet, qui devait habiter dans un autre appartement du rez-de-chaussée.

Cette fois, l'entreprise fut plus rondement menée. Quelques secondes plus tard, j'entendais la voix d'un homme. Sonore, mais tout à fait normale.

— Ouais ?

— J'ai un pli au nom de Mirabelle, dans l'immeuble du fond, annonçai-je calmement et distinctement. Auriez-vous la gentillesse de m'ouvrir ?

— Bien sûr.

Un instant plus tard, la porte cochère s'ouvrit avec un bourdonnement.

Il faisait frais et sombre dans la cage d'escalier du bâtiment de derrière. Il y régnait aussi une odeur pénétrante de pêche indiquant qu'on venait de faire le ménage. L'ascenseur paraissait ne pas fonctionner, alors je montai rapidement les marches en pierre usées. J'avais décidé de commencer mon enquête par l'étage le plus élevé. Il était 18 h 25, mon cœur battait la chamade. Je sonnai chez Mirabelle.

J'entendis un pas léger s'approcher de la porte de l'appartement. Puis une voix de femme, plus lointaine :

— Tu veux bien aller voir qui c'est ?

Piétinement dans l'entrée. La lourde porte en bois s'ouvrit. Une petite fille aux cheveux blonds noués en queue de cheval me regardait avec curiosité, debout dans l'embrasure. Elle avait peut-être cinq ans.

— Tu es le livreur de boissons ? m'interrogea-t-elle.

— Non. Est-ce que ta maman est à la maison ?

Se pouvait-il que Mélanie n'ait pas évoqué sa fille ?

— Marie ? Qui est-ce ? demanda la voix féminine.

— Un homme, répondit Marie, conformément à la vérité.

Sortant d'une pièce du fond, une femme en robe à fleurs se dirigea vers le vestibule. Elle avait noué hâtivement une serviette autour de ses cheveux mouillés et, tout en marchant, elle resserra son turban en éponge bleu foncé.

Elle m'adressa un sourire, dans l'expectative.

— Oui ?

Cela aurait été trop beau que je décroche le jack-pot dès la première tentative.

— Bonsoir, madame. Excusez-moi de vous déranger. J'espérais trouver ici une certaine Mélanie. Elle travaille dans un magasin d'antiquités, ajoutai-je, désemparé.

Mme Mirabelle m'adressa une moue amicale. Elle devait me trouver sympathique.

— Nous ne sommes que trois à habiter ici, mon époux, Marie et moi. Quel est le nom de famille de cette dame, vous vous êtes peut-être trompé d'étage ?

Je haussai les épaules.

— Je ne connais pas son nom de famille, c'est bien le problème.

— Oh, fit Mme Mirabelle.

— Elle a entre vingt-cinq et trente ans, des cheveux blond foncé, des yeux marron, et elle porte un manteau rouge, insistai-je.

Mme Mirabelle secoua la tête avec une expression de regret.

Marie passa ses bras autour de la jambe de sa mère.

— C'est une devinette, maman ?

Mme Mirabelle caressa la chevelure de sa fille.

— Je t'expliquerai plus tard, déclara-t-elle avant de se tourner de nouveau vers moi. J'ai peur de ne pas être d'une grande aide. Ça ne fait pas très long-temps que nous vivons ici. Je n'ai jamais vu une jeune femme en manteau rouge dans l'immeuble, mais ça ne veut rien dire. Vous devriez poser la question à Mme Bonnet, au rez-de-chaussée : elle en sait sûrement plus que nous. Elle était concierge, dans le temps.

— Très bien, merci, répondis-je, malheureux.

— Je suis vraiment désolée, assura Mme Mirabelle, compatissante. Nous allons avoir de la visite sous peu, sinon je vous aurais invité à prendre le café.

Je la remerciai encore et pivotai sur mes talons. Il y avait une porte de l'autre côté du palier.

— Seuls M. Pennec et sa femme habitent là, m'informa Mme Mirabelle. Un publicitaire grincheux qui s'est plaint quand Marie a fêté son anniversaire avec ses amis. Ce n'est certainement pas sa femme que vous cherchez. – Elle fit une petite grimace amusante et lança, avant de refermer la porte : – Ils sont vraiment horribles, ces deux-là.

Personne n'ouvrait chez Leblanc, au deuxième. J'entendis des grattements étranges derrière la porte, puis un miaulement. Je pressai encore la sonnette, plus longuement. Tout d'un coup, j'étais convaincu que la fenêtre que j'avais vue allumée se trouvait à cet étage. J'attendis un moment, puis sonnai une dernière fois.

Dans mon dos, une porte s'ouvrit brusquement. Je me retournai, surpris, et découvris un Japonais de petite taille qui me détaillait avec méfiance, ses yeux lançant des éclairs derrière d'épais verres de lunettes.

— Pendant combien de temps comptez-vous insister, monsieur ? Vous voyez bien qu'il n'y a personne ! s'exclama-t-il.

Je sautai sur l'occasion.

— Je cherche une jeune femme aux cheveux blond foncé, Mélanie. Savez-vous si elle habite ici ? Mélanie… Leblanc ?

J'indiquai la porte, et pour une raison inconnue, ce geste mit l'homme en rogne.

— Mlle Leblanc est absente, glapit-il. Vous pouvez sonner tant que vous voudrez. Elle n'est jamais là le soir et chaque fois qu'elle rentre, au beau milieu de la nuit, elle me réveille en claquant la porte.

Le chat poussait des miaulements excités, le petit Japonais pestait, et je ne pus réprimer un sourire. Qui vivait au juste dans cet appartement ? Holly Golightly, peut-être ?

— Je suis désolé. Pouvez-vous me dire si le prénom de Mlle Leblanc est Mélanie ?

— Aucune idée, grogna le Japonais. Pourquoi voulez-vous le savoir ? Elle est recherchée ?

— Seulement par moi.

— Vous êtes son ami ?

— Pour ainsi dire.

Il eut un reniflement irrité.

— N'ayez aucun espoir. Elle ne supporte personne longtemps. C'est le genre de fille qui pousse les hommes au désespoir.

— Aha, fis-je, consterné. Qui dit ça ?

— C'est ce que m'a raconté Pierre Beauchamps, mon bailleur.

Je m'approchai et jetai un coup d'œil au nom à côté de la sonnette.

— Vous n'êtes pas M. Beauchamps ?

Il me regarda comme si j'étais fou.

— Est-ce que j'ai l'air de m'appeler Beauchamps ? Je suis Tashi Nakamura, annonça-t-il en se redressant au maximum, m'arrivant ainsi au niveau du torse.

Pierre Beauchamps était mon collègue chez Global Electronics.

— Était ?

Je comprenais de moins en moins.

— Il l'était jusqu'à ce que cette sorcière aux cheveux noirs lui fasse perdre la tête. Elle a un nez bien trop grand à mon goût, mais admettons. Quoi qu'il en soit, il s'est fait muter pour deux ans au Michigan et me sous-loue l'appartement, expliqua-t-il en secouant la tête. Après qu'elle a rompu avec lui, il n'a plus supporté d'habiter sur le même palier.

— Ah, commentai-je.

J'étais peiné pour ce Beauchamps... mais encore plus pour moi. Mélanie avait un appendice nasal de taille plutôt ordinaire, et bien que je sache que les Asiatiques surnomment les Blancs les « grands nez », et que tout soit une question de relativité, la femme que je cherchais n'avait certainement pas les cheveux noirs.

— Porte-t-elle parfois un manteau rouge ? demandai-je par acquit de conscience.

— Je n'ai toujours vu Mlle Leblanc qu'en noir.

Je poussai un soupir de déception.

— Alors, elle ne s'appelle sans doute pas Mélanie, si ?

Il réfléchit.

— Aucune idée. Ou plutôt si, attendez ! J'ai dû réceptionner un colis pour elle, un jour, et il était marqué dessus... il était marqué...

— Oui ?

— Lucille, ou Laurence, ou Linda... Un prénom commençant par « L » en tout cas, affirma Tashi Nakamura en agitant l'index avec énergie.

— Mouais. C'est ce que je craignais.

J'aurais juré que c'était au deuxième étage que la lumière s'était allumée puis éteinte, une bonne semaine plus tôt. Eh bien, j'avais fait erreur.

M. Nakamura s'inclina, s'apprêtant à réintégrer son appartement.

— Ah, monsieur Nakamura ?

Il soupira.

— Connaîtriez-vous par hasard une Mélanie dans ce bâtiment ?

Il plissa tellement les yeux qu'on ne parvenait presque plus à distinguer ses iris sombres.

— Dites-moi, monsieur… Quelle mouche vous pique ? Il faut *absolument* que ce soit une Mélanie ? Vous m'avez l'air un peu obsessionnel.

Je ne me départis pas de mon sourire.

— Non, lâcha-t-il finalement. Et même si je connaissais une Mélanie, cela m'importerait peu. Je ne m'intéresse pas outre mesure aux femmes.

Sur ces mots, il me claqua la porte au nez.

Comme il n'y avait personne chez Dupont, au premier étage, je sonnai en face, chez Montabon.

La porte s'ouvrit prudemment, au bout d'un moment, sur un vieil homme distingué en costume gris clair. La couronne blanche et bouclée encerclant la moitié de son crâne bruni, criblé de taches de vieillesse, laissait supposer qu'il avait eu autrefois des cheveux très épais. Malgré l'heure avancée de la journée et le faible éclairage dans les parties communes, il portait des lunettes de soleil foncées. Sans mot dire, il les rajusta d'une main noueuse. Apparemment, il attendait que je prenne la parole.

161

— Monsieur Montabon ? demandai-je, hésitant.

— C'est moi. Que désirez-vous ?

Je sus aussitôt que j'avais sonné au mauvais endroit, mais je posai quand même ma question.

M. Montabon était un homme des plus polis qui me proposa d'entrer, car il ne jugeait pas convenable de discuter sur le seuil. Il vivait seul, aimait écouter Ravel, Poulenc et Debussy, et jouer aux échecs. Longtemps ambassadeur en Argentine et au Chili, il avait quitté ses fonctions diplomatiques quinze ans plus tôt. Il avait une femme de ménage qui venait tous les jours ranger son appartement, faire sa lessive, ses courses, et cuisiner pour lui.

Elle ne s'appelait pas Mélanie, mais Margot.

Je suis persuadé que, si cela avait été dans ses cordes, cet homme aimable m'aurait aidé. Seulement, Jacob Montabon n'avait vu aucune femme en manteau rouge. Jacob Montabon était presque aveugle.

À 20 heures, mon humeur s'était sensiblement dégradée. Toutes ces discussions se révélaient fatigantes et peu fructueuses. Mais les choses allaient changer, et je le constatai après avoir descendu l'escalier jusqu'au rez-de-chaussée, découragé, en manquant de bousculer quelqu'un. C'était une femme corpulente, la soixantaine, vêtue d'un gilet en laine lilas et d'une jupe noire, qui se tenait en bas des marches comme si elle m'attendait. Compte tenu du poids qu'ils devaient supporter, ses pieds, chaussés de minuscules ballerines lilas fatiguées, étaient étonnamment menus. La dame me salua amicalement et c'est ainsi que, sans avoir dû sonner nulle part, je fis la connaissance de Mme Bonnet.

La couleur préférée de Francine Bonnet était indubitablement le lilas. Lorsqu'elle entama la conversation, soulignant ses propos de gestes vifs, je remarquai que même ses boucles d'oreilles, se balançant sous ses courts cheveux gris argent, étaient ornées de gouttes de verre lilas.

Dans une autre vie, Mme Bonnet était concierge dans un des immeubles anciens bordant la place des Vosges. Puis son mari avait été atteint d'un cancer du pancréas ; il était mort au bout de quelques mois, lui laissant une confortable pension.

— Ce pauvre Hugo... Tout est allé très vite, expliqua-t-elle avec un soupir désolé.

Depuis, elle ne travaillait plus. En revanche, elle tricotait des écharpes colorées pour une boutique de mode, rue Bonaparte (elle utilisait des fils de laine et soie, essentiellement dans des teintes de lilas). Ces pièces uniques, dotées d'une étiquette ovale portant la mention *Les Foulards de Francine*, rencontraient un beau succès. De la sorte, Mme Bonnet s'occupait intelligemment, sans quitter son domicile. Et elle savait également deux ou trois choses sur les occupants de l'immeuble rue de Bourgogne. Dès que j'évoquai le prénom de Mélanie, il lui vint à l'esprit que Mme Dupont (*madame*, pas mademoiselle, mais c'était une jolie célibataire aux cheveux blond foncé) s'appelait ainsi.

— Une charmante personne, cette Mélanie Dupont, commenta Mme Bonnet. Même si elle n'a pas eu beaucoup de chance dans la vie.

Intérieurement, j'exultais.

— Malheureusement, elle n'est pas à la maison, j'ai déjà sonné chez elle, précisai-je.

— Je sais, répondit Mme Bonnet, et ses boucles d'oreilles soulignèrent ses mots d'une légère oscillation. Mme Dupont ne rentrera que demain matin ou ce soir, très tard. Elle a dû s'absenter quelques jours et m'a demandé de prendre son courrier dans sa boîte aux lettres.

Je n'arrivais pas à croire à ma chance. C'était Mélanie, sans aucun doute ! Je serrai les poings dans les poches de mon pantalon pour cacher mon excitation. Après des débuts plutôt pénibles, j'avais fini par retrouver Mélanie. Voilà pourquoi elle n'était pas venue au cinéma : elle n'était pas encore rentrée de Bretagne. Dieu seul savait ce qui l'y avait retenue. Pas un inconnu en manteau sombre, en tout cas ! Ce dernier, semblait-il, devait sortir de l'appartement de cette Mlle Leblanc. Je réprimai un gloussement. Moi aussi, je savais deux ou trois choses sur les occupants de l'immeuble rue de Bourgogne.

Je décidai de laisser un message à Mélanie, non, mieux, une lettre ! Transporté par l'enthousiasme, je courus jusqu'à la papeterie et faillis être renversé par une voiture qui empruntait la petite rue à une vitesse excessive, puis constatai que la boutique était fermée. Par bonheur, Mme Bonnet eut l'amabilité de me dépanner en me donnant une feuille de papier et une enveloppe.

Je griffonnai précipitamment quelques lignes et glissai la feuille dans l'enveloppe. Ensuite, pour la quatrième fois ce soir-là, je passai devant le vieux châtaignier. J'hésitai un moment, caressant le projet de fixer au tronc ma missive, sur laquelle j'avais simplement inscrit *Pour Mélanie de la part d'Alain*. Je trouvais profondément romantique l'idée que Mélanie entre dans la cour, cette nuit-là ou tôt le lendemain matin, et trouve mon message accroché à l'arbre. J'abordais désormais l'existence à la manière de Goethe dans le film *Young Goethe in love* – amoureux, prêt à tout pour rejoindre sa bien-aimée, il traverse d'infinies étendues verdoyantes en galopant sur son cheval, en volant, presque.

Quelques mois plus tôt seulement, j'avais projeté au Cinéma Paradis ce même film, une production allemande avec de jeunes comédiens, totalement inconnus pour certains.

Goethe, lui, aurait sans doute fixé la lettre au vieux châtaignier, mais le procédé me paraissait trop risqué. Ma missive pouvait tomber, ou être détachée par une autre personne, même si je jugeais très improbable qu'il y ait une autre Mélanie dans cet immeuble, où la plupart des occupants ne semblaient pas vraiment se connaître, ou étaient en mauvais termes.

Je traversai donc la cour, rejoignis l'entrée du bâtiment de devant et me postai devant les boîtes aux lettres noires, mon message à la main. Voici ce que j'y avais écrit :

Chère Mélanie,
Tu n'es pas venue mercredi et je me suis fait du souci. Je t'aurais bien appelée, mais je n'avais pas ton numéro.

Heureusement, je viens d'apprendre que tu rentreras ce soir ou demain matin.

J'espère que tout va bien. Ta lettre m'a fait très plaisir, je l'ai lue cent fois au moins. Tout à l'heure, je me suis retrouvé sous le vieux châtaignier, là où nous nous sommes embrassés. Tu me manques !

S'il te plaît, fais-moi signe quand tu seras de retour, toi qui n'es pas une aventurière. J'attends ton appel avec la plus tendre des impatiences.

Alain

En bas de la feuille, j'avais inscrit mon numéro de téléphone. Je glissai mon courrier dans la fente de la boîte en métal portant le nom de *Dupont* et entendis le léger bruit qu'il fit en tombant. Je souris avec satisfaction. Il ne me restait plus qu'à attendre.

Rétrospectivement, j'ai souvent pensé qu'il aurait peut-être mieux valu obéir à ma première impulsion et suivre l'exemple de Goethe.

Une heure environ après que j'eus quitté l'immeuble rue de Bourgogne, le cœur léger, une personne qui aurait su faire le lien entre la destinataire et l'expéditeur passa devant le châtaignier. Si j'avais attaché mon mot au vieil arbre, il aurait peut-être atterri, peu après, dans les mains de la femme à laquelle il était destiné. Je me serais épargné bien des détours.

Peut-être.

17

Dès l'instant où le téléphone sonna, je sus que c'était elle. Ce matin-là, j'avais prévu de procéder à une sélection pour les séances à venir des *Amours au Paradis*. Pour ce faire, j'étais arrivé tôt au cinéma. J'étais dans la salle de projection, en train de redécouvrir *Benjamin ou les mémoires d'un puceau* avec Catherine Deneuve, que je n'avais pas regardé depuis longtemps, lorsque retentit la musique du *Troisième Homme*, que j'avais téléchargée en guise de sonnerie.

Je me ruai sur mon portable, posé sur la petite table, et manquai renverser mon Coca-Cola.

Grésillement à l'autre bout du fil.

— C'est Mélanie.

Mon cœur battait follement.

— Mélanie ! Enfin, lâchai-je, la voix rauque. Ah, toi !

Mon Dieu, ce que j'étais heureux de l'entendre !

— Je parle bien avec… Alain ?

Le ton était hésitant. Le timbre, mélodieux, ne me parut pas connu, mais il fallait sans doute attribuer cette impression à la mauvaise qualité de la communication.

— Oui ! m'exclamai-je. Oui, bien sûr ! C'est Alain. As-tu reçu ma lettre ? Mon Dieu, tu ne peux pas savoir à quel point je me réjouis que tu appelles. Qu'est-ce qui s'est passé ?

Un long silence s'ensuivit et je pris peur. Il devait être arrivé quelque chose de grave. Peut-être sa vieille tante était-elle morte ?

— Mélanie ? repris-je. Tu as une drôle de voix, qu'est-ce qu'il y a ? Tu es chez toi ? Tu veux que je vienne ?

— Ah… soupira mon interlocutrice. Je me disais bien que c'était un malentendu.

Je tendis l'oreille, déconcerté. Un malentendu ? Qu'est-ce que cela signifiait ?

— Comment ? demandai-je.

— Je ne suis pas Mélanie.

Que racontait-elle ? Elle était à la fois Mélanie et pas Mélanie ?

Je collai l'appareil à mon oreille, envahi par la nette sensation que notre conversation prenait un tour totalement irrationnel.

— Ce que je veux dire, c'est que je suis bien Mélanie, Mélanie Dupont. Mais on ne se connaît pas.

— On ne se connaît pas ? répétai-je, stupéfait.

— J'ai trouvé votre lettre tôt ce matin. Je ne sais pas qui vous êtes, Alain, mais je crains que vous me confondiez avec une autre.

Mon cœur s'affaissait un peu plus dans ma poitrine à chacun de ses mots. Je commençais à réaliser que son timbre étranger n'était pas dû à la friture sur la ligne. C'était une autre voix, mais j'avais refusé de l'admettre.

— Mais, mais… bredouillai-je. Tu… je veux dire, vous… Vous habitez bien rue de Bourgogne, dans l'immeuble du fond, non ?

— Oui, confirma l'autre Mélanie. C'est juste. Mais nous n'avions pas rendez-vous. Et nous ne nous sommes jamais embrassés sous le vieux châtaignier non plus. Je ne vous connais pas, Alain, et j'ai tout de suite compris que le mot ne m'était pas destiné. Je voulais juste vous prévenir.

— Oh, dis-je doucement. C'est… c'est… très regrettable.

— Je trouve aussi. Ça faisait longtemps que je n'avais pas reçu une lettre aussi belle. Même si elle ne m'était pas adressée.

Il me fallut quelques secondes pour me ressaisir. Mes pensées se précipitaient et je tentai d'y voir clair.

— Mais… objectai-je alors, il *doit* y avoir une autre Mélanie. Je l'ai personnellement raccompagnée chez elle, jusque dans la cour intérieure. Nous nous sommes souhaité bonne nuit. Elle est entrée dans le bâtiment de derrière, je l'ai vu de mes propres yeux. J'ai aussi vu la lumière s'allumer et s'éteindre. Je ne suis quand même pas fou !

Mélanie Dupont se taisait. Elle devait me trouver exalté. Je me trouvais moi-même un peu exalté.

— C'est effectivement étrange, admit-elle finalement.

— Savez-vous s'il existe une autre Mélanie dans l'immeuble ?

— Non. Je suis vraiment désolée.

Je hochai plusieurs fois la tête et pressai les lèvres, déçu.

— Moui… commentai-je. Eh bien, pardon mille fois pour la méprise, madame Dupont. Et merci de m'avoir téléphoné.

— Pas de problème, Alain, conclut Mélanie Dupont. Mais appelez-moi juste Mélanie.

Des jours qui suivirent, je me rappelle seulement que j'avais l'impression d'évoluer dans de la ouate. Les bruits du monde s'effaçaient et je progressais à tâtons, curieusement désorienté, dans un film tout personnel à la fin incertaine. J'ignorais ce que j'avais fait pour que le destin me joue un tel tour. J'étais retourné à trois reprises rue de Bourgogne, pour retrouver la trace de Mélanie. Je m'y étais rendu à différents moments de la journée pour augmenter mes chances. En vain. J'avais de nouveau croisé Mme Bonnet, et vu le grincheux M. Pennec accompagné de son épouse, une blonde nerveuse et décharnée, cheveux crêpés, allure extrêmement soignée. Tellement chargée de bijoux en or, de la tête aux pieds, qu'elle m'avait évoqué les décorations de Noël du Printemps. Par un de ces après-midi infructueux, j'avais même rencontré devant les boîtes aux lettres Mélanie Dupont, une femme charmante aux cheveux blond cendré et au regard mélancolique, la trentaine bien sonnée. Je m'étais présenté et elle m'avait salué comme une vieille connaissance ; à la fin, elle avait pris congé avec la promesse de venir bientôt au Cinéma Paradis.

Mlle Leblanc, l'oiseau de nuit qui brisait le cœur des hommes, n'était jamais dans son nid. Son voisin, M. Nakamura, était parti assister à une fête de famille à Tokyo, chargé de cadeaux – je l'avais évidemment appris de la bouche de Mme Bonnet. Le distingué M. Montabon devait rarement quitter son appartement ; quoi qu'il en soit, je ne l'avais pas vu.

Entre-temps, j'avais sonné chez les autres voisins, même ceux du bâtiment de devant, mais aucun n'avait pu m'aider. Au bout du compte, j'avais barré l'ultime nom sur ma liste.

Ce jour-là, après mon dernier passage, je quittai l'immeuble rue de Bourgogne avec l'impression que je devenais fou. Comme ce vieil homme que je croisai de nouveau, traînant le pas, chaussé de ses pantoufles. Courbé en avant, il se figea un instant en m'apercevant et grimaça un méchant petit sourire.

— Des dilettantes. Tous des dilettantes, lança-t-il avant de cracher par terre.

Difficile de deviner contre qui sa colère était dirigée. En ce qui concernait ma personne, il avait parfaitement raison : jamais encore je ne m'étais senti aussi incapable. Le cœur empli d'amertume, je rentrai chez moi.

Il était un peu plus de midi lorsque j'empruntai la rue de Grenelle dans l'autre sens, tête baissée. La plupart des commerces respectaient la pause-déjeuner et les lieux étaient tranquilles.

Je shootai avec mauvaise humeur dans une canette de Coca-Cola qui traversa le trottoir avec un bruit de ferraille, pour s'arrêter devant un magasin dont le rideau était baissé.

À la recherche du temps perdu, voilà ce qui était inscrit sur l'enseigne émaillée de blanc, et j'y vis un signe railleur du ciel. Abandonnant la canette, j'éclatai d'un rire sardonique. Effectivement – j'étais à la recherche de quelques heures de félicité, qui paraissaient irrémédiablement perdues.

Au cours de la semaine qui suivit, il arriva que, dans la rue, je donne la chasse à un manteau rouge ou une chevelure blond foncé. Un jour, je vis une femme, manteau rouge et cheveux caramel, monter dans un bus, devant le Bon Marché, et je fus persuadé que c'était Mélanie.

Je me mis à courir à côté du véhicule qui avait démarré. Haletant, je criai et fis des signes jusqu'à ressentir des palpitations, avant de m'étreindre le torse tel le docteur Jivago dans cette scène profondément tragique, quand il découvre sa Lara derrière la vitre d'un bus et s'écroule sans qu'elle le remarque.

Cependant, à la différence du malheureux Jivago, je parvins à attirer l'attention de Mélanie. Dans un effort surhumain, je bondis et frappai la vitre du poing, mais lorsque la femme se retourna, je n'aperçus qu'un visage inconnu et étonné.

Après chaque revers, je sortais avec entêtement la lettre de Mélanie et la relisais. Ensuite, je me sentais mieux. Mais ce n'était qu'un miroir aux alouettes : la femme en manteau rouge avait disparu sans laisser la moindre trace.

Finalement, j'appelai Robert.

— Elle n'habite pas dans l'immeuble, déclarai-je, embarrassé, et je lui relatai mes recherches. Personne là-bas ne connaît ma Mélanie.

Mon ami siffla entre ses dents.

— Ça commence à prendre un tour intéressant, commenta-t-il à ma grande surprise. Peut-être que ta Mélanie est une agente secrète. Peut-être qu'elle est impliquée dans une affaire explosive et qu'elle a dû se planquer subitement. Ou alors, elle bénéficie d'un programme de protection des témoins, hé, hé, hé !

Il rit de sa propre blague et je me tus, vexé qu'il s'amuse à mes dépens.

— Je plaisante ! s'exclama-t-il après s'être calmé. Sérieusement, Alain… Qui te dit qu'elle ne t'a pas donné un faux prénom ? Les femmes font parfois ce genre de chose. Peut-être que tu cherches le mauvais prénom et que c'est cette petite sorcière que le Japonais déteste. Je la trouve intéressante.

— Robert, si c'est pour débiter des bêtises, autant la boucler. Pourquoi ferait-elle ça ? Personne ne l'a forcée à passer la soirée avec moi. Et tu crois qu'elle serait venue tous les mercredis au cinéma avec une *perruque*, ou quoi ? Mlle Leblanc a des cheveux noirs, imbécile ! C'est ce qu'a dit M. Nakamura, et il est bien placé pour le savoir. Il habite dans l'appartement d'en face et il la hait. Sans compter qu'elle ne travaille visiblement *pas* dans un magasin d'antiquités !

— Ma foi, ça aussi, elle aurait pu l'inventer, contra Robert, et j'entendis qu'il s'allumait une cigarette. Cette Mélanie t'a roulé dans la farine d'une manière ou d'une autre. Je ne crois que ce que je vois. On ne me joue pas la comédie, à moi.

Manifestement, mon ami se plaisait à adopter une attitude à la Daniel Craig. Impitoyable, ne se laissant pas impressionner.

— C'est absurde, Robert. Tu es absurde. Tu ne te rends pas compte que ça n'a aucun sens ? soupirai-je. Il y a de quoi devenir dingue. Je rencontre la femme de ma vie et elle disparaît, abracadabra. Qu'est-ce que je dois faire, maintenant ? Qu'est-ce que je *peux* faire ?

Robert poussa un soupir à son tour.

— Ah, Alain… Fais une croix sur elle ! Accepte la situation une bonne fois pour toutes. Cette histoire n'est pas placée sous de bons auspices, je l'ai dit dès le début. En plus, ta mauvaise humeur ne fait qu'empirer. Allez, sortons ce soir dans ce jazz club avec Melissa et son amie, et buvons quelques whiskys sours. Faisons un truc sympa.

Je secouai la tête, maussade.

— Je n'aime pas le whisky sour. Tu n'as pas une meilleure proposition ? Il faut que je la retrouve, il *faut* que je découvre ce qui s'est passé. Tu as une idée, ou pas ?

— Il faut que je la retrouve, il faut que je la retrouve ! Tu commences à me taper sur le système, lâcha Robert.

Mais ensuite, il *eut* une idée.

Ce soir-là, lorsque je partis le rejoindre rue Huyghens, dans le quatorzième arrondissement, j'avais fait mes devoirs.

Peu après, assis dans la spacieuse cuisine de la garçonnière de Robert, nous nous penchions sur « la collecte des faits », pour reprendre son expression.

Il y avait devant nous deux verres à eau remplis de vin rouge, un grand cendrier en cristal où étaient déjà écrasées quelques cigarettes et une coupelle de noix de cajou au wasabi, dont le piquant me montait au nez chaque fois que j'en croquais une distraitement.

La porte de la chambre était entrebâillée. Derrière, sur un grand lit garni d'un nombre incroyable de coussins, Melissa était allongée, vêtue d'un kimono vert tendre, étudiant sans conviction un fascicule qui portait un titre improbable : *L'influence de l'attraction des trous noirs et de la gravitation des corps célestes sur la dynamique stellaire et galactique.*

— Ne faites pas attention à moi, avait-elle lancé, alors que j'accrochais ma veste dans l'entrée. Je révise.

Malgré tout, elle suivait notre discussion et ne cessait de crier des commentaires depuis la chambre.

— Voyons voir, murmura Robert en examinant la liste. Cherchons des indices.

J'eus un hochement de tête reconnaissant. Au fond de son cœur, Robert était la bonté même, je l'avais toujours su.

— Dresse une liste. Couche sur le papier tout ce qui te revient, avait-il conseillé à la fin de notre coup de fil. Ce qu'elle portait, ce qu'elle a dit, ce dont elle a parlé. Essaie de te souvenir. Prends ton temps. Concentre-toi. Le moindre détail, aussi petit soit-il, peut être important.

Il était Sherlock Holmes et moi le docteur Watson, un sous-fifre qui avait le privilège d'apporter sa modeste contribution au génie du maître-détective.

Ce dimanche-là, je n'étais pas allé au cinéma.

Mme Clément et François avaient fait preuve de compréhension.

— On y arrivera bien à deux, monsieur Bonnard, ne vous inquiétez pas, avait assuré Mme Clément.

C'est ainsi que j'avais passé tout l'après-midi dans mon appartement, m'entretenant de temps en temps avec Orphée qui sautait sur mon bureau et me poussait le bras de la tête dès que j'arrêtais d'écrire et que je mordillais mon crayon, pensif. J'avais faim, mais j'avais décidé d'ignorer les gargouillements de mon estomac. Je pourrais toujours manger ensuite.

Une heure et demie plus tard, j'avais consigné tout ce que j'avais gardé en mémoire concernant Mélanie, et plus particulièrement ce mercredi soir-là. Je m'étais efforcé de faire preuve d'une grande précision, ce qui n'avait pas été très difficile : je me rappelais mot pour mot certaines de ses phrases. Sans oublier son charmant visage.

La chaise avait grincé légèrement lorsque je m'y étais adossé et que j'avais relu la liste intitulée *Ce que je sais sur Mélanie*.

Ce que je sais sur Mélanie

1. Apparence physique : taille moyenne, mince, marche en se tenant bien droite, grands yeux marron, cheveux blond foncé. Une couleur particulière qui fait penser à un bonbon au caramel luisant. Ou à de la nougatine

2. Met souvent (toujours ?) un manteau carmin de coupe démodée qui s'arrête au genou

3. Porte à l'annulaire une bague en or avec des roses ciselées

4. *Vient toujours à la dernière séance du mercredi*

5. *S'assied toujours rangée 17*

6. *Film préféré :* Cyrano de Bergerac

7. *A une tante Lucille (Lucie ? Luce ?) qui vit au Pouldu*

8. *Y a passé une semaine de vacances, avant de disparaître*

9. *N'habite visiblement pas rue de Bourgogne (ou si ?), mais vit à Paris (originaire de Paris ? ou de Bretagne ?)*

10. *Pas de famille à Paris, n'a jamais été mariée (c'est ce qu'elle dit, en tout cas), vit seule (toute seule !)*

11. *Pas d'animal domestique, mais aime les chats*

12. *Son dernier petit ami l'a trompée (boucle d'oreille en jade !), n'a jamais de chance en amour (« J'ai le don de tomber amoureuse des mauvais numéros. »)*

13. *Mère décédée (tient d'elle l'anneau orné de roses), tristes souvenirs. Famille ? Hommes ?*

14. *A une amie qui travaille au bar d'un grand hôtel*

15. *Employée dans un magasin d'antiquités. Patron à l'hôpital, victime d'une pneumonie (gros fumeur), elle a une collègue*

16. *Travaille jusqu'à 19 heures, plus tard le jeudi*

17. *Timide à première vue, mais malicieuse*

18. *Aime les vieilles choses*

19. *Pont préféré : pont Alexandre-III (« Savez-vous à quel point la vue du pont Alexandre-III est belle en début de soirée, quand les lumières commencent à se refléter dans l'eau et que le ciel se teinte de lavande ? » m'a confié Mélanie. « Il m'arrive de m'y attarder. »)*

Donc : habite/travaille à proximité du pont ? Si pas rue
de Bourgogne
　　20. *Va au cinéma chaque fois qu'elle cherche*
l'amour

J'avais souri avec satisfaction, et murmuré :

— Pas trop mal pour un début.

Orphée me fixait. Contemplant son petit visage de chat insondable, j'avais caressé sa fourrure tigrée.

J'avais interprété son ronronnement comme de l'approbation, mais un certain professeur d'astrophysique, chez qui je m'étais ensuite rendu, n'allait pas être aussi facile à convaincre.

— Mmm, fit Robert en survolant ma liste. C'est tout ?

— Il y a vingt points, quand même, protestai-je. Robert eut un claquement de langue contrarié.

— Va au cinéma chaque fois qu'elle cherche l'amour ? lut-il à voix haute. Comment veux-tu que ça nous fasse avancer ? – Il secoua la tête en soupirant. – J'ai peur que le fait que la couleur de ses cheveux te rappelle la nougatine ne soit pas non plus une piste digne de ce nom. – Il reprit sa lecture. – Vient toujours à la dernière séance du mercredi. – Il se tourna vers moi. – *Venait*, plutôt. Tss, tss, tss. Toujours rangée dix-sept… Tu veux qu'on regarde sous le fauteuil, ou quoi ?

— Tu m'as conseillé de noter tout ce qui me reviendrait, me défendis-je. Tout. Je me suis exécuté. Maintenant, si tu veux te moquer, vas-y, je t'en prie, mais ce n'est vraiment pas comme ça qu'on va progresser.

— C'est bon, c'est bon. Pas la peine de te mettre en boule. Je fais ce que je peux, assura Robert avant de fixer le papier, front plissé, l'air concentré. Le Pouldu ? Où est-ce que c'est ?

— En Bretagne. Elle y a une tante. Tu crois qu'on devrait commencer par là ? Si on se fie aux apparences, il n'est pas certain que Mélanie soit revenue de Bretagne.

J'approchai ma chaise de la table de la cuisine.

— Non, non, contesta Robert avec un geste réticent de la main. Autant chercher une aiguille dans une botte de foin. Tu veux sérieusement aller au Pouldu et demander aux habitants s'ils connaissent une Mélanie qui serait venue voir sa tante Lucette, ou Lucie, ou Laurence, dont tu ne connais pas non plus le nom de famille ?

Je me taisais, déçu. J'avais espéré que ma liste permettrait de mettre au jour des connexions, ou que Robert découvrirait un indice décisif.

— Et le fait que son amie travaille au bar d'un grand hôtel ? demandai-je, faisant une nouvelle tentative.

— Mouais, si cette fille avait un nom, ce serait un bon tuyau, commenta-t-il.

— Je suis désolé. Je ne sais plus si Mélanie l'a évoqué. Je me rappelle juste qu'elle a ajouté que le chat de son amie buvait toujours l'eau des vases.

— Aha, lâcha Robert en haussant un sourcil. Sais-tu au moins comment s'appelle le chat ? – Il sourit largement. – Ça, ce serait un vrai point de départ.

— Mais oui, mais oui, Mr Holmes, continuez avec vos railleries.

Je me demandai brièvement si je devais mentionner le chat noir que j'avais aperçu dans la cour de l'immeuble rue de Bourgogne. Mais comme je n'avais aucune envie qu'il continue de se payer ma tête, je m'abstins. De toute façon, la rue de Bourgogne s'était révélée une impasse.

— Mmm, fit à nouveau Robert. Le seul élément exploitable que je vois ici, c'est cette histoire de magasin d'antiquités. Ça pourrait nous mener quelque part. – Il me regarda avec insistance. – Est-ce qu'elle a précisé comment s'appelle ce magasin ? Où elle travaille ? Dans quel arrondissement, au moins ?

Je secouai la tête, attristé.

— Peut-être qu'elle a dit quelque chose comme « Je travaille tout près d'ici », réfléchis ! insista Robert.

— Dans ce cas, je l'aurais écrit sur ma liste.

— Et ce patron ? Elle a donné son nom ? La plupart des magasins d'antiquités portent celui de leur propriétaire.

— Oui, elle l'a fait, confirmai-je avec désespoir. Je me souviens même qu'elle parlait de lui pendant qu'on traversait le boulevard Raspail. Mais, avec la meilleure volonté du monde, je n'arrive pas à me rappeler son nom.

— Allez, Alain, creuse-toi le crâne, persévéra Robert en me conjurant du regard. Ça va te revenir. Il suffit que tu le veuilles vraiment. L'homme est capable d'accéder à n'importe quel souvenir.

Je fermai les yeux et tentai de me téléporter dans le passé, sur le boulevard Raspail. Je le voulais, je le voulais tant !

— J'ai un gentil patron, m'avait confié Mélanie. Mais il fume beaucoup trop. Actuellement, il est à l'hôpital avec une pneumonie. Quand on lui a rendu visite, il a commencé par plaisanter en affirmant que c'étaient surtout ses cigares qui lui manquaient. Monsieur (ici, elle avait mentionné son nom) est tellement déraisonnable !

Monsieur... Monsieur...

Je faisais un effort si intense que je n'aurais pas été surpris que la table de la cuisine se mette à flotter au-dessus du sol.

Je rouvris les yeux.

— Lapin, déclarai-je. Il s'appelle Lapin.

Une seule lettre me séparait de mon bonheur, mais elle était déterminante.

Robert s'était vraiment retroussé les manches.

— Laisse-moi faire, je m'en occupe. Débrouille-toi pour dormir un peu, tu fais peur à voir, m'avait-il conseillé.

Ensuite, il avait chargé trois de ses thésardes de débusquer ce M. Lapin. Les charmantes étudiantes s'étaient sans nul doute montrées extrêmement moti-vées, désireuses de rendre ce service particulier à leur professeur préféré. Pourtant, après plusieurs jours de recherches soutenues via Google et de multiples coups de fil, ces dames avaient jeté l'éponge. Il exis-tait des centaines de magasins d'antiquités à Paris, mais aucun, manifestement, qui soit géré ou inscrit au registre du commerce sous le nom de Lapin.

— Soit ce lapin qui fume des cigares gambade maintenant là où l'herbe est toujours verte et sa boîte a fermé, soit nous suivons la mauvaise piste, avait conclu mon ami. Il y a un truc qui ne colle pas.

Ce en quoi Robert avait parfaitement raison. Le simple fait que j'aie confondu un « P » avec un « L » nous vouait à l'échec.

J'étais agité, nerveux. Je refusais de comprendre. Tout courage m'avait abandonné, j'étais de mauvaise humeur. Au cours des deux semaines qui suivirent, je me réveillai chaque matin avec la sensation que quelque chose dans ma vie n'allait pas.

Je fumais trop. Beaucoup trop. Bientôt, je gamba-derais avec feu M. Lapin là où l'herbe est toujours verte. Je m'imaginais Mélanie me retrouvant trop tard et s'effondrant sur ma tombe. D'abord le patron, puis le petit ami, quelle tragédie !

— Alain, tu pousses vraiment le bouchon. Mon vieux, c'est juste une femme, tu t'en remettras, avait assuré Robert à sa manière directe.

Je savais que ma douleur était excessive, et que j'exagérais, mais à quoi servait ce genre de commen-taire ? Ça ne me consolait pas.

Tous les après-midi, je me rendais au Cinéma Paradis, et quand arrivait le soir, je fixais la rue. Mme Clément et François échangeaient des regards soucieux, je fuyais leurs questions en me repliant dans mon bureau.

Plus le temps passait, plus il devenait improbable que je revoie Mélanie. Chaque mercredi, ma fébrilité atteignait des sommets. Mercredi était sa journée. *Notre* journée ! Désormais, il ne restait plus que cinq jours avant le début du tournage, qui m'était totalement sorti de la tête.

Décidant d'adresser un message à l'absente, je changeai *in extremis* le film de la dernière séance. Dans la série *Les Amours au Paradis*, j'allais projeter *Cyrano de Bergerac* au lieu de *La Passante du Sans-Souci*. L'espace d'un moment insensé, exhortant l'univers, je m'imaginai pouvoir ainsi attirer Mélanie au cinéma.

Ah, on se cramponne à n'importe quelle bouée quand on désire quelque chose à ce point !

Ce mercredi soir-là aussi, la séance affichait complet. Mais... toujours pas de femme en manteau rouge. Amer, je songeai qu'elle ne l'enfilerait probablement plus. Le mois de mai venait de débuter, et le temps était trop clément pour porter un manteau d'hiver.

Lorsque je sortis devant mon établissement pour fumer une cigarette, l'air était doux et les spectateurs se dirigeaient vers le Cinéma Paradis en flânant, vêtus d'habits printaniers. Les jupes dansaient, les foulards pastel volaient au vent, les pull-overs étaient négligemment jetés sur les épaules. Les gens marchaient, le pas plus léger que d'habitude, les yeux rieurs.

Je regardais la rue, le cœur empli de mélancolie, lorsque je vis arriver un couple, bras dessus, bras dessous. Pour un peu, je ne les aurais pas reconnus.

C'était la femme brune – sans sa fille, cette fois – qui paraissait souvent si malheureuse ; à ses côtés avançait, avec entrain et sans porte-documents, le petit homme rondouillard qui entrait toujours dans le foyer au dernier moment. Visiblement, ils se réjouissaient de voir *Cyrano de Bergerac*. Peut-être, très probablement, même, étaient-ils heureux. Ils me dépassèrent, l'air détendu, sans me remarquer.

J'ignore à quoi cela tenait, mais la femme à la bouche fardée de rouge semblait brusquement bien moins triste, et l'homme, qui avait troqué sa veste de costume contre un pull bleu, semblait brusquement bien moins gros.

Je tirai une dernière bouffée et jetai le mégot dans le caniveau. Ce premier mercredi de mai-là, je devais être la seule personne malheureuse.

18

Comme souvent dans la vie, le secours vint d'un camp inattendu. C'est Allan Wood qui devait livrer la remarque décisive après avoir identifié le lien que Robert et moi n'avions pas établi, conférant à cette histoire une tournure totalement nouvelle.

— Mon idée est peut-être un peu tirée par les cheveux au premier abord, mais vous avouerez qu'il pourrait y avoir du vrai là-dedans.

Allan Wood se laissa retomber dans le canapé en cuir couleur cognac et se mit à considérer la fraise décorant artistiquement son daïquiri, pensif.

Je hochai la tête. Nous étions dimanche soir et voilà un bon moment que j'étais installé avec le réalisateur new-yorkais dans son bar préféré.

Ce matin-là, j'avais eu la surprise de recevoir un coup de fil de Solène Avril, que je n'avais pas revue depuis notre promenade autour de la place Vendôme.

— On a prévu de partir en excursion à Montmartre avec la troupe. Vous n'auriez pas envie de nous accompagner, Alain ? avait-elle demandé. Ça vous permettrait de faire la connaissance de tout le monde.

« Tout le monde », c'était le gros de l'équipe du film, qui envahirait dès le lendemain le Cinéma Paradis. Les caméramans et les éclairagistes, les maquilleuses, le réalisateur et ses assistants, l'assistante personnelle de Solène Avril. Sans oublier les acteurs, évidemment. Bien que tous soient cités au générique, on se rend rarement compte du nombre de gens nécessaires pour un film ou seulement quelques scènes.

Au début et dans l'agréable atmosphère d'un dîner en compagnie d'Allan Wood et de Solène Avril, le tournage m'avait paru être une opportunité fantastique, mais maintenant qu'il était imminent, je redoutais cette agitation – de même que je redoutais tout ce qui perturbait le déroulement normal de mes journées.

Contrairement à Robert, Mme Clément et François, qui attendaient l'événement avec impatience et nourrissaient les attentes les plus diverses, j'avais décidé de garder mes distances avec mon établissement dans les jours qui suivraient.

Le cinéma sera fermé du 3 au 7 mai pour cause de tournage.

Lorsque j'avais accroché cette pancarte à la porte d'entrée, le cœur agité de sentiments mêlés, des passants s'étaient arrêtés. Pour autant, même sans cette indication, on n'aurait pu ignorer que quelque chose se préparait. Une partie de la rue étroite était déjà barrée et un camping-car, corps étranger entre les immeubles anciens, était garé sur le côté, suivi des véhicules de la production et d'une société de catering.

Ce lundi-là, je passerais sûrement au cinéma pour faire la connaissance de « tout le monde » (Solène y tenait), mais la seule pensée de partir dès le dimanche en excursion pendant plusieurs heures avec l'équipe de tournage, à Montmartre de surcroît, me donnait des crampes d'estomac.

De loin, la « Meringue » surplombant la ville, qu'on peut aussi rejoindre par le funiculaire, offre un spectacle encore supportable. En revanche, sur place et surtout en journée, Montmartre est plutôt démoralisant. Au pied de la butte, des magasins bon marché s'alignent et des individus douteux fouillent dans les montagnes de sous-vêtements qui s'entassent dehors dans des bacs. Plus haut, d'imposants cars de touristes se fraient un passage dans les ruelles et le long des restaurants – chacun ayant déjà été fréquenté par de grands peintres, à en croire les pancartes.

Sur les marches en contrebas de la basilique s'asseyent étudiants amoureux et touristes du monde entier équipés d'appareils photo, un peu déçus qu'on ne puisse pas voir la tour Eiffel.

Des hordes de jeunes Roms se précipitent sur tout ce qui bouge comme les pigeons de la place Saint-Marc ; elles veulent vous lire les lignes de la main, subtiliser votre portefeuille, vous faire signer une pétition, ou les trois à la fois. La plupart des gens qui se baladent là-haut, le nez en l'air, n'y voient que du feu, car la plupart des gens sont des touristes, et c'est l'endroit de Paris où cela saute le plus aux yeux. Aux alentours du Sacré-Cœur, on se laisse facilement gagner par le sentiment que seuls les serveurs sont des autochtones, et cette impression n'est pas si erronée.

Sur la charmante place du Tertre, des peintres tentent, avec plus ou moins de succès, de perpétuer la tradition d'autrefois et attirent des foules de visiteurs. Tout autour les cafés et les restaurants ne désemplissent jamais.

De nuit, à la lueur flatteuse des vieux réverbères, Montmartre possède sans nul doute un visage très pittoresque, aujourd'hui encore, et la magie du passé paraît indestructible. Cependant, à la lumière crue du jour, la Butte évoque une femme trop maquillée qui a derrière elle ses plus belles années.

Comme Montmartre le jour me déprime et que j'étais plutôt d'humeur mélancolique, j'avais décliné la proposition de Solène et lui avais souhaité bon amusement.

Une demi-heure plus tard, Allan Wood appelait pour me demander si je n'avais *vraiment* pas envie de les accompagner, ajoutant que c'était un jour idéal pour y aller, qu'on avait réservé trois voitures avec chauffeur et que tout le monde était fou de joie à l'idée d'explorer le quartier des peintres.

Je ne pouvais pas imaginer qu'il existe une journée idéale pour se rendre à Montmartre, mais après tout, je n'étais pas un touriste américain. Je m'étais donc tu poliment.

— Solène nous a vanté la beauté des lieux, avait précisé Allan Wood.

Il avait l'air emballé, et j'avais supposé que dix années passées aux USA avaient fait naître chez la belle actrice de tendres souvenirs teintés d'une grande sentimentalité.

— Nous avons prévu de visiter le musée de Montmartre. Après, nous mangerons un morceau au Consulat. Picasso y a peint !

J'avais souri, me demandant si l'anecdote était véridique, mais je connaissais bien Le Consulat. S'avançant à l'angle de deux ruelles pavées, il possédait une minuscule terrasse. Je me souvenais y avoir mangé une soupe à l'oignon. Excellente, d'ailleurs.

— Bon choix, avais-je commenté. Prenez la soupe à l'oignon !

— Vous ne venez pas, c'est sûr ?

— Certain.

Allan Wood était trop intelligent pour insister.

— Très bien, Allen. Dans ce cas, rejoignez-moi ce soir au Bar Hemingway, nous prendrons un daïquiri à la fraise, okay ?

— Okay.

C'est ainsi que, ce dimanche soir-là, je m'étais retrouvé au Bar Hemingway avec Allan Wood et que, sur un discret fond de jazz, au milieu des cannes à pêche et des fusils de chasse, une conversation intime s'était engagée.

Pour commencer, nous avions discuté de détails relatifs à l'organisation du tournage, mais ensuite, Allan s'était brusquement penché vers moi, le regard incisif.

— *You look so blue*, Allen. Qu'est-ce qui vous arrive ? Vous paraissez... opprimé, avait-il dit en brassant l'air avec ses mains, cherchant ses mots. On dit bien opprimé ?

— Oppressé, l'avais-je corrigé avec un sourire gêné, avant de prendre une grande gorgée de mon daïquiri.

Cela ne changeait rien à mon état : j'étais bel et bien oppressé.

— Ah, je suis juste un peu fatigué, avais-je fait en haussant les épaules.

— Non, non, vous êtes opprimé, Allen, je remarque ce genre de chose, avait contesté le réalisateur en secouant la tête. La dernière fois que je vous ai vu, lors de notre dîner au Ritz, vous étiez heureux et enjoué. Et maintenant, je ne vous reconnais plus. Je me sens très décontracté avec vous, Allen, vraiment, je vous aime bien. – Il m'avait lancé un coup d'œil soucieux. – Vous ne voulez pas me dire ce qui se passe ? Je peux vous aider, peut-être ?

— J'ai bien peur que non. C'est assez compliqué.

— Laissez-moi deviner. Il s'agit d'une femme.

J'avais opiné du chef, muet.

— D'une très belle femme ?

J'avais poussé un soupir d'acquiescement.

— Vous êtes amoureux ?

— Je suis mordu, oui.

— Mais vos sentiments ne sont pas partagés.

— Aucune idée.

J'avais poussé du doigt la fraise ornant le bord de mon verre et l'avais regardée atterrir avec un léger *plof* dans le troisième daïquiri de cette soirée.

— Au début, je pensais que mon amour était payé de retour. Tout paraissait parfait. Unique. Je vivais ça pour la première fois, avais-je confié avant d'éclater d'un rire amer. Seulement, ça devait rester unique : elle n'est pas venue à notre rendez-vous et elle ne donne plus signe de vie. Parfois, il me semble que j'ai tout imaginé. Comme si elle n'avait jamais existé, vous comprenez ?

Allan me considérait avec compassion.

— Oui, je comprends tout à fait ce que vous voulez dire, avait-il soupiré. *Oh boy*, je le craignais. C'est classique. Elle peut se montrer si charmante. *Si* enthousiasmante. Et soudain, elle change d'avis et vous laisse tomber, juste comme ça. – Il avait claqué des doigts. – C'est exactement ce qui est arrivé à Carl.

Allan Wood s'était remis à siroter sa boisson, l'air préoccupé.

— Carl ? m'étais-je étonné. Qui est Carl ?

Carl Sussman était le caméraman. Doté d'une barbe noire et d'origines brésiliennes, il avait vécu une aventure courte et passionnée avec Solène Avril, avant que cette dernière lui tourne le dos pour jeter son dévolu sur un propriétaire terrien texan du nom de Ted Parker. À en croire Allan, Carl était le mâle dans toute sa splendeur. Cependant, quand il s'agissait de la belle actrice, il devenait totalement malléable. Il souffrait toujours de leur séparation. Et maintenant que Ted Parker se retrouvait seul dans son ranch, Carl commençait à reprendre espoir.

Fasciné et un peu abruti par l'alcool, j'écoutais le récit volubile d'Allan Wood, censé m'apporter du réconfort.

— Il ne faut surtout pas que vous le preniez mal, Allen, avait-il conclu. Solène est une femme très séduisante, et elle le sait. Elle est comme elle est. Mais elle vous aime bien, Allen. Je vous assure. En tout cas, elle était très déçue que vous ne soyez pas des nôtres, aujourd'hui. – Il avait promené son regard dans le bar. – Eh bien… Dire que tout a commencé ici, il y a quelques semaines. – Il avait secoué la tête. – Je suis vraiment désolé, mon vieux.

Je le fixais, hébété. Que racontait-il là ?

— Écoutez, Allan. Je crois qu'il y a méprise… Solène et moi…

— Ne craignez rien, m'avait-il interrompu. Je serai muet comme une tombe. Solène ne saura pas que je suis au courant.

— Mais il n'est pas du tout question de Solène. C'est de Mélanie que je suis tombé amoureux.

Allan Wood avait écarquillé les yeux.

— Mélanie ? Qui est Mélanie ?

Je lui avais tout raconté. Depuis le début. Le réalisateur ne cessait de tirer sur son pantalon en velours côtelé et de me couper la parole avec de petites exclamations.

— Mais alors… c'est vraiment étrange ! Moi qui croyais que vous aviez des sentiments pour *Solène*. Quelle histoire !

Après que je lui eus relaté la rédaction de ma liste et la recherche infructueuse d'un magasin d'antiquités, il m'avait adressé un regard chargé de sympathie.

— Dites donc, c'est *vraiment* compliqué, avait-il confirmé avant de faire signe à la serveuse et de commander deux autres daïquiris. Et maintenant, que comptez-vous faire ?

— Je n'en ai pas la moindre idée, avais-je lâché en m'enfonçant dans le moelleux canapé en cuir, les yeux dans le vide.

Allan Wood, assis à côté de moi, s'était tu lui aussi. Nous étions deux hommes dans un bar ; deux hommes qui buvaient en silence, laissaient libre cours à leurs pensées et se comprenaient sans mot dire.

Cela aurait sûrement plu à Hemingway.

— Avez-vous déjà songé qu'il pourrait y avoir un rapport entre le tournage dans votre cinéma et la disparition de cette femme ? avait soudain demandé Allan Wood, tandis que mouraient les dernières notes d'*I got the spring fever blues* d'Ella Fitzgerald.

— Comment ? m'étais-je exclamé, arraché à l'agréable indifférence qui m'avait envahi.

— Eh bien, vous ne trouvez pas ça très bizarre ? Nous apparaissons… et peu de temps après, cette femme disparaît sans laisser de traces. Il y a peut-être un lien ?

— Mmm. Quel lien pourrait-il y avoir ? La chance sourit à un petit propriétaire de cinéma et, du coup, il perd son grand amour ? C'est à ça que vous pensez ? Heureux au jeu, malheureux en amour ? avais-je répondu en haussant les épaules. Vous croyez que je vais être puni par des puissances funestes sous prétexte que ma caisse se remplit ?

— Non, non, ce n'est pas ce que je veux dire. Je ne fais pas allusion à des puissances funestes. Je ne parle ni de justice distributive, ni de Némésis, avait assuré Allan Wood avant de préciser sa pensée. Ne pourrait-il pas exister une relation de cause à effet entre ces deux événements ? À moins que vous n'y voyiez qu'un simple hasard ?

— Mmm, avais-je répété. Je n'ai pas encore considéré la situation sous cet angle. Vous voyez, des choses belles ou affreuses se produisent en même temps, sans arrêt, et en règle générale, elles n'ont pas le moindre rapport. C'est ainsi que fonctionne notre monde.

J'avais l'impression d'entendre mon ami Robert.

— C'est l'anniversaire de quelqu'un… et son père meurt le même jour, avais-je repris. Une voiture est volée… et son propriétaire gagne au loto. Un réalisateur américain se rend à Paris pour tourner dans un cinéma… et une jeune femme appelée Mélanie, dont le gérant de l'établissement est tombé éperdument amoureux, disparaît. Sans laisser de traces.

Je m'étais penché en avant et j'avais passé la main dans mes cheveux.

— Il se peut qu'il existe un lien, mais je ne le vois pas, avais-je continué en souriant avec lassitude, avant de faire une plaisanterie stupide. À moins… à moins que le réalisateur soit le grand amour perdu de cette jeune femme, que tous deux se soient retrouvés et qu'ils ne sachent pas comment me l'annoncer. – J'avais éclaté de rire. – Il n'empêche, la différence d'âge donnerait à réfléchir.

— Allan Wood m'avait fixé en silence, si longuement que j'avais pensé l'avoir offensé avec mes paroles désinvoltes.

— Et si le réalisateur était son père ?

J'avais d'abord cru à une blague, songeant qu'Allan était d'humeur à fabuler. Il n'est pas rare que l'imagination des personnes créatives s'emballe. Mais, comme l'avait si joliment formulé Sir Arthur Conan Doyle : « Lorsque vous avez éliminé l'impossible, ce qui reste, si improbable soit-il, est nécessairement la vérité. »

— Que voulez-vous dire par là ? avais-je demandé.

— Ce que j'ai dit, ni plus, ni moins, avait lâché Allan Wood en ôtant ses lunettes et en se mettant à les nettoyer. Votre Mélanie pourrait être ma fille.

— D'un point de vue purement théorique ?

Je ne voyais pas du tout où il voulait en venir. Manifestement, il était victime d'une forme de sentimentalité due à l'âge, façon « Oh mon Dieu, elle pourrait bien être ma fille ». Mais Allan Wood avait secoué la tête.

— Non, très sérieusement. *I mean it !*

Je l'avais regardé, incrédule.

— C'est une blague ?

Il avait remis ses lunettes.

— Pas du tout.

Absorbé dans ses pensées, il s'était carré dans le canapé, un bras pendant par-dessus l'accoudoir.

— Ma fille devrait maintenant avoir vingt-cinq ans. Pour autant que je sache, elle vit à Paris. Récemment, quand j'ai évoqué le fait qu'elle ne m'avait jamais pardonné d'avoir quitté sa mère, c'était un euphémisme. Elle me déteste. J'ai voulu un jour lui rendre visite, dans ce haras au bord de la Loire que dirigeait sa mère. Eh bien, elle a tout simplement fugué. Elle a disparu pendant quatre semaines. Incroyable, non ? Elle avait seize ans, à l'époque. Ensuite, nous ne nous sommes revus qu'une fois. Dans ce bar. Mais la soirée s'est soldée par une catastrophe. Elle ressemble énormément à Hélène : elle est aussi têtue et péremptoire, et aussi jolie ! Ah, ces grands yeux marron !

Allan Wood avait poussé un soupir résigné avant de se perdre dans ses souvenirs, au point que je m'étais demandé si tous ces daïquiris n'avaient pas eu raison de lui.

— Oui… et alors ? étais-je intervenu avec une certaine impatience. Quel rapport avec moi ? Et avec Mélanie ?

— Oh, avait-il fait, surpris. Je ne l'ai pas mentionné ? Pardonnez-moi, je suis moi-même sens dessus dessous. Elle s'appelle Mélanie. Nous l'appelions toujours Méla, c'est pour ça que je n'ai pas tout de suite fait le rapprochement. Mais le vrai nom de ma fille est Mélanie. Mélanie Bécassart.

La soirée devait se prolonger. Ensuite, Allan Wood m'avait relaté une histoire qui avait bien un lien avec la mienne.

Alors qu'il était dans la force de l'âge – la quarantaine, j'imagine – et qu'il avait derrière lui un mariage raté, il était parti en vacances en Normandie et avait fait la connaissance d'Hélène Bécassart. La sauvage Hélène, chevelure châtain flottant au vent, était pour ainsi dire tombée à ses pieds lorsque son cheval s'était emballé, sur une des larges plages de sable de la côte de Nacre, et l'avait désarçonnée.

Une petite fille était née de la relation passionnée, mais compliquée, qui avait suivi. Mélanie, tendrement rebaptisée Méla, était un être timide à l'imagination débordante. Son obstinée de mère, plus très jeune avec ses trente-neuf ans pour avoir un premier enfant, descendait d'une famille de l'ancienne noblesse, possédant un château au bord de la Loire. Fervente cavalière, elle aimait la nature par-dessus tout et avait, dans un premier temps, fasciné au plus haut point Allan Wood, un citadin pur et dur.

Seulement, son caractère de plus en plus intransigeant, ses profonds préjugés envers les Américains, son refus de mettre un pied dans la grande ville et ses sorties à cheval toujours plus longues avaient fini par faire fuir cet homme sensible.

— Vous comprenez, ce n'était vraiment pas facile pour moi, Allen. Je n'ai pas grandi au milieu des chevaux et je ne sais pas m'y prendre avec ces immenses bestiaux aux dents jaunes. Ils me font peur, avait confié Allan Wood en frissonnant. À la fin, il n'y en avait plus que pour eux. Ça commençait au petit déjeuner : impossible de lire son journal sans qu'elle vous rebatte les oreilles avec je ne sais quel pur-sang arabe qu'elle aurait aimé avoir comme étalon pour sa jument. Elle s'appelait Fleur et c'était une sale bête. Elle ne m'a pas aimé dès le début, je l'ai compris à son regard sournois. Elle était jalouse de moi. Un jour que je me tenais derrière elle, elle m'a donné un coup de sabot. Juste ici.

Allan Wood avait serré son genou gauche et grimacé.

La situation n'était pas favorable pour Hélène et Allan, et il était arrivé ce qui devait arriver : ils étaient devenus des étrangers. En fin de compte, l'océan

Atlantique les avait séparés, ainsi qu'un certain mutisme.

Alors que Méla avait huit ans, son père s'était assis sur un banc de Battery Park, à Manhattan, pour contempler l'Hudson. C'est sur ce banc, où soufflait un vent printanier, qu'une jeune femme affable lui avait adressé la parole. Chargée de littérature à Columbia, elle nourrissait une profonde aversion pour les chevaux, et une nature trop présente la rendait aussi nerveuse qu'Allan Wood. C'est ainsi qu'ils s'étaient mis à se balader dans les rues de Manhattan, parlant et riant. Allan, qui avait presque perdu l'usage de la parole au cours de sa relation avec la femme-cheval, avait fait la délicieuse expérience que tout redevenait frais et nouveau quand on pouvait le raconter à une belle et jeune créature dont l'intérêt paraissait inépuisable.

L'excitation et le sentiment de culpabilité avaient alterné à un rythme soutenu, mais au bout du compte, l'excitation – intellectuelle et physique – l'avait emporté.

Allan Wood avait quitté Hélène, qu'il n'avait d'ailleurs pas épousée, pour convoler en justes noces avec Lucinda, plus jeune de treize ans, qui lui donnerait bientôt un fils.

Hélène, hors d'elle, avait secoué ses cheveux châtains en jurant haineusement qu'ils ne se reverraient jamais. Ensuite, elle avait passé quelques mois dans un ashram en Inde – pendant ce temps, Méla avait intégré un internat. Après quoi, Hélène avait inoculé à sa fille la haine de son traître de père.

Arrivant à la fin de son récit, Allan Wood avait plongé son regard dans son verre, l'air contrit.

— Bien sûr, ce n'est pas très glorieux. Mais vous savez, mon ami, quand on prend de l'âge et qu'on réalise que la vie n'est pas si longue, on reçoit comme un cadeau du ciel le fait de pouvoir partager la vie d'une jeune femme. Retrouver l'insouciance et la légèreté qu'on a perdues au fil des ans et auxquelles on n'a jamais cessé d'aspirer.

J'avais hoché la tête, même si ce genre de pensée m'était inconnu. Pour l'instant… Allan Wood, quant à lui, était resté fidèle à ses élans. Quelques années plus tôt, il s'était également séparé de la chargée de cours, et il était désormais marié pour la troisième fois.

— Et vous pensez que Mélanie, je veux dire Méla, pourrait être la femme en manteau rouge ? m'étais-je enquis, une sensation de picotement au creux de l'estomac.

— Je ne l'exclus pas. Méla s'est toujours montrée très impulsive. Peut-être a-t-elle découvert que j'étais revenu à Paris, dans *votre* cinéma, si bien qu'elle a fui. Mon idée est peut-être un peu tirée par les cheveux au premier abord, mais vous avouerez qu'il pourrait y avoir du vrai là-dedans.

— Mais enfin… pourquoi… Comment…

Allan Wood haussa les sourcils.

— Les journaux ont largement répandu la nouvelle que le tournage allait avoir lieu à Paris, au Cinéma Paradis.

Je commençai à m'agiter sur le canapé en cuir et me rappelai avec effroi que, dans l'interview avec

M. Patisse, je m'étais épanché en révélant à quel point j'admirais Allan Wood, qui m'était si sympathique que, dès notre première conversation, j'avais eu la sensation de parler avec un ami.

Allan et Alain... quand bat le cœur des hommes ! avait titré le journaliste, sans doute très fier de la référence cinématographique.

À bien y réfléchir, Mélanie avait disparu de ma vie au moment même où Allan Wood y surgissait. Soudain, mille pensées me traversèrent l'esprit. Le nom et l'âge concordaient. Ma Mélanie aussi avait de magnifiques yeux marron. Et Allan Wood n'avait-il pas évoqué le port de tête altier d'une ballerine ? Fiévreusement, je me mis à chercher des points communs.

— Est-ce qu'elle a des cheveux blond foncé ? Comme le caramel ? demandai-je.

— Eh bien... Vous savez comment sont les femmes, elles aiment changer de couleur. Enfant, Méla avait la chevelure châtain de sa mère. Puis elle est passée au noir. La dernière fois que je l'ai vue, elle était blonde. Mais pas vraiment blond caramel, sourit Allan Wood. Vous avez le sens du détail, Allen, je l'ai déjà remarqué quand vous avez mentionné votre liste. À ce propos, j'ai relevé une concordance : Mélanie vous a dit que sa mère n'aimait pas les bijoux, et c'était le cas d'Hélène. « Je n'apprécie pas le contact du métal sur ma peau », voilà ce qu'elle m'a annoncé, un jour que je voulais lui offrir un bracelet. Enfin, elle aurait peut-être supporté le contact d'une alliance... – Pensif, il remua le contenu de son verre avec sa paille. – Elle s'est d'ailleurs mariée plus tard, mais pour autant que je sache, cette union s'est conclue par un échec et sans enfant.

Cette information me fit penser à la bague aux roses ciselées de Mélanie. Brusquement, les doutes m'envahirent. Mélanie m'avait confié que l'anneau était un souvenir de sa mère. Sa mère *morte*.

— Savez-vous si Hélène vit encore ? demandai-je, redoutant la réponse.

Allan Wood soupira et secoua la tête, l'air désolé.

— Elle était tellement butée, il fallait encore qu'elle monte un de ces stupides canassons à soixante ans passés.

Il plissa le front avec réprobation, et le soulagement me donna la nausée.

Tout coïncidait. La mère de Mélanie était morte et cette dernière portait l'alliance d'Hélène – l'unique chose qu'il lui reste d'elle. Elle n'avait ni frère, ni sœur. Et compte tenu des circonstances, le fait qu'elle n'ait absolument pas évoqué son père ne m'étonnait pas.

— J'ai toujours dit que ces bêtes étaient dangereuses, mais elle n'en faisait qu'à sa tête. Elle s'est brisé les vertèbres cervicales. L'accident s'est produit il y a deux ans. J'ai reçu un faire-part de décès… des semaines après. L'enterrement a eu lieu dans la plus stricte intimité. Je n'en faisais plus partie, naturellement. Je suis devenu *persona non grata* chez les Bécassart, ajouta Allan avant de boire une gorgée. Il n'empêche que j'aimerais revoir Méla. Peut-être que nous trouverions le moyen de faire la paix. C'est ma fille, après tout.

Il y avait de la nostalgie dans sa voix.

— Moi aussi, j'aimerais beaucoup revoir votre fille, assurai-je, le cœur battant.

Je me sentais revigoré. Il était incroyable et réjouissant à la fois qu'après mes vains efforts pour retrouver Mélanie, une piste si inattendue se dessine. J'aurais aimé serrer dans mes bras l'homme aux lunettes en écaille foncée qui, ce soir-là, était devenu comme un parent pour moi.

— J'aimerais revoir Mélanie plus que tout au monde, répétai-je. Voulez-vous m'y aider, Allan ?

Allan Wood sourit et me tendit la main.

— Je trouverai Méla. C'est une promesse.

19

Le tournage avait débuté. Plus moyen de faire machine arrière. Il devait transformer mon cinéma en un microcosme effréné et bourdonnant, une agglomération explosive et difficile à dompter de câbles interminables et de projecteurs éblouissants, de caméras roulantes et de claps retentissants, d'instructions hurlées et de silences tendus. Un univers singulier où se mêlaient étrangement vanités humaines, rivalités passionnées et professionnalisme extrême.

Ce lundi-là, lorsque j'enjambai les deux rangées de fauteuils démontées qui, posées en travers du foyer, barraient l'entrée, je réalisai qu'un vent impétueux avait soufflé sur mon établissement. Un profond bouleversement s'était produit au Cinéma Paradis. Même Attila, roi des Huns, n'avait pas causé une telle désolation en envahissant les plaines de Pannonie.

Je me figeai et fixai le chaos autour de moi, incrédule. Un porteur de câbles haletant et transpirant me bouscula, je fis un pas en arrière et trébuchai sur le pied d'une lampe qui se mit à osciller.

— Attention, monsieur ! Dégagez !

Deux hommes passèrent devant moi en gémissant. Ils transportaient un énorme lustre dans la salle de cinéma ; je m'écartai en vacillant et entrai en collision avec une créature qui portait une robe à fleurs. Mme Clément.

— Oh mon Dieu, mon Dieu, monsieur Bonnard, vous voilà enfin ! s'exclama-t-elle en brassant frénétiquement l'air de ses mains, les joues cramoisies. Mais quel chambardement ! Avez-vous vu ce qu'ils ont fait là-bas ? Je n'ai pas pu les en empêcher, monsieur Bonnard, ces gens du catering n'ont aucun respect, pourtant, leur grosse voiture est garée juste devant.

L'air réprobateur, elle indiqua son guichet, encombré de caisses de boissons, de boîtes de conserve et de vaisselle en carton. Sur le comptoir en bois, où trônait normalement la caisse, une machine à café fumait.

— J'espère que tout sera remis en ordre une fois qu'ils auront fini de tourner ici, monsieur Bonnard. Mais quel chambardement ! répéta-t-elle.

Je hochai la tête et poussai un soupir résigné. J'espérais aussi que mon cinéma sortirait intact de cet ouragan.

— Avez-vous déjà croisé Mme Avril ? reprit Mme Clément. Charmante personne. Elle est actuellement dans votre bureau, au *maquillage*. – Elle avait prononcé ce mot la mine importante. – Howard Galloway, lui, fait un brin de toilette dans la salle de projection. Il n'est pas content de son rôle, il veut plus de texte. – Elle haussa les épaules. – Je viens de lui apporter un café crème, il le boit avec trois morceaux de sucre.

Les yeux de Mme Clément brillaient et je m'étonnai : comment pouvait-on faire un brin de toilette dans la salle de projection ? Préférant ne pas le savoir, j'observai l'employé du catering qui, en long tablier blanc, tenait en équilibre des plateaux garnis de sandwiches et de *finger food* qu'il posa sur une table pliante, dressée dans un coin du foyer. Plus loin, un homme élancé, presque chauve, prenait des notes sur un bloc et se frayait un chemin au milieu des bobines de câble et des amplificateurs, avec l'assurance d'un somnambule. Il rejoignit la pièce qui me servait encore de bureau, la veille. Elle faisait désormais office de vestiaire et je jetai un coup d'œil prudent à l'intérieur.

Sur un portant s'alignaient robes, vestes, chemises et pantalons, suspendus à des cintres en métal. Derrière, je découvris un panier à linge où étaient empilés, pêle-mêle, classeurs et dossiers. Le dessus de mon bureau était vide – plus précisément, il avait été balayé. S'y accumulaient à présent des dizaines de pots et de tubes, de pinceaux et de houppettes, de brosses et de sprays, dominés par un mannequin en polystyrène coiffé d'un postiche. Au-dessus de ma table de travail, on avait accroché un miroir immense, et je me demandai où étaient passées les deux jolies aquarelles du cap d'Antibes.

Encadrée par deux dames qui s'affairaient à la coiffer, Solène était assise devant le miroir, tournant le dos à la porte. Elle ne remarqua pas ma présence. Personne ne paraissait la remarquer, à l'exception de

Mme Clément qui, apparemment, faisait déjà partie de l'équipe du film.

Le pas hésitant, je me rendis dans la salle de cinéma où régnait une température tropicale et fermai les yeux, aveuglé. Lorsque je les rouvris, je découvris un homme barbu, de haute taille. Debout derrière une caméra, il procédait à des réglages avec la doublure lumière.

— Un peu plus à droite, Jasmine ! Voilà, c'est parfait ! lança-t-il après avoir contrôlé le résultat dans son viseur.

Un tournevis atterrit à mes pieds, je fis un bond de côté et levai les yeux. Perchés sur une échelle, à une hauteur vertigineuse, les deux hommes qui venaient de traverser le foyer en transportant péniblement l'énorme lustre étaient en train de démonter mon vieil éclairage. Manifestement, on cherchait à maximiser le facteur nostalgie du Cinéma Paradis.

Mon regard se porta sur les deux premières rangées, dont les fauteuils avaient été remplacés par des caméras et de gros projecteurs.

Un homme fluet aux lunettes foncées, l'air pressant, y parlait à un individu séduisant, cheveux blond foncé, allure aristocratique et visage maussade, que je reconnus comme étant Howard Galloway. M'apercevant, le petit homme m'adressa un signe amical de la main.

C'était Allan Wood, mon nouvel ami, l'être qui supervisait ce gigantesque chaos.

— Ah, Allen ! Venez, venez ! s'exclama-t-il, rayonnant. Alors, n'avons-nous pas fait des merveilles avec votre petit palais ? – Il indiqua le plafond, où

oscillait dangereusement le lustre sur-dimensionné.
– Maintenant, il paraît *vraiment* vieux, vous ne trouvez pas ?

Trois heures plus tard, l'être qui supervisait ce
gigantesque chaos se passait nerveusement un mouchoir sur la figure. Il avait perdu son expression
radieuse et semblait à bout de patience. Je m'étais
laissé dire qu'au cours d'un tournage, il y avait de
bons et de mauvais jours. Sans parler des très mauvais jours.

C'était apparemment un très mauvais jour.

— Bon, on reprend tout. Concentrez-vous. Trois,
deux, un et… *action !* cria Allan Wood.

Debout derrière Carl le caméraman, pouce sous le
menton et index contre la bouche, il suivait la scène
que les acteurs jouaient déjà pour la neuvième fois. Il
s'agissait de la première rencontre des héros, Juliette
et Alexandre, dans la salle de cinéma.

Quelques secondes plus tard, il agitait impatiemment la main et les interrompait.

— Non, non, non, ça ne va pas ! Solène, il faut
que tu te retournes plus tôt, s'il te plaît. Et manifeste
un peu plus de surprise. Tu n'as pas vu Alexandre
depuis des années. Tu le croyais mort, et à ta façon
de l'accueillir, on pourrait croire qu'il revient simplement des toilettes. Allez, encore une fois… et
mettez-y du sentiment ! demanda-t-il en se tampon-
nant nerveusement le front avec son mouchoir. Ah,
une dernière chose, c'est « Je ne t'ai jamais oublié,
Alexandre » et pas « J'ai pensé à toi chaque seconde,

Alexandre ». Ensuite, tu regardes la caméra. Gros plan. *Cut.*

— Vous savez quoi ? J'ai une idée ! lança Solène.

Elle avait prononcé ces mots comme si elle venait de trouver la formule de la jeunesse éternelle, et toutes les personnes présentes sur le plateau levèrent les yeux au ciel. Solène Avril avait pour habitude de chambouler le texte avec ses « idées ».

L'œil droit d'Allan Wood se mit à tressaillir.

— Non, s'il te plaît ! Plus d'idées pour aujourd'hui, Solène. Je suis le réalisateur, c'est moi qui décide.

— Ah, n'aie pas l'esprit aussi étroit, chéri, réclama Solène avec un sourire engageant. Changeons ce passage. « J'ai pensé à toi chaque seconde, Alexandre », ça sonne beaucoup mieux, non ? C'est tellement plus… *intense.* Allez, changeons-le.

Allan Wood secoua la tête.

— Non, non, c'est complètement… C'est totalement *illogique*, tu ne comprends pas ? soupira-t-il. Tu n'as pas revu Alexandre depuis treize ans, tu ne peux pas avoir pensé à lui *chaque seconde.*

— Non, elle pense chaque seconde à Ted, ironisa Carl.

Solène regarda avec agacement le grand barbu en polo bleu.

— Intéressant ! J'ignorais que tu pouvais aussi lire dans les pensées. Je croyais que tu te contentais de lire les SMS qui ne te sont pas destinés, lâcha-t-elle en pinçant sa jolie bouche, et le caméraman eut un rictus furibond. Quoi qu'il en soit, je ne veux pas de gros plan aujourd'hui : je n'ai pas fermé l'œil de la nuit.

— C'est la faute de cet idiot de cowboy, marmonna Carl en fronçant les sourcils. Qu'est-ce qui lui prend de t'appeler au milieu de la nuit, aussi ? Il n'a pas compris que les horloges à Paris ne donnent pas la même heure que celles du Texas ?

— Arrête, Carl. Qu'est-ce que c'est que ces piques permanentes ? Tu as un problème avec Ted ?

Carl secoua la tête.

— Pas tant qu'il restera dans son foutu ranch, assura-t-il d'un air féroce.

Solène éclata de rire.

— Je ne peux pas te le promettre, *stupid*. Tu as fait le maximum pour le convaincre qu'il vaudrait mieux venir ici.

— Pourriez-vous régler vos différends plus tard ? C'est horripilant ! lâcha Howard Galloway avant de jeter un coup d'œil ennuyé à ses ongles parfaitement manucurés. J'aimerais reprendre, j'ai faim.

— Chéri, on a *tous* faim, reprit Solène. Et le monde ne tourne pas *toujours* autour de toi, même si tu es le plus bel homme du plateau et que tu penses que ça te donne droit au plus grand rôle…

— Du calme, maintenant, je demande le silence ! Silence absolu !

Allan Wood fourra dans sa bouche quelque chose qui ressemblait diablement à une pastille contre les brûlures d'estomac. Puis il leva la main.

— Ressaisissez-vous. On rejoue cette scène, ensuite, pause-café.

Il fit signe à Elisabetta d'approcher. La maquilleuse, que tous appelaient Liz, était une femme débonnaire au visage rond et bienveillant, qu'on aurait plutôt vue à l'œuvre dans une ferme que sur un plateau de cinéma. En quelques gestes experts, avec poudre, blush et pinceaux, elle simula comme par enchantement un rose pimpant sur les joues de l'actrice boudeuse, puis redessina ses lèvres.

Un instant plus tard, tout le monde avait repris place. Au bout d'un quart d'heure, la scène était dans la boîte sans nouvel incident, et Allan Wood poussa un soupir de soulagement.

— Okay, les enfants. Pause ! lança-t-il en glissant une dernière pastille dans sa bouche.

Solène était au courant. Elle m'avait entraîné dans mon ancien bureau avec un sourire de conspiratrice, avant de m'indiquer un tabouret et de refermer la porte derrière elle. À présent, assise en face de moi sur une chaise, un gobelet de café dans les mains, elle me fixait, les yeux brillants.

— Quelle histoire ! fit-elle avec enthousiasme. Le propriétaire d'un cinéma s'éprend d'une mystérieuse inconnue, laquelle se révèle être la fille d'un réalisateur qui tourne dans son établissement, les deux s'étant brouillés. C'est meilleur que n'importe quel film ! Ha, ha, ha !

J'opinai du chef et constatai avec étonnement que ce rire argentin m'était déjà familier. Solène la capricieuse, la femme aux multiples idées, respirant la joie de vivre, avait su se faire une place dans mon cœur.

— Oui, confirmai-je. C'est vraiment une coïncidence incroyable. La fille d'Allan Wood ! Qui aurait pu le croire ?

Je me retrouvai catapulté dans le Bar Hemingway et repensai à ce qu'Allan m'avait appris au sujet d'Hélène et de leur fille.

— J'espère juste qu'il retrouvera Mélanie, déclarai-je, soucieux. Personne ne s'appelle Bécassart rue de Bourgogne, j'aurais remarqué un nom aussi particulier.

— Bien sûr qu'il la retrouvera, assura Solène en remontant une mèche de cheveux qui s'était détachée, avant de poser sa main sur mon bras. Ne t'inquiète pas, Alain. Il la retrouvera. Tu sais, on veut tous que la tragédie se transforme en comédie, n'est-ce pas ?

— Tous ? m'enquis-je. Qui d'autre est au courant ?

Solène se mit à jouer avec son collier de perles.

— Oh, juste Carl. Je ne pouvais que lui en parler, on était très proches, dans le temps. Et Liz, forcément. Elle a un faible pour les histoires d'amour compliquées et trouve ça très romantique, sourit-elle. Moi aussi, d'ailleurs.

Elle me fixa un peu trop longuement et je décidai de changer de sujet.

— Qu'est-ce qui se passe avec Carl ? demandai-je.

Carl Sussman était un excellent caméraman qui avait déjà raflé quelques oscars. À en croire Solène, c'était aussi le plus grand abruti que le sol français ait jamais porté.

Je savais déjà, de la bouche d'Allan Wood, que le géant barbu ne se remettait pas de sa rupture avec l'actrice. Depuis que l'équipe du film s'était réunie pour entamer le tournage d'*À Paris, tendrement*, Carl le fougueux ne quittait plus Solène d'une semelle. Il subtilisait son téléphone portable, lisait les messages envoyés par Ted Parker, les effaçait et écrivait au Texan :

Pas touche à Solène, cowboy, elle m'appartient.

Naturellement, l'actrice avait exposé la situation à son bien-aimé furieux, resté dans son ranch, et remis Carl à sa place avec la fermeté nécessaire. Elle avait même menacé de le faire remplacer en tant que caméraman s'il ne se contrôlait pas. Pour autant, Carl ne s'était pas laissé impressionner par la colère de Solène.

« Nous sommes faits l'un pour l'autre, *coração* », lui serinait-il, mettant tout en œuvre pour la reconquérir en lui offrant roses rouges et serments d'amour passionnés. Carl n'était pas homme à accepter un non. Il avait suivi Solène quand elle était allée acheter des chaussures rue du Faubourg-Saint-Honoré, il s'était même rendu au Ritz et avait tambouriné à la porte de sa chambre au beau milieu de la nuit. Alors qu'elle le rembarrait d'un « Va-t'en, Carl, je ne veux pas ! Comprends-le une bonne fois pour toutes ! », il avait lancé avec une grande détermination : « Tais-toi ! Tu fais ce que je dis ! » et l'avait embrassée. Solène s'était effectivement tue et laissé séduire encore une fois – une unique fois.

— Eh bien… Carl est très séduisant et nous avions bu quelques margaritas, m'expliqua-t-elle avec embarras. Est-ce que c'est une raison suffisante pour que cet idiot décroche mon téléphone en pleine nuit ?

Lorsque, au lieu de la douce voix de Solène, le rancher avait entendu celle d'un homme dans l'écouteur – un homme avec un accent brésilien qui ne voyait aucun problème à décliner son identité et avait marmonné « C'est Carl » –, les relations transatlantiques s'étaient dégradées de façon radicale. La catastrophe était totale, Carl très satisfait, Solène hors d'elle. Quant au propriétaire terrien jaloux, qui, dans son lointain Texas, étudiait la presse française pour s'informer sur le tournage parisien, il se montrait depuis extrêmement inquiet.

Les protestations de Solène, affirmant que c'était le garçon d'étage venu servir un club-sandwich dans sa suite, à 4 heures du matin, n'avaient pu convaincre (chose compréhensible) l'homme mal dégrossi, mais pas stupide.

— J'espère juste que Ted se calmera. Il est toujours très impulsif, tu sais, précisa Solène avec un sourire absent.

Elle se pencha en avant en me regardant. Assise sur une chaise, avec ses grands yeux myosotis et sa robe en soie bleu ciel, dont la jupe doublée de tulle bouffait autour de ses jambes minces, elle affichait l'innocence d'une Ophélie victime d'une injustice sans nom. Finalement, elle poussa un soupir.

— Ah, tous ces hommes jaloux autour de moi ! C'est vraiment fatigant, Alain, tu peux me croire.

Solène se renversa gracieusement sur son siège et croisa les jambes. Puis elle me fit un clin d'œil et me donna un petit coup amical au genou, de la pointe de son escarpin bleu années 1950.

— Dans une prochaine vie, il vaudrait peut-être mieux que je tente ma chance avec un intellectuel français séduisant, qu'en dis-tu ?

20

Dans mon histoire, le chiffre trois revêt une signi-
fication magique comme dans les contes de fées. La
fille du meunier a trois jours pour deviner le nom de
Grigrigredinmenufretin. Le génie sort de la lampe
après qu'Aladin l'a frottée trois fois. Cendrillon va
pleurer et prier à trois reprises sous l'arbre planté sur
la tombe de sa mère, et obtient une robe de bal.

Trois jours après que Solène m'eut assuré : « Ne
t'inquiète pas, Alain. Il la retrouvera », on m'annonça
que mon plus grand souhait allait se réaliser. Dans un
conte, un messager à cheval m'aurait apporté la nouvelle… Dans ma réalité, ancrée au XXIe siècle, ce fut
simplement mon portable qui sonna.

Contrairement à son habitude, Allan Wood n'y
alla pas par quatre chemins.

— Je sais où elle habite !

Je poussai un cri de joie, brandis le poing comme
un footballeur après le but décisif et fis un bond en
l'air, à l'angle de la rue du Vieux-Colombier et de la
rue de Rennes.

Une dame qui, la mine satisfaite, sortait d'une boutique de bijoux avec un joli sac en papier, m'adressa

un regard curieux ; j'eus le sentiment qu'il fallait que je partage mon bonheur avec quelqu'un, sur-le-champ.

— Il l'a retrouvée ! criai-je à la femme étonnée.

Elle haussa les sourcils, amusée, et commenta, non sans humour :

— Eh bien, c'est fantastique.

— Il l'a retrouvée ! répétai-je moins de cinq minutes plus tard à mon ami Robert, en route pour donner cours à l'université.

— Fantastique, fit-il. On se rappelle plus tard.

Nous étions jeudi, en début d'après-midi, et je vivais dans le meilleur des mondes. Allan Wood, réalisateur et maître-détective, mon nouvel ami et allié, était parvenu à ses fins. Il avait retrouvé sa fille, l'élue de mon cœur.

L'entreprise avait d'abord été ardue, mais après plusieurs coups de fil passés à des membres de la famille d'Hélène, dans la Loire – des appels pénibles durant lesquels le combiné était brutalement raccroché dès qu'Allan mentionnait son nom –, il avait tout de même trouvé un neveu éloigné qui avait eu pitié de lui et s'était montré disposé à lui révéler l'adresse tant désirée.

Il lui avait ainsi appris qu'un an plus tôt environ (après un mariage avec un Méridional qui s'était soldé par un échec cuisant, le neveu n'en sachant pas davantage), Méla avait quitté Arles pour retourner à Paris. Elle habitait désormais sous son nom de jeune fille non loin de la place des Vosges ; le neveu ne connaissait malheureusement pas la rue précise mais

il avait pu donner à Allan Wood un numéro de téléphone fixe.

— J'ai fait des recherches, m'avait expliqué fièrement ce dernier. Elle vit rue des Tournelles. Il y
a bien là-bas quelqu'un qui s'appelle Bécassart, j'ai
vérifié.

— Mais c'est sensationnel ! avais-je crié dans mon
portable.

Le Japonais qui passait à côté de moi, équipé
d'un gros appareil photo, avait tressailli et esquissé
un sourire, mal à l'aise. Au comble de la félicité, je
n'avais, malgré tout, pas pu m'empêcher de repenser aux expériences vécues dans l'immeuble rue de
Bourgogne.

— C'est vraiment trop beau pour être vrai, Allan,
avais-je soupiré. J'espère que c'est bien elle, cette
fois.

— C'est elle. J'ai déjà appelé.

— Quoi ?! Et qu'a-t-elle dit ?

— Rien. Enfin, juste « Allô ? J'écoute », avait précisé Allan Wood d'une voix un peu gênée. Je n'ai
pas osé prononcer un mot, j'ai tout de suite raccroché. Mais c'est bien elle : j'ai parfaitement reconnu le
timbre de voix de Méla.

Un sentiment d'excitation avait traversé mon
corps, semblable à une décharge électrique. Si je
m'étais écouté, j'aurais, sans plus attendre, sauté dans
le métro pour rejoindre Mélanie. Seulement, Allan
Wood m'avait conseillé d'agir avec circonspection.

— Ne nous précipitons pas, mon ami ! Nous ne
sommes plus à un jour près et il nous faut un plan
convenable, avait-il ajouté sur un ton paniqué.

Il m'avait prié d'attendre que le tournage au Cinéma Paradis, qui mettait ses nerfs à rude épreuve, soit bouclé. Avec un peu de chance, ce serait le cas le lendemain. Avant cela, Allan Wood ne se sentait pas de taille à supporter une confrontation à l'issue incertaine.

— Je comprends votre impatience, Allen, mais je voudrais avoir l'esprit libre. Après tout, il ne s'agit pas que de votre petite amie, mais aussi de ma fille. Il faut que nous fassions cause commune, okay ?

J'avais acquiescé à son désir, déçu. Si cela n'avait tenu qu'à moi, nous aurions pu nous mettre en route aussitôt. Simplement, Allan m'avait supplié de garder mon calme et de lui faire confiance. Il m'avait fait comprendre que la situation, extrêmement délicate, exigeait un certain doigté. Ce n'était pas sans raison que Mélanie Bécassart refusait tout contact avec son père depuis des années, pas sans raison qu'elle avait cessé de venir au cinéma. De puissants sentiments étaient en jeu et on pouvait supposer que l'absente ne sauterait pas de joie en nous voyant surgir dans l'embrasure de sa porte, son père et moi.

Si mon cœur me précédait déjà rue des Tournelles, ma raison me soufflait qu'Allan Wood avait raison. C'est ainsi que nous étions convenus de nous retrouver chez moi le lendemain soir, pour discuter tranquillement de la meilleure façon de procéder.

Ce samedi-là, à 8 h 30, le Marais paraissait désert. Les trottoirs étaient mouillés, une bruine tombait sur Paris, un ciel de plomb pesait sur la ville – la matinée s'annonçait parfaite pour dormir tout son soûl après une nuit passée à faire la fête.

Assis derrière la vitre embuée d'un café, non loin de la station Bastille, deux hommes en imperméable s'entretenaient devant un expresso. Ils se turent soudain et échangèrent des regards de conspirateurs. Près d'eux, sur un banc en bois peint en noir, deux énormes bouquets. Il était aisé de deviner que ces deux hommes manigançaient quelque chose. Manifestement, ils avaient un plan.

Il est également aisé de deviner qui étaient ces personnages… Par souci d'exhaustivité, je préciserai qu'il s'agissait d'Allan Wood et moi.

— Il vaudrait peut-être mieux que vous me précédiez, Allan, estimai-je.

Encore quelques minutes et nous sonnerions chez Mélanie Bécassart, rue des Tournelles. La fébrilité me donnait la nausée.

— Non, non. Surtout pas ! Si elle me voit, elle nous claquera tout de suite la porte au nez. Il faut que vous passiez devant.

Allan Wood entrechoquait nerveusement sa tasse à café vide et sa sous-tasse.

— Ce n'est pas le moment de paniquer, Allen, nous allons agir exactement comme nous l'avons prévu hier, reprit-il.

Notre plan était aussi génial que peut l'être le plan de deux hommes qui veulent regagner l'amour d'une femme.

Nous avions fait ce qui vient en premier à l'esprit des hommes. Nous avions acheté des fleurs – des brassées de roses, de lilas, d'hortensias et de gypsophiles, avec lesquelles une fleuriste au sourire obligeant avait composé deux gigantesques bouquets.

— Pour qui est-ce ? s'était-elle enquise.

Allan et moi, nous avions répondu simultanément :

— Pour ma fille.

— Pour ma petite amie.

La commerçante avait demandé si c'était pour fêter un anniversaire. Nous avions secoué la tête tous les deux, mais laissé entendre que nous étions résolus à dépenser une petite fortune.

— Ils doivent être renversants ! avait indiqué Allan.

Et ils l'étaient. Nous avions du mal à les porter, mais au moins, les fleurs enveloppées de papier rose et bleu ciel avaient attiré les regards bienveillants de quelques passantes, ce qui était déjà bon signe.

Nous avions beaucoup discuté la veille, après qu'Allan, épuisé mais heureux, eut quitté le Cinéma Paradis où la dernière scène avait été tournée dans l'après-midi. Nous avions beaucoup réfléchi, pour en arriver à la conclusion que le samedi matin, tôt, offrait les plus grandes chances de trouver Mélanie chez elle. Quand elle ouvrirait la porte, j'étais censé me trouver en première ligne, lui tendre mon bouquet et dire quelque chose comme : « S'il te plaît, pardonne-moi et donne-moi juste une minute, il faut que je te parle. » Ensuite, Allan Wood ferait son apparition, derrière son propre bouquet.

Selon lui, il était toujours bon de demander pardon à une femme.

À 9 heures, nous étions plantés devant l'appartement de Mélanie, le cœur battant. Nous y serions sûrement parvenus autrement, mais il y avait par chance une concierge dans ce grand et bel immeuble, rue des Tournelles. En voyant nos fleurs la dame, des plus amicales, s'était empressée de nous faire entrer, après que nous lui eûmes expliqué avec candeur que c'était l'anniversaire de Mlle Bécassart et que nous voulions lui faire une surprise. Apparemment, il n'est pas imaginable que des hommes porteurs de bouquets puissent être animés de mauvaises intentions.

Le calme régnait dans l'entrée. Tout le bâtiment paraissait dormir encore tandis que nous montions l'escalier en bois qui grinçait légèrement. Nous nous étions arrêtés au troisième étage.

Fixant mes fleurs, je songeai que jamais de ma vie je n'avais acheté autant de roses pour une femme. Puis je tendis le bras et pressai la sonnette.

Une mélodie de trois notes résonna, puis s'évanouit. J'osais à peine respirer. Derrière moi, le froissement du bouquet d'Allan. Nous attendions, aux aguets. Ces dernières semaines, j'avais souvent sonné et attendu. Cette fois devait être la dernière.

De l'autre côté de l'épaisse porte en bois foncé, rien ne bougeait.

— Quelle poisse, elle n'est pas là ! lançai-je entre mes dents.

— Chhh ! fit Allan. Je crois que j'ai entendu quelque chose.

Je tendis l'oreille. Alors, je perçus aussi les bruits. Des pas, de légers craquements dans le vestibule. Une clé tourna dans la serrure, puis la porte s'entrebâilla sur une silhouette menue aux cheveux ébouriffés. Pieds nus, vêtue d'une chemise de nuit rayée de blanc et de bleu, elle se frottait les yeux.

— Mais qu'est-ce que c'est que ça ? s'étonna-t-elle, et son regard passa de l'océan de fleurs aux deux hommes derrière.

À cet instant, le scénario prévoyait que je récite ma phrase. Mais je ne dis rien, me contentant de la fixer. Je sentis que le sol se dérobait sous mes pieds, puis, au loin, j'entendis la voix d'Allan Wood, qui lâcha un seul mot derrière ses hortensias bleus.

— Méla !

— Papa ! s'exclama la jeune femme en chemise de nuit, trop surprise pour se mettre en colère. Qu'est-ce que tu fais ici ?

21

L'existence est une bulle de savon, selon Tchekhov. La mienne venait d'éclater. Tandis qu'Allan Wood prenait dans ses bras sa fille retrouvée et que celle-ci – plus adulte, revenue à de meilleurs sentiments après la mort de sa mère Hélène – lui proposait d'entrer chez elle, je déposais mon bouquet sur le seuil comme on fleurit une tombe, et descendais l'escalier en chancelant.

Méla n'était pas Mélanie, amère vérité.

J'avais tant espéré voir son visage en forme de cœur, ses grands yeux marron, lorsque la porte de l'appartement s'était lentement ouverte ! J'avais la certitude que mon bonheur était enfin à portée de mains…

Alors, cette jeune femme inconnue m'avait fixé, le regard interrogateur, et le sol s'était ouvert sous mes pieds. Ce n'était pas possible, pas après tout ce que nous pensions avoir découvert… Figé, telle la statue du Commandeur, j'avais assisté, muet, à la réconciliation de Méla et de son père.

Allan Wood, lui-même submergé par l'émotion, s'était rappelé ma présence après quelques explications bredouillées sur le palier, et il m'avait demandé si je ne voulais vraiment pas prendre un café avec eux. J'avais secoué la tête. C'était trop exiger de moi.

Aussi, pendant que le petit homme aux lunettes en écaille et sa jolie fille rattrapaient certainement le temps perdu, je marchais dans les rues du Marais, comme assommé, avec une étrange sensation d'irréalité. Il pleuvait toujours mais je ne m'étais pas donné la peine de remonter le col de mon imperméable.

Il était opportun que l'eau me dégouline dans le cou. Ou peut-être m'était-ce juste égal.

Avec la pluie, toute la tristesse de la ville s'abattait sur moi ; pourtant, la pluie n'est jamais que la pluie, elle n'illustre pas votre vie. La météo ne m'intéressait pas. Qui a besoin d'un ciel bleu quand il est malheureux ?

Robert avait bien raison. Le ciel, qu'il soit gris ou bleu, était froid et dépourvu de sentiments ; au bout du compte, le soleil n'était qu'une boule de feu dont les masses de magma gravitaient dans l'espace, nullement impressionnées par ce qui se passait ici-bas.

Je parcourais donc les rues sans but, le cœur lourd. Je serais incapable de dire si je réfléchissais – je ne m'en souviens pas. Je posais mes pieds l'un devant l'autre à la manière d'un automate, je ne sentais rien, pas même l'humidité qui me glaçait jusqu'aux os, pas même la faim qui se manifestait en vain par des crampes d'estomac.

Vaincu, je battais en retraite comme, deux cents ans plus tôt, la Grande Armée de Napoléon après la campagne de Russie. Dire que j'étais démoralisé serait un euphémisme. Cette dernière tentative m'avait coûté mes dernières forces et ôté toute énergie.

J'ignorais ce que j'aurais encore pu entreprendre. Il n'y avait plus rien à faire, c'était fini. Définitivement.

Je m'étais bercé d'illusions, depuis le début. De quelle naïveté fallait-il être doté pour supposer sérieusement que la fille d'Allan Wood et la jeune femme en manteau rouge ne faisaient qu'une seule et même personne ? De quelle naïveté fallait-il être doté pour croire que quelqu'un qui ne donnait plus signe de vie depuis des semaines pouvait encore s'intéresser à vous ? C'était ridicule. J'étais ridicule. Un doux rêveur, mon père l'avait toujours dit.

J'eus cette prise de conscience alors que je traversais le Pont-Neuf, au moment où un taxi roulait dans une grosse flaque. L'eau rejaillit sur ma jambe de pantalon et je pensai : Bienvenue dans la réalité, Alain !

Avec un certain cynisme autodestructeur qui me procura une étrange satisfaction, je songeai au docteur Destouches, dans *Les Amants du Pont-Neuf*, qui placarde dans les bouches du métro parisien des photos de l'héroïne, condamnée à devenir aveugle, pour la retrouver. La bonne blague ! Moi, je n'avais même pas une photo. Je ne possédais rien. Rien à part une lettre et quelques belles phrases.

Je décidai d'effacer de mon esprit la jeune femme en manteau rouge, une bonne fois pour toutes.

Fatigué, trempé, déçu et furieux contre moi-même, je finis par pousser la porte de La Palette. C'est là que tout avait commencé, là que j'y mettrais un terme. Comme un homme. Je m'assis à une table au fond du bistrot et commandai un Pernod et une bouteille de vin rouge. Cela devrait suffire pour un début.

Pourtant, ce n'est pas mon genre de me soûler dès l'après-midi. Mais après la liqueur laiteuse et anisée, suivie de quatre verres d'un bordeaux capiteux que je bus à gorgées régulières, je constatai que l'alcool, si tôt dans la journée, peut grandement ragaillardir.

Il pleuvait toujours et, tandis que mes habits séchaient, un calme ouaté m'envahissait.

Je fis signe au serveur et réclamai une autre bouteille.

Il m'adressa un regard méfiant.

— Peut-être voudriez-vous manger un morceau avec ça ? Un sandwich, par exemple ?

Je secouai énergiquement la tête et émis un bruit maussade. Quelles absurdités débitait-il ? Personne ne s'était jamais soûlé en mangeant.

— Je veux quelque chose à boire ! déclarai-je sur un ton catégorique.

Le serveur revint et, sans me demander mon avis, posa devant moi une corbeille garnie de baguette fraîche. Ensuite, il déboucha la nouvelle bouteille de vin.

— Vous attendez quelqu'un, monsieur ?

Je trouvai sa question du plus haut comique.

— Moi ? demandai-je en me désignant d'un geste ample. Mais non. Je donne l'impression d'attendre quelqu'un ? Je suis seul. Comme les idiots. – Je ris de ma blague géniale et pris une grande gorgée du verre renflé qu'il venait de remplir. – Vous voulez trinquer avec moi ? Je vous invite. Mais seulement si vous êtes aussi un de ces idiots.

Le serveur déclina ma proposition, me remercia et s'éloigna, l'air déconcerté. Il me parut se diriger tout droit vers un des tableaux accrochés au mur. Bizarre. Je m'ébrouai plusieurs fois vigoureusement puis le revis, accoudé au comptoir avec ses collègues. Ils regardaient dans ma direction.

La Palette commençait à se remplir. Un homme de haute taille, la stature imposante, entra dans le bistrot, manteau flottant au vent, et secoua énergiquement son parapluie avant de le refermer en s'exclamant « Quel temps de chien ! » Mon serveur, vision peu courante, se précipita pour le débarrasser de son imperméable et de son pépin.

Je considérai avec curiosité l'inconnu aux traits anguleux et aux cheveux noirs. Chacun de ses mouvements transpirait la supériorité. Pour qui se prenait-il ? Pour l'empereur de Chine ? Arrivé au fond de La Palette, non loin de ma table, il se laissa tomber sur une chaise qui gémit sous son poids, commanda un steak-frites, et j'éprouvai aussitôt une vibration désagréable.

Il ouvrit un journal et regarda autour de lui, l'air imbu de lui-même. Je plissai les yeux, me demandant d'où je connaissais ce personnage suffisant. Et cela me revint : il s'agissait de Georges Trappatin, propriétaire d'un des grands multiplexes des Champs-Élysées.

Lors d'une avant-première à la Cinémathèque française, j'avais eu le plaisir douteux de passer une soirée entière assis à côté de lui, à subir ses remarques stupides.

— Vous autres, gérants de petits cinémas, vous continuez à vous faire des illusions, avait-il lâché en secouant la tête. Les films sont assez bons pour attirer les gens en dehors de leur salon, mais c'est avec la publicité, le pop-corn et les boissons qu'il faut faire son chiffre d'affaires. Tout le reste n'est pas rentable.

Je bus une gorgée de vin et m'aperçus avec effroi que M. Trappatin aussi m'avait remarqué. Il se leva et s'approcha, le pas pesant. Bientôt, je vis son visage rougeaud flotter au-dessus de moi comme un lampion chinois.

— Eh bien, monsieur Bonnard ! C'est ce que j'appelle une surprise. *Long time no see*, har, har, har !

Fixant avec attention ses lèvres charnues qui s'ouvraient et se refermaient telles les mâchoires d'une marionnette, je poussai un grommellement.

— Figurez-vous que j'ai pensé à vous dernièrement, sans blague. Le Cinéma Paradis… fit-il. Vous êtes en plein boom, hein ? Je l'ai lu dans le journal. C'est Noël avant l'heure !

Sa bouche grimaça un sourire approbateur.

Mes yeux se posèrent brièvement sur la bouteille de vin rouge devant moi et il suivit mon regard.

— Ma foi, à ce que je vois, vous fêtez déjà ça, har, har, har !

Georges Trappatin me donna une bourrade à l'épaule et je faillis tomber de ma chaise.

228

— Les médias s'intéressent un peu à vous et c'est déjà la moitié de faite, hein ?

S'ensuivit un nouveau rire sonore, qui résonna de façon caverneuse dans mon crâne. Je tressaillis, un mouvement que M. Trappatin prit apparemment pour de l'approbation.

— Bon, en tout cas, je suis content pour vous que votre pauvre petite boîte ait droit elle aussi à sa part du gâteau, assura-t-il avec condescendance. Personnellement, je ne crois pas à l'avenir de ces cinémas.

Il s'appuya lourdement sur ma table et je m'affaissai sur mon siège.

— Ils sont dépassés, c'est évident. Il faut vivre avec son temps, hein ? De nos jours, les gens veulent de l'action. Du cinéma à sensation et tout le tralala, poursuivit-il en se redressant. Récemment, j'ai assisté à une foire à Tokyo. Ces Asiatiques ne sont pas trop mon genre, mais je dois avouer que, question technique, ils sont loin devant. L'innovation n'a pas encore dit son dernier mot, pas besoin d'être un prophète pour s'en rendre compte.

Il eut un reniflement enthousiaste.

— Je me suis mis à la 4D. C'est de la bombe, croyez-moi ! Sièges sensoriels et odeurs… Eh oui, il faut se montrer visionnaire dans notre secteur. Il faut investir.

J'avais un peu de mal à suivre Georges Trappatin sur la voie de la quatrième dimension. Le temps et l'espace fusionnaient, j'entrais dans une sorte de galaxie d'Andromède où les phrases du magnat du cinéma ne paraissaient plus avoir de sens.

— Des sièges sensoriels ? répétai-je d'une voix pâteuse en remplissant mon verre à ras bord. Ça doit être super. On peut voler avec ?

J'imaginai les spectateurs du multiplexe faisant confortablement route vers la lune avec leur seau de pop-corn, et gloussai doucement dans mon verre.

Georges Trappatin m'adressa un regard surpris, avant d'éclater de rire.

— Har, har, har, très bon ! fit-il en pointant son index vers moi. J'apprécie votre humour, monsieur Bonnard, vraiment !

Ensuite, il m'expliqua les incroyables avantages de ses nouveaux sièges – autant donner de la confiture aux cochons, je ne comprenais pas un traître mot et me contentais de hocher la tête de temps à autre.

Georges Trappatin était connu pour ses monologues. Pourtant, au bout d'un moment, il remarqua que la conversation se déroulait à sens unique.

— Ah ! Voilà mon plat ! s'exclama-t-il finalement. Eh bien, monsieur Bonnard… à la revoyure ! J'espère que vous m'inviterez à la première. *À Paris, tendrement…* Avec un titre pareil, on ne jurerait pas que c'est parti pour faire un tabac, hein ? Seulement, il y a toujours des surprises. Quand je repense à cette histoire de fauteuil roulant… Vraiment, quel décollage, j'en suis resté baba. *Intouchables ?* J'aurais donné mon petit doigt à couper que ça ferait un flop. Mais bon, je ne m'appelle pas Jésus, hein ? Har, har, har ! – Il me fit un clin d'œil. – Je ne suis pas fan des films d'Allan Wood, on y papote trop, mais cette Avril… je l'examinerais bien de plus près. Super nana.

230

Il eut un geste obscène de la main et sa langue se mit à aller et venir d'avant en arrière entre ses lèvres.

Je le considérais avec hostilité. Brusquement, je fus convaincu d'avoir devant moi le diable des *Sorcières d'Eastwick*. Il fallait que je mette Solène en garde – manifestement, ce type horrible voulait la mettre dans son lit.

Lorsque M. Trappatin regagna sa table, un peu ébranlé par mon regard fixe, je me jurai qu'il ne franchirait jamais le seuil de mon établissement. Qu'il brûle en enfer !

Après un autre verre, j'avais oublié le diabolique M. Trappatin et repensais à Mélanie, qui venait au *Cinéma Paradis* chaque fois qu'elle cherchait l'amour. Elle avait dû le trouver ailleurs, depuis. Allan Wood, lui, avait trouvé sa fille. Tout le monde avait trouvé ce qu'il cherchait. Et moi, je restais seul.

Déprimé, je m'affalai en avant, m'accoudai à la table, pris mon verre et contemplai le vin rouge qui y dansait. Soudain, je revis les mains de Mélanie, que je tenais entre les miennes quelques semaines plus tôt, dans ce même lieu, et la douleur déferla sur moi telle une lame de fond.

Dès le lundi, le Cinéma Paradis rouvrirait, mais Mélanie ne viendrait plus. Plus jamais. C'était comme si la femme en manteau rouge n'avait jamais existé. Elle aurait tout aussi bien pu être morte.

— Quelle triste, triste histoire, marmonnai-je sombrement, et l'auto-apitoiement embruma mes yeux. Pauvre, pauvre Alain. C'est bien malheureux, mon vieux, bien malheureux.

Je hochai plusieurs fois la tête avec compassion, pas très sûr de l'identité de « mon vieux ». S'agissait-il de moi ? Ou d'un autre homme triste qui s'appelait également Alain ? Quoi qu'il en soit, il me sembla que continuer à boire était la meilleure chose à faire.

— À tes a-amours ! bredouillai-je.

Le vin oscilla dangereusement lorsque je levai mon verre, le geste maladroit. À moins que ce soit le sol ?

Je fis signe au serveur.

— Tites voir… commençai-je en m'efforçant de parler distinctement. Vous l'avez sssenti aussi ? Le sol a bouché. C'est un trem-tremblement de terre ?

Le serveur m'adressa un regard indulgent.

— Non, monsieur, vous avez dû l'imaginer.

Son ignorance me rendit furieux.

— Qu'est-ce que c'est que ces bbbêtises ? On n'imagine pas ce genre de sose. C'est un tremblement de terre, je l'ai bien sssenti. Vous ! m'écriai-je en le désignant du doigt. Ne me ppprenez pas pour une andouille.

Je me soulevai de quelques centimètres, énervé, avant de me laisser retomber sur ma chaise.

Une mélodie m'interrompit. Des sons répétitifs dont l'écho se répercutait dans mon crâne.

— Vous aaallez arrêter cette ritournelle, ça m'em-m'empêche de réfléchir.

Le serveur se montra très patient.

— Je crois que votre téléphone a sonné, monsieur, annonça-t-il avant de s'éloigner par souci de discrétion.

Je pêchai ce stupide appareil dans la poche d'un imperméable accroché à la chaise près de moi. L'avais-je mis là ? Impossible de m'en souvenir.

— Ouuui ? énonçai-je avec effort. Qui ooose me dé-déranger ?

— Alain ?! s'exclama Robert. Qu'est-ce qui se passe ? Tu vas bien ? Tu as une drôle de voix. Alors, vous avez trouvé Mélanie ?

— Mon ami ! Je vais trèèès bien, mais tu poses bbbeaucoup de questions à la fois. On a trouvé Méla, mais Méla n'est pas Mélanie. Mélanie est mo-morte, tu n'es paaas au courant ? Pauvre Alain. Lui, il va hyppper mal. Du coup, on boit un verre ensssemble. Tu veux venir ?

— Ma parole, Alain ! lâcha Robert d'une voix soucieuse, sans que je comprenne pourquoi. Tu es complètement soûl.

— Je ne suis pas sssoûl, je bois, c'est tout, déclarai-je catégoriquement, et je notai que le restaurant se mettait à tourner autour de moi.

— Où es-tu ?

— Àlapalette, ânonnai-je.

Alors, je basculai en avant et m'endormis paisiblement sur la table.

Après une omelette et trois tasses d'un double expresso, La Palette cessa de tourner autour de moi. Un passage aux toilettes fit le reste. Robert, qui m'avait accompagné, tira la chasse pour moi.

— Ça va mieux quand ça sort, non ? commenta-t-il tandis que je me rinçais la bouche.

Je me redressai en m'appuyant au lavabo et aperçus dans le miroir un visage blême au front couvert de cheveux emmêlés. J'avais nettement plus fière allure au petit matin.

— Il faut que j'aille au lit, annonçai-je.

— C'est la première phrase sensée que je t'entends prononcer ce soir, approuva Robert en me tapant sur l'épaule pour me remonter le moral. Fais un bon somme et tu te sentiras mieux. Ce n'est pas si grave.

Je hochai la tête sans réelle conviction. J'avais assez dessoûlé pour ne pas partager totalement l'optimisme de Robert. Malgré tout, ses mots, aussi banals soient-ils, me mirent du baume au cœur.

— Ouais, fis-je en affichant un sourire courageux. Il faut bien que ça aille, hein ?

— Tu verras, dans quelques semaines, tu en riras. Après, je te présenterai l'amie de Melissa. C'est tout à fait ton genre : les cheveux blond foncé, super jolie. Et elle aime aller au cinéma. L'autre fois, elle nous a emmenés voir un film sur une maison de retraite en Inde, Melissa et moi. *Indian Palace*, précisa-t-il fièrement. Ça m'a beaucoup plu.

Il était évident qu'il se mettait en quatre pour me faire plaisir.

— Chouette, lâchai-je. Je connais.

— Et l'avantage massue… reprit Robert avec une lueur égrillarde dans l'œil, c'est que c'est une fille en chair et en os. Pas une chimère en manteau rouge.

Ce soir-là, Robert se montra vraiment très gentil avec moi. Il paya ma note et insista pour me raccompagner.

En sortant de La Palette, je remarquai un homme grand et carré ; adossé à un réverbère, il jeta un bref regard dans notre direction. Ensuite, il s'alluma une cigarette à la manière du personnage de la pub Marlboro, jeta son allumette par terre, et je me fis la réflexion que je n'étais pas la seule personne solitaire sur cette planète.

Après cette soirée désastreuse, Robert ne se priva pas de prendre congé avec une citation de film qu'il avait dû retenir pour ce genre d'occasion.

— Ne le prends pas au tragique, Alain, et appelle-moi s'il y a quoi que ce soit, okay ? Et si vraiment il faut que tu boives, faisons-le ensemble. Boire seul n'est jamais bon.

J'opinai du chef. Pour une fois mon ami avait raison. J'avais encore la tête qui tournait un peu, mais au moins, je tenais debout. Appuyé contre le cadre de la porte, je regardai Robert commencer à descendre l'escalier. Avant de disparaître, il se retourna.

— Que dit ce gentil Indien dans *Indian Palace*, déjà ? À la fin de l'histoire, tout finit par s'arranger. Si tout n'est pas arrangé, c'est que ce n'est pas encore la fin.

Il me fit un clin d'œil éloquent et je fermai la porte.

Deux phrases remarquables… En Inde, où l'on croit à la réincarnation, elles revêtaient une résonance particulière, tandis qu'en Occident, il fallait de temps à autre s'accommoder d'un sort peu enviable.

Pour autant, Robert avait vu juste. Nous n'en étions pas encore à la fin de l'histoire. Loin de là.

Peu après, lorsqu'on sonna chez moi, je pensai que Robert était revenu parce qu'il avait oublié quelque chose. Je poussai un juron à voix basse, quittai mon lit et me dirigeai vers le vestibule dans mon pyjama rayé. Ce faisant, je trébuchai sur Orphée, plaquée contre la porte d'entrée, curieuse dès que la sonnette retentissait. Elle bondit sur le côté avec un miaulement de reproche. Je la chassai et ouvris.

Ce n'était pas Robert. Cette journée-là était manifestement la journée des visages surpris. Cette fois, c'était mon tour. Devant moi se dressait un parfait inconnu. Quoique... Il repoussa son chapeau et je reconnus le type Marlboro que j'avais remarqué devant La Palette, adossé à un réverbère.

— *Sorry*, dit-il avec un accent américain prononcé. Vous êtes Alain Bonnard ?

Il avait un visage débonnaire, tanné, et de petits yeux sur le qui-vive.

Je hochai la tête avec étonnement. Et avant que j'aie eu le temps d'ouvrir la bouche, ma figure fit connaissance avec son poing.

Je tombai aussitôt. L'univers se remit à tourner autour de moi, mais cette fois, je voyais des étoiles danser. Étrangement, je n'avais pas mal, j'éprouvais juste un agréable vertige qui m'empêchait de me relever.

L'homme au chapeau me regardait tranquillement, de haut.

— Pas touche à Solène, espèce de mangeur d'escargots, lâcha-t-il.

J'entendis la porte claquer. Puis, plus rien.

Lorsque je repris conscience, mon regard plongea dans deux yeux verts qui me fixaient, pénétrants. Je clignai des paupières. Je sentais un léger poids sur mon torse, un bruit strident me vrillait les oreilles. Je trouvais le matelas très dur, si tant est qu'on puisse parler de matelas…

J'étais étendu au beau milieu de mon vestibule, sur mon tapis berbère. Orphée trônait sur moi, poussant des miaulements angoissés, le plafonnier m'aveuglait, mon crâne me faisait un mal de chien, j'avais la sensation qu'un poids lourd avait roulé sur mon visage et ce foutu acouphène ne voulait pas cesser.

Je me redressai, gémissant, et me hissai en m'agrippant à la commode. Un coup d'œil dans le miroir confirma mes pires suppositions. L'homme qui me regardait avait connu des jours meilleurs. Précautionneusement, je tâtai mon œil gauche, bleu et gonflé. Alors, je me rappelai le boxeur qui m'avait traité de mangeur d'escargots, la veille au soir (moi qui n'aime pas les petits-gris !).

Son coup de poing avait couronné une journée débutée dans l'espoir, avant de mettre le cap sur sa tragique issue, obéissant aux lois de la tragédie antique.

Au moins, je vivais toujours. Même si je souffrais de troubles de l'audition.

Le bruit perçant dans mon oreille se tut brièvement puis reprit de plus belle. C'était la sonnerie de mon téléphone. Chose exceptionnelle, il se trouvait sur sa base – sur la commode, dans le vestibule.

Je m'emparai du combiné. Il s'agissait sans doute de Robert qui voulait s'enquérir de mon état.

Seulement, si tôt le dimanche matin, mon ami dormait encore, et c'est la voix énervée de Solène Avril que j'entendis retentir à l'autre bout du fil.

— Enfin, j'arrive à te joindre, Alain ! s'exclamat-elle avec soulagement. Pourquoi ne décroches-tu pas ton portable ? Je voulais te prévenir.

Je fronçai les sourcils. Comme souvent ces derniers temps, j'avais le sentiment de ne plus savoir où j'en étais.

— Oui ? demandai-je, dans l'expectative.

— Ted est à Paris, en pleine crise. Il est tombé sur cet article du *Parisien* et il a vu la photo. Tu sais, celle prise place Vendôme. J'ai essayé de lui expliquer qu'on a juste fait une promenade, mais impossible de le calmer, soupira Solène. Il est fou de jalousie. Bref, il est parti pour en découdre avec toi. Il faut que tu fasses attention, tu entends, Alain ? Il pourrait sonner à ta porte d'un moment à l'autre. Je me fais beaucoup de souci.

Je souris.

— Tu peux arrêter de te faire du souci, Solène, expliquai-je avec résignation. Il est déjà passé.

22

Les coquilles Saint-Jacques se faisaient attendre. Nous étions assis autour d'une longue table, sur la terrasse du Georges. La journée avait été inespérément chaude, les gens portaient des vêtements d'été et, avec le couchant, un ciel bleu indigo descendait sans hâte au-dessus du restaurant. Perché sur le toit du Centre Pompidou, il était connu pour sa vue spectaculaire sur Paris.

« Pas de précipitation », telle paraissait être aussi la devise des serveuses. Depuis une demi-heure, nous tentions en vain d'attirer l'attention des jeunes femmes aux jambes interminables, apparemment plus qualifiées pour une carrière de mannequin que pour le service. Cheveux détachés, beaux visages indifférents, elles passaient à côté de nous, la démarche raide, sans nous gratifier d'un regard.

Solène me sourit et leva sa flûte de champagne. C'était son anniversaire et elle tenait à ne rien laisser entamer sa bonne humeur. J'essayais de l'imiter.

Au fil de ces derniers jours de mai ensoleillés, la vie avait repris son cours. Tant au Cinéma Paradis, dont François avait décroché la pancarte annonçant la fermeture provisoire, que dans mon existence. Si l'énorme lustre continuait à dominer la salle de mon établissement, et si ce dernier bénéficiait toujours de l'aura de noms célèbres, plus rien ne rappelait la semaine agitée pendant laquelle l'équipe du film avait tout mis sens dessus dessous. Le gros camping-car avait quitté la rue et le tournage d'*À Paris, tendrement* touchait à sa fin. Plus que quatre semaines environ, et les dernières scènes parisiennes seraient dans la boîte.

Allan Wood rayonnait. Assis de l'autre côté de la table, il avait passé le bras autour d'une jeune femme rousse dont les immenses boucles d'oreilles en or, des disques en filigrane, tombaient en cascade le long de son cou mince. Il s'agissait de Méla, qui découvrait les bons côtés d'un père diabolisé par sa mère.

Depuis ce jour si noir pour moi, dans un Marais arrosé par la pluie, je n'avais pas revu la fille d'Allan. J'avais beau me réjouir du bonheur de ce dernier, mon cœur était bien lourd quand je repensais à ce moment merveilleux où, planté devant la porte de Méla avec mon bouquet, je croyais avoir retrouvé Mélanie.

Ce lundi soir-là, je revoyais aussi Carl Sussman pour la première fois depuis le tournage. La mine satisfaite, il avait pris place à côté de Solène et m'avait adressé un clin d'œil – autant que faire se pouvait : l'œil gauche du caméraman barbu affichait, comme le mien, les plus belles teintes de bleu. Nous avions échangé un sourire, l'air entendu. Ted Parker n'avait pas fait les choses à moitié.

Le Texan aux manières de cowboy, lui, ne participait pas à cette soirée décontractée sur le toit-terrasse du Georges, où la moitié de l'équipe du film s'était réunie pour trinquer à la santé de Solène Avril. L'actrice courroucée avait renvoyé son petit ami jaloux dans son ranch avant qu'il puisse causer plus de dégâts. Pour la plus grande joie de Carl, qui ne la lâchait pas d'une semelle.

Quant au beau Howard Galloway, installé plus loin, vêtu d'un élégant costume gris Armani, il avait dû être très soulagé d'apprendre que l'Américain pugnace, qui avait surgi dans le Bar Hemingway et l'avait sommé de le suivre dehors en lâchant « Réglons ça en hommes », se trouvait désormais banni de l'autre côté de l'Atlantique.

— Je ne suis plus avec Ted. Ça suffit, m'avait confié Solène en m'invitant à sa fête. Il faut savoir quand c'est fini.

Malgré les entrées qui n'arrivaient pas, l'atmosphère était détendue. J'entrechoquai mon verre avec celui de Solène, assise en face de moi, joues rougies par le champagne. Elle était très belle dans sa robe en soie bleu outremer qui paraissait refléter la couleur de ses yeux. Enjouée, elle racontait une histoire après l'autre, telle Schéhérazade, et permettait même à Carl de presser de temps en temps sa main. C'était son anniversaire et elle se réjouissait comme une petite fille. Sa bonne humeur nous gagnait tous. Même moi, le plus mélancolique de la tablée.

Je m'adossai à ma chaise et parcourus du regard la terrasse à laquelle l'éclairage donnait une certaine atmosphère. Au fond, trois immenses tuyaux blancs coudés, se dressant hors du sol, conféraient au restaurant l'apparence du pont d'un transatlantique qui voguerait au milieu de Paris à la nuit tombée, comme sur une mer infinie, étincelante. On l'oubliait parfois, de même qu'on oublie un beau tableau accroché dans sa salle à manger. Pour autant, quand on a eu l'occasion de se trouver là-haut par un soir printanier, on ne peut que se souvenir que Paris est qualifiée de Ville lumière.

À ma gauche s'élevait Notre-Dame illuminée ; au loin, scintillait la tour Eiffel. Je voyais les lumières sur les Grands-Boulevards, où roulaient sans interruption des voitures aussi petites que des jouets. Je voyais les arches dorées des ponts enjambant la Seine. Je voyais les visages riants autour de moi et souhaitais retrouver mon insouciance. Cette légèreté que j'avais ressentie alors que je marchais dans Paris, la nuit, et que je m'imaginais être l'homme le plus heureux de l'univers.

Je repensai une fois de plus à la lettre froissée qui reposait maintenant dans le tiroir du haut de mon bureau. Ces dernières semaines, je l'avais si souvent dépliée et tendrement lissée !

Mélanie n'était pas une aventurière, elle me l'avait écrit. Seulement, où qu'elle se trouve désormais et quoi qu'elle fasse, elle m'avait offert les semaines les plus aventureuses de ma vie.

« Nous aurons toujours Paris », assurait Humphrey Bogart à Ingrid Bergman dans *Casablanca*.

Quant à moi, j'aurais toujours une soirée de félicité, qui s'était achevée sous un vieux châtaignier.

La jeune femme en manteau rouge demeurerait la douce plaie de ma biographie. La promesse non tenue. Le secret qui serait un secret à jamais. Cependant, je ne regrettais rien.

Viendrait le moment où je souffrirais moins. Le moment où mon cœur se ferait de nouveau plus léger. Il fallait juste que je l'accepte.

Je finis ma flûte de champagne. Solène avait raison : il fallait savoir quand c'était fini. Le week-end suivant, Robert avait organisé pour moi un dîner auquel participeraient Melissa et son amie. Celle censée être tout à fait mon genre. On verrait bien.

Liz, assise à côté de moi, m'adressa la parole, et je laissai la conversation s'engager. Au bout d'un moment, je constatai avec étonnement qu'une demi-heure s'était écoulée sans que je broie du noir.

Quand un sosie de Claudia Schiffer nous apporta enfin les coquilles Saint-Jacques que nous avions commandées, je m'agaçai comme les autres des manières peu aimables des serveuses. Comme les autres, je ne pus m'empêcher de rire lorsque Allan, après avoir reçu son plat principal, déclara avec un désespoir comique que son agneau avait un goût de cendre (le dessous était noir, cuit à l'excès), et que Carl entreprit de scier sa viande avec une telle énergie que toute la table se mit à osciller.

— Comment voulez-vous couper un steak avec un couteau aussi émoussé ? se plaignit-il. Je préfère encore manger avec les doigts.

Solène fit signe à la serveuse blonde aux lèvres corail, qui, au bout d'un moment, se dirigea vers nous à contrecœur, perchée sur ses talons hauts.

— C'est fini ? demanda-t-elle, et sans attendre la réponse, elle commença à débarrasser.

Solène secoua la tête. En quelques mots, elle remit la jeune femme à sa place, indiqua l'agneau carbonisé d'Allan et demanda un couteau à steak pour Carl.

L'aspirante au mannequinat prit l'assiette d'Allan avec un soupir énervé, puis jeta un coup d'œil ennuyé dans celle de Carl.

— Mais je vous en prie, monsieur, la viande est tendre comme du beurre, pas besoin d'un couteau spécial, affirma-t-elle avec impertinence, avant de s'éloigner.

— Hé, minute ! lui lança Carl, indigné. Savez-vous à qui vous avez affaire ? Le steak n'est *pas* tendre comme du beurre, vous pouvez l'emporter tout de suite !

Il était sur le point de bondir et de lancer son assiette à la tête de l'ignorante créature, qui se moquait visiblement du fait qu'une star mondiale était assise parmi les convives.

Solène posa sa main sur le bras du caméraman.

— Laisse tomber, Carl. La soirée est si belle...

C'était le cas, même avec un repas moyen et un service catastrophique. Nous avions tous beaucoup bu et ri, et savourions le privilège incroyable d'être installés là-haut, flottant au-dessus de Paris.

À notre grande surprise, le dessert fut délicieux. Après que les framboises et les fraises, les crèmes brûlées et les macarons à la pistache eurent été avalés, je demandai qu'on m'excuse un moment et m'approchai en flânant du bord de la terrasse pour fumer une cigarette. Appuyé à la balustrade, je contemplais la vue.

— C'est enchanteur, n'est-ce pas ? fit une voix dans mon dos.

Solène m'avait suivi. Le parfum suave de l'héliotrope remplissait l'air ; je sentais la chaleur qui émanait d'elle, et son souhait de partager cet instant paisible avec moi. Nous restâmes donc debout devant la rambarde en métal, comme accoudés au bastingage d'un navire, muets, nous imprégnant de l'image de la ville étincelante, et j'eus l'impression que le ciel et toutes ses étoiles s'étaient abîmés à nos pieds.

— Il m'arrive d'avoir la nostalgie de ce que j'étais dans le temps, dit brusquement Solène.

— Et qu'étais-tu ? demandai-je en me retournant.

Ses yeux d'un bleu profond caressaient Paris.

— Tellement… détachée. Insouciante. Enfant, j'étais heureuse simplement, sans le chercher, sans me poser la question du bonheur.

— Et aujourd'hui, tu es heureuse ?

Elle se tut, puis répondit, songeuse :

— Parfois oui, souvent pas. En mûrissant, on finit par comprendre que ce qu'on appelle le bonheur ne repose que sur de beaux moments isolés. Ce sont ces instants particuliers qu'on se rappelle plus tard… Je vis un de ces moments. Là, je me sens submergée par la sensation d'être chez moi.

Je hochai la tête sans parler. La vue de Paris déclenchait plutôt chez moi une mélancolie indéfinissable. Comme si, à l'horizon, il existait quelque chose qui me manquait cruellement, sans que je puisse lui donner un nom.

— Et toi, es-tu heureux ? s'enquit Solène.

— J'ai touché le bonheur du doigt, en tout cas.

Je ne voulais pas prononcer des mots tristes, vraiment pas, mais ma phrase devait l'être car Solène, soudain, passa les bras autour de moi et me serra fort contre elle.

— Je suis tellement désolée, Alain, fit-elle à voix basse. J'aimerais tant que tu la retrouves. Si seulement je pouvais t'apporter mon aide ! Je sais que ce n'est pas pareil, mais je voudrais être là pour toi. Je t'aime beaucoup.

Finalement, je me libérai doucement de son étreinte.

— Merci, Solène. Moi aussi, je t'aime beaucoup, soupirai-je. Hélas, on n'a souvent aucune influence sur les choses importantes de la vie.

— Parfois si, sourit-elle.

Nous nous regardions, considérant nos options. Adossé à la balustrade, j'eus brusquement l'impression qu'on nous observait.

Troublé, je tournai les yeux vers notre table. Mais tous discutaient, nous ne paraissions manquer à personne, pas même à Carl qui s'était assis à la place de Solène et s'entretenait avec la fille d'Allan Wood.

Je secouai la tête, saisi par une impression étrange.

— Viens, rejoignons les autres, proposai-je, avant de jeter un coup d'œil scrutateur par-dessus l'épaule de Solène.

C'est alors que je la vis.

À l'autre bout du toit-terrasse, juste à côté de l'entrée, se tenait une jeune femme vêtue d'une robe d'été, blanche avec un motif fleuri. Immobile, se tenant très droite, elle regardait fixement dans notre direction.

La couleur de ses cheveux, qui caressaient ses épaules, évoquait le caramel.

23

C'était Mélanie, sans aucun doute. Il me fallut moins de trois secondes pour m'en convaincre. Nos regards se croisèrent, ignorant les clients qui bavardaient et riaient, et j'eus la sensation qu'on venait de couper le son.

Tout ce qui arriva ensuite se produisit incroyablement vite, pourtant j'eus l'impression d'être prisonnier d'un film au ralenti.

La femme en robe fleurie s'aperçut que je l'avais remarquée, se détourna et se dirigea vers la sortie, le pas rapide. Je m'exclamai « Mon Dieu ! », poussai de côté une Solène stupéfaite et courus aussi vite que je le pouvais vers la silhouette blanche qui se dérobait à l'autre bout de la terrasse. Je contournai des tables, évitai deux serveuses qui me regardèrent avec indignation, je bousculai une vieille dame qui poussa un cri perçant et pesta, je renversai un plateau, levai la main en guise d'excuse, entendis du verre se briser derrière moi, je me pris les pieds dans les poignées d'un sac à main posé près d'une chaise, trébuchai, ma chemise sortit de mon pantalon, je me remis d'aplomb et repris ma course sans cesser de fixer la sortie, comme hypnotisé.

— Mélanie ! lançai-je lorsque, m'étant enfin frayé un chemin jusqu'à la porte, je me ruai hors du restaurant et vis la jeune femme en tenue d'été descendre en courant l'escalator qui flanquait le bâtiment dans son tube en verre.

— Mélanie, attends !

J'agitai fébrilement la main dans sa direction, mais elle ne se retourna pas. Elle me fuyait, c'était incompréhensible et je me demandai un instant si elle était devenue folle, puis je décidai que peu importait : il fallait que je la retienne. À tout prix.

C'est ainsi qu'à mon tour, je me précipitai dans l'escalator qui reliait les six étages du Centre Pompidou, dépassant les gens qui s'y trouvaient en me pressant contre la rampe. À chaque virage, j'apercevais la robe blanche en contrebas, puis finalement, j'entendis dans le hall d'entrée des pas précipités qui se dirigeaient vers l'extérieur.

Sur l'esplanade devant le Centre, des curieux regardaient un cracheur de feu. Plus loin, un Gitan était assis sur un siège pliant. Il jouait un tango mélancolique sur son bandonéon et sa chanson parlait d'une certaine Maria. Près de moi, des couples passaient en flânant.

Je me figeai et scrutai les environs, mon cœur battant dans ma gorge. Je ne voyais Mélanie nulle part.

Je jurai à voix basse et me remis à courir, la guettant dans toutes les directions.

Au loin, une silhouette claire empruntait la rue Beaubourg, se hâtant vers la station Rambuteau. Ce devait être elle !

Je piquai un sprint et gagnai du terrain. Cent mètres nous séparaient encore… Je la vis disparaître dans la bouche de métro, fouillai mes poches et en sortis un ticket. Quelques secondes plus tard, je dévalais l'escalier et franchissais le portillon.

Un type déguenillé, qui venait en sens inverse avec sa guitare, s'écarta pour me laisser passer.

— Hé ! lâcha-t-il.

— Une femme ! haletai-je. En robe blanche.

Il haussa les épaules, impassible.

— Par là, je crois, fit-il en indiquant vaguement une des galeries menant plus bas.

— Merci !

Je me précipitai dans les profondeurs du métro parisien et fus aussitôt assailli par une odeur chaude et lourde, qui paraissait sortir tout droit des entrailles de la terre et évoquait les ordures et les champignons.

Je me ruai sur le quai presque vide à cette heure avancée de la soirée. Deux punks aux cheveux verts, assis sur un banc, s'embrassaient langoureusement.

À l'instant même où un courant d'air annonçait l'arrivée d'une rame, je découvris Mélanie.

Debout sur le quai d'en face, au milieu d'autres gens, sous une affiche immense vantant les mérites d'un shampooing, elle me regardait.

— Mélanie ! Mais attends ! Qu'est-ce que ça veut dire ? lui criai-je.

Quelques personnes tournèrent la tête vers moi, puis se remirent à fixer un point devant elles. Les querelles d'amoureux devaient être fréquentes, sous terre.

— Reste où tu es, j'arrive tout de suite !
m'exclamai-je.

La rame longeant mon quai vint s'interposer entre
nous, et je sentis de la colère se mêler à mon désespoir.

Quelle mouche piquait Mélanie ? Pourquoi
réagissait-elle ainsi ? Aurait-elle un sosie qui se
croyait poursuivi par un maniaque ? Peu importe,
plus que quelques secondes et tout s'éclaircirait. Je
gravis l'escalier en courant pour accéder à l'autre
quai. Arrivé en haut, je notai un grondement remontant la galerie. En face aussi, une rame arrivait.

— Non ! hurlai-je, et je m'élançai dans l'autre
escalier.

Je sautai audacieusement par-dessus les cinq dernières marches et atterris sur le sol. Ma cheville se
déroba, je perdis une chaussure, tant pis, je me mis
à courir en boitant, aux aguets, vers les voitures de
queue.

Mon cœur tambourinait dans ma poitrine, j'avais
une sensation cuisante au fond de la gorge, une douleur lancinante traversait mon pied gauche. Soudain,
je la retrouvai.

— Mélanie !

Trop tard. Un avertissement sonore retentissait,
strident.

Les portes du métro, impassibles, se refermèrent
devant mon nez en un splendide synchronisme.

— Non ! m'écriai-je avec l'enragement du désespoir. Stop !

Je vis Mélanie debout derrière la vitre, que je frappai à coups de poing. En proie à un énervement

démesuré, je donnai des coups de pied dans la porte. Mon visage était écarlate, mon œil gauche bleui, mes cheveux ébouriffés, et ma chemise pendait hors de mon pantalon. J'avais l'allure de ces gens qui ont perdu le contrôle. Ces brutes qui cherchent la bagarre, ces forcenés qui tirent à tour de bras, sans rime ni raison.

— Mais enfin ! Qu'est-ce qui vous prend ?! me sermonna un type en pull Lacoste.

— Oh, ferme-la, espèce d'abruti ! lui lançai-je.

Il se réfugia près d'une poubelle. Le métro siffla.

Je restais là, épaules tombantes, considérant Mélanie qui se tenait à la barre et me renvoyait mon regard, muette. Il y avait dans ses yeux une tristesse étrangement fataliste qui m'ôtait toute énergie. C'est ainsi qu'on fixait quelqu'un à qui on disait adieu. À qui on *devait* dire adieu.

Je ne comprenais pas ce qui se passait. Je ne comprenais pas ce que j'avais fait pour mériter cela. J'étais l'idiot d'un film dont j'ignorais le scénario. Debout sur le quai de la station Rambuteau, je devais supporter de voir disparaître la femme de ma vie.

Dans un dernier geste d'impuissance, je posai ma main sur la vitre et contemplai Mélanie, l'air suppliant.

La rame se mit en branle et, une seconde seulement avant qu'elle s'éloigne définitivement, Mélanie s'approcha, leva la main et la plaça contre la mienne.

Je rentrai chez moi en me traînant comme un chien battu. Il était 23 h 30 et je ne me sentais pas de taille à retourner au Georges et expliquer mon curieux comportement.

Que dire, aussi ? J'ai enfin retrouvé la femme que j'aime, mais elle m'a fui ?

Il s'agissait de Mélanie, certainement… S'agissait-il bien d'elle ?

Je commençais à douter de ma santé mentale. Peut-être étais-je tout bonnement devenu fou. Fou d'amour pour une femme mystérieuse qui avait su me toucher comme aucun être avant elle, et dont le singulier comportement me précipitait dans la démence.

Malheureux, je traversai le pont des Arts en boitant – avec une chaussure et sans espoir.

Oui, la situation était désespérée ! Mon humeur se faisait plus désastreuse à chaque pas.

La rencontre inattendue sur la terrasse du Georges avait ravivé la douce plaie que je venais de me résigner à accepter un jour. J'avais une telle certitude, le genre de certitude qu'on ne peut avoir que dans une confusion comme la mienne, que c'était Mélanie qui m'avait fixé depuis l'autre bout du restaurant ! Mélanie qui m'avait fui comme la licorne effrayée d'un conte de fées, Mélanie qui s'était tenue derrière la vitre du métro.

J'aurais reconnu ce visage entre mille. Je l'avais touché, j'en avais dessiné les contours de mes doigts. Je m'étais perdu dans ces grands yeux marron. J'avais embrassé cette bouche tendre, encore et encore. Elle qui m'avait offert tant de sourires ravissants, voilà qu'elle était restée sérieuse, presque réprobatrice. Pourtant, même si Mélanie m'avait vu dans les bras d'une autre – une autre qui s'était contentée de me serrer brièvement contre elle –, cela ne justifiait pas qu'elle prenne ses jambes à son cou.

Bouleversé, je me posais question après question, sans trouver de réponse. J'avais mal au pied, mais cette douleur n'était rien comparée à celle qui enserrait mon cœur tel un gant de fer. Tandis que j'empruntais enfin la rue de Seine, le pas monotone, je fus traversé par une idée qui s'ancra en moi avec une consternation croissante, et n'était pas dénuée de logique.

Jusqu'à présent, la femme en manteau rouge avait disparu sans laisser de traces. Il pouvait y avoir à cela quantité de raisons sans rapport avec moi. Et tant que je ne la retrouvais pas, je pouvais au moins me bercer d'illusions en imaginant que le destin avait entravé notre amour.

Même l'idée que Mélanie n'était jamais rentrée à Paris aurait été plus facile à supporter que la prise de conscience terrassante née de cette soirée : la femme que je cherchais était dans la capitale. Elle vivait toujours, de toute évidence. Et elle ne voulait plus aucun contact avec moi – le doute était encore moins permis.

Une jeune femme en robe d'été m'avait fui. Quelles qu'aient été ses motivations, il s'agissait indubitablement de Mélanie. Je l'avais su dès l'instant où je l'avais vue au loin, sur le toit du Centre Pompidou. Et si j'avais pu nourrir le moindre doute, il se serait envolé au plus tard sur le quai du métro.

Seuls quelques centimètres nous séparaient, tandis qu'elle se tenait de l'autre côté de la vitre, et j'avais lu dans ses yeux qu'elle me reconnaissait, elle aussi.

Par ailleurs, qu'est-ce qui aurait pu inciter une parfaite inconnue à me regarder de la sorte ? Qu'est-ce qui aurait pu l'inciter à presser sa main contre la vitre – contre ma main, comme le font deux personnes pour s'assurer de leur amour, dans un dernier geste langoureux, avant que le train quitte la gare ?

J'éclatai d'un rire amer. Tout cela n'avait aucun sens.

Subitement, je repensai aux premières secondes de l'histoire du film, à ces images grossières en noir et blanc montrant l'arrivée d'un train ; je repensai au tableau figurant cette locomotive enveloppée de fumée, qui m'avait émerveillé au Jeu de Paume quand je n'étais qu'un collégien, et à mes conclusions enfantines sur la nature de l'impressionnisme.

« Le cinéma français est impressionniste dans l'âme », aimait à répéter oncle Bernard. Il fut un temps où je pensais avoir compris ce que cela impliquait. Seulement, la réalité dans laquelle je me retrouvais désormais était profondément surréaliste. Et je n'y comprenais rien.

Je traversais la pénombre comme on traverse un univers parallèle, régi par d'autres lois, et je me demandais si je me réveillerais un jour.

Cette nuit-là, je fis un cauchemar. Un de ces cauchemars dont on se souvient longtemps, peut-être même toute sa vie, comme étant le pire qu'on ait jamais fait.

Il existe des images collectives de la peur qui rôdent dans notre subconscient. Généralement, ce sont de courtes séquences dans lesquelles on se noie, on tombe de très haut, on se perd ou on se voit poursuivi par des ombres lugubres – paniqué, on veut fuir, mais impossible de bouger. Il existe aussi des intermèdes nocturnes qui s'accrochent au dormeur, mettant en scène une peur très individuelle et créant un songe sinistre à partir de fragments de ses propres souvenirs.

Ainsi, je traverse un cimetière et découvre soudain la tombe d'un être aimé qui, en réalité, vit toujours. Ou encore, je suis dans une pièce comptant neuf portes. Je veux absolument sortir, mais derrière chaque porte que j'ouvre, je me heurte à un mur de caoutchouc impénétrable. Ou enfin, je prends l'ascenseur d'un hôtel. J'aimerais retourner au cinquième étage, car c'est là que m'attend ma femme, dans notre chambre. Seulement, chaque fois que je m'arrête au cinquième, j'accède à un couloir qui m'est inconnu. Je ne trouve plus le lieu que je veux rejoindre.

Les manières dont s'expriment les plus grandes angoisses sont aussi variées que les vies des gens sont différentes. Et même s'il n'y avait dans mon cauchemar ni couteau, ni silhouettes sombres se ruant sur moi et menaçant ma vie, l'issue de ce songe si féerique au début me précipita dans une tristesse sans fond. À la fin, j'avais tout perdu.

Aujourd'hui encore, je me rappelle chaque détail, l'atmosphère étrangement oppressante, mon incroyable bouleversement qui persista longtemps après mon réveil.

Pourtant, c'est ce cauchemar, aussi affreux soit-il, qui me poussa à retourner le lendemain au Cinéma

Paradis, à la recherche d'un élément à côté duquel j'étais passé depuis le départ. Ce détail qui en fin de compte devait constituer la clé de tout ce qui, à l'époque, m'apparaissait inexplicable.

Je rêvai de Mélanie. C'était le soir de la Saint-Sylvestre et elle avait mis son manteau rouge. Nous prenions part à une fête et traversions en flânant les salles d'un vaste bâtiment ancien, bras dessus, bras dessous. Partout, ce n'étaient que miroirs baroques, bougies à la flamme vacillante, foule se pressant dans les pièces. Les femmes portaient des robes, jupes bouffantes en soie, tailles bien prises ; les hommes, des pantalons trois-quarts près du corps, des gilets et des chemises à manches ornées de ruches. Nous avions l'impression d'assister à un bal au château de Versailles. Cependant, nous étions bien à Paris. Il suffisait de regarder la ville illuminée, par les hautes fenêtres, pour s'en convaincre.

Au moment où les cloches sonnèrent pour annoncer le Nouvel An, je me rendis avec Mélanie dans une salle où était accrochée une immense télé, un écran plat. Elle affichait, l'un après l'autre, les endroits de la ville où l'on faisait la fête : l'Arc de Triomphe, les Champs-Élysées, la tour Eiffel, la pyramide du Louvre, Montmartre, les ponts et les Grands-Boulevards, sur lesquels les automobilistes klaxonnaient avec exubérance.

Nous déambulâmes encore un peu, puis je cherchai des yeux Mélanie, qui avait dû rester en arrière. Lorsque je retournai dans la pièce au grand écran plat, je vis que celui-ci diffusait des images de la Terre, une sphère bleue qui semblait flotter sous nos pieds. Brusquement, une peur inexplicable m'envahit. Je courus jusqu'à l'une des hautes fenêtres. Dehors, rien d'autre que l'obscurité.

Alors, je compris que Paris s'était transformé en un vaisseau spatial s'éloignant du globe terrestre. Nous en étions déjà à des années-lumière et les gens qui faisaient la fête autour de moi, riant et dansant dans leurs costumes excentriques, ne l'avaient pas encore remarqué.

J'errai d'une salle à l'autre, cherchant Mélanie. Dans une pièce, je remarquai des portants à vêtements, me mis à fouiller fébrilement – j'écartai les cintres des vêtements d'enfants classés par taille, des robes d'été et des costumes masculins. Il me fallait un point de repère.

Ensuite, j'empruntai un des interminables couloirs et constatai que des gens y faisaient la queue. Je remontai la file, espérant découvrir un visage connu. Enfin, parmi les personnes qui patientaient, je vis mes parents. Mélanie aussi était là, ainsi que Robert, et même Mme Clément. Soulagé, je leur criai quelques mots, fou de joie de les avoir trouvés. Seulement, l'un après l'autre, ils me regardèrent avec incompréhension, comme si j'étais un étranger.

— Papa, Maman ! m'exclamai-je. C'est moi, Alain.

Papa haussa les sourcils et secoua la tête d'un air de regret. Maman me fixa, un vide insondable dans les yeux.

Je fis une nouvelle tentative :

— Mélanie, où étais-tu passée ? Je te cherchais…

Seulement, Mélanie se détourna, embarrassée.

Personne ne paraissait me reconnaître, personne ne se souvenait de moi, pas même Mme Clément, pas même mon meilleur ami, Robert.

La panique grandit en moi. Mon désespoir atteignait des sommets. Pourquoi agissaient-ils tous comme s'ils ne m'avaient jamais vu ? Je me remis à marcher et aperçus, plus loin, une silhouette qui me sembla familière. Il s'agissait d'oncle Bernard. Alors seulement, je réalisai que les gens faisaient la queue devant un guichet. On aurait dit celui du Cinéma Paradis.

Mais oncle Bernard est mort ! me dis-je. Malgré tout, je l'appelai. Il se retourna et m'adressa son sourire paisible et enjoué.

— Oncle Bernard ! m'écriai-je avec soulagement.

— Qui êtes-vous ? demanda-t-il, étonné. Je ne vous connais pas.

Je gémis et me tordis de désespoir.

— Enfin, oncle Bernard, c'est moi ! Alain. Tu ne te rappelles pas ? Je venais tous les après-midi et on regardait des films. Méliès ! La locomotive ! Le cinéma impressionniste ! Cocteau, Truffaut, Chabrol, Sautet…

Je citais les noms de tous les réalisateurs importants qui me venaient à l'esprit, dans l'espoir de faire naître une émotion sur son visage débonnaire, une lueur dans son regard qui me fixait avec incompréhension, comme ceux d'un malade d'Alzheimer.

— Giuseppe Tornatore ! lançai-je. *Cinema Paradiso !* Ton film préféré, on l'a vu ensemble, tu ne te souviens vraiment plus de rien ? Notre cinéma… Le Cinéma Paradis. Le Cinéma Paradis !

J'avais répété ces mots comme s'il s'agissait d'un sésame.

Oncle Bernard me fixait en fronçant les sourcils. Soudain, un sourire hésitant, puis de plus en plus large, vint éclairer son visage.

— Oui, fit-il. Oui, bien sûr, je me rappelle. Mais c'est très confus. Tu es Alain… mon petit Alain. Seulement, ça remonte à très longtemps… À l'époque, je vivais encore…

Je pleurai de soulagement. Je pleurai également à l'idée que seul un défunt me reconnaisse. Peut-être étais-je moi-même mort. J'étais quelque part dans l'univers et je n'avais plus personne.

Je tentai de faire entendre à oncle Bernard la nature tragique de mon existence, mais il secoua la tête, perplexe.

— J'ai tout perdu, tu ne comprends pas ? J'ai tout perdu ! expliquai-je sur un ton pressant.

Oncle Bernard s'estompait sous mes yeux.

— Il faut que tu ailles au Cinéma Paradis, mon garçon. Vas-y, tu trouveras les réponses à tes questions… au Cinéma Paradis…

L'écho de sa voix se fit de plus en plus faible ; je tendis les bras dans sa direction avant de tomber, encore et encore…

24

Longtemps après mon réveil, ce curieux rêve ne cessait de me torturer. Il allait m'accompagner toute la matinée, donnant un fond sonore, une note lugubre en mode mineur, aux événements bouleversants de la veille.

Lorsque j'ouvris les yeux et que je perçus les bruits familiers du matin, je me levai, puis m'approchai de la fenêtre et jetai un coup d'œil dans la cour pour me convaincre que Paris avait réintégré l'atmosphère terrestre. Je constatai avec soulagement que c'était le cas. Pour autant, difficile de me débarrasser de l'accablement où m'avaient plongé mes visions nocturnes. Et ma foi, tandis que je me faisais, dans la cuisine, un café censé chasser les fantômes, je trouvais que j'avais peu de raisons de me réjouir.

Je voyais toujours le visage blême de Mélanie, le sourire triste avec lequel elle avait disparu dans le tunnel du métro.

Mon téléphone portable, que j'avais éteint pour le dîner au Georges, affichait plusieurs messages. Trois émanaient de Solène, qui avait tenté de me joindre juste après mon départ précipité du restaurant. Sa voix revêtait des accents de plus en plus soucieux et – cela me frappa – un peu gênés aussi. Allan Wood m'avait également appelé, avant de m'envoyer un mail dans lequel il me demandait si le repas m'était resté sur l'estomac. Mon conseiller fiscal réclamait des documents et ma mère, qui normalement ne cherchait jamais à me contacter sur mon portable et n'en possédait pas non plus (elle avait entendu dire que les ondes radio provoquaient le cancer), se manifestait en rentrant d'un voyage au Canada et voulait savoir comment j'allais.

Contrairement à toutes les interrogations insolubles des semaines passées, je pouvais au moins répondre à cette question facilement.

J'allais mal, à dire vrai j'étais dans un état lamentable, et je n'avais envie de rappeler personne. Je voulais juste qu'on me laisse tranquille comme Diogène dans son tonneau, et bien que n'étant pas un philosophe, j'éprouvais le besoin impérieux de me terrer dans un lieu où je pourrais me retrouver seul avec mes pensées.

J'envoyai un SMS à Solène et prétextai une migraine.

Robert se manifesta ensuite et je décrochai. Robert, avec son fatalisme scientifique, était la seule personne que je pouvais supporter pour le moment. Lorsque je lui relatai mon improbable rencontre avec Mélanie et ma poursuite effrénée, digne d'un film, jusque dans les profondeurs du métro parisien, même lui en perdit temporairement l'usage de la parole.

— Robert ? demandai-je. Tu es toujours là ?

— Oui, répondit-il d'une voix perplexe. Incroyable ! Je vais te dire une chose : cette fille est carrément barje. Probablement une psychopathe avec un délire de la persécution. Ça expliquerait tout.

— Si tu t'entendais parler ! Mélanie n'est pas une psychopathe ! Non, non, c'est autre chose…

— Quoi d'autre ? Sans doute un homme. Il y avait un homme avec elle ?

— Non, personne. Elle me regardait, et elle a pris la fuite juste après.

— Qui sait, supputa Robert, peut-être qu'elle sort avec un type dangereux qui l'a menacée de s'en prendre à toi si elle te rencontrait encore. Peut-être qu'elle veut te protéger. Comme cette… Elena Green dans *James Bond*.

— Eva Green, le corrigeai-je, morose. Oui, tu as sûrement raison. Je me demande pourquoi je n'y ai pas pensé !

— Écoute, je cherche juste à me rendre utile, réagit Robert qui avait saisi l'ironie. Ah ! Je sais ! C'est la sœur jumelle ! – L'idée semblait lui plaire. – J'ai connu des sœurs jumelles, dans le temps. Je t'assure, tu n'aurais pas pu faire la différence : toutes les deux blondes avec des taches de rousseur, toutes les deux un corps de folie, je croyais que j'étais soûl et que je voyais double. – Il claqua de la langue. – C'est ça ! Tu as déjà réfléchi à l'existence d'une sœur jumelle ?

— Oui, oui.

Je coinçai le combiné entre mon épaule et mon oreille, et entrepris de tartiner un morceau de baguette avec du beurre et de la confiture.

Évidemment que j'y avais réfléchi. J'avais tout envisagé au cours des heures passées.

— Ça pourrait être ça, naturellement. En théorie. Mais pourquoi sa sœur jumelle, qui ne me connaît pas, devrait-elle me fuir ? C'est vraiment absurde. Je veux dire, je n'ai pas une allure assez effrayante pour qu'on prenne ses jambes à son cou en me voyant.

— C'est juste.

— Tandis que Robert méditait mes paroles, je repensai à ma prestation bel et bien effrayante dans la station de métro, quand j'avais crié et donné des coups de pied dans la porte de la rame.

— Pour être honnête, j'espérais que cette histoire était définitivement réglée. Et voilà que cette femme énigmatique ressurgit. Il y a de quoi devenir fou, soupira Robert.

— À qui le dis-tu ! soupirai-je à mon tour.

Nous nous tûmes.

— Il faut que tu arrêtes, Alain, reprit-il finalement. Cela ne mène à rien. C'est comme les trous noirs. Plus tu les nourris, plus ils grossissent. Il vaut mieux que tu ranges cette affaire dans la rubrique « Énigmes irrésolues de l'univers » et que tu emploies ton énergie à des projets plus réalistes.

Je me doutais de ce qui allait suivre.

— Tu viens toujours au repas de vendredi ? Anne-Sophie se réjouit de faire ta connaissance.

— Anne-Sophie ? demandai-je, déprimé.

— Oui. L'amie de Melissa.

— Ah bon, fis-je d'une voix peu enthousiaste. Je ne sais pas si c'est une bonne idée, Robert. Je suis dans un état lamentable et...

264

— Mais enfin, Alain, ressaisis-toi. C'est ton auto-apitoiement qui est lamentable.

— J'ai quand même un pied foulé et un œil au beurre noir…

— Un œil au beurre noir ? répéta Robert avant de lâcher un rire étonné. Tu t'es battu avec quelqu'un ?

— Non, quelqu'un s'est battu avec moi, grognai-je. Le petit ami jaloux de Solène Avril est venu à Paris et il a assommé tous les hommes de son entourage. Il ne manquait plus que ça.

— Waouh ! Tu mènes une vie drôlement palpitante. De célèbres comédiennes et de mystérieuses psychopathes, des courses-poursuites et des bagarres… À côté, Bruce Willis est un raté, commenta Robert avant de siffler avec admiration. – Puis il répéta, impressionné : – Un œil au beurre noir ! Eh bien, voilà des conditions idéales ! Les femmes trouvent ça séduisant, tu sais…

— Je t'en prie, Robert ! Je suis crevé. Reportons ce dîner. Je ne suis pas d'humeur à discuter avec des jeunes femmes, aussi gentilles soient-elles. Mon cœur est brisé.

— Oh, Alain, ne sois pas aussi pathétique, on croirait entendre la réplique d'un mélo. Les cœurs ne peuvent pas se briser.

J'endurai un nouveau rire, dents serrées. Je n'avais qu'un souhait : que Robert, ne serait-ce qu'une fois, tombe si désespérément amoureux qu'il ressente dans sa chair ce que cela faisait lorsque votre cœur se brisait avec un léger *ping*. Alors, ce serait *mon* tour de m'amuser.

— Vas-y, rigole, ripostai-je. Tu verras quand ça t'arrivera ! Tu ne sais pas ce que c'était de la voir s'éloigner dans le métro… De la revoir tout court. Cette image ne quitte plus mon esprit. Je suis rentré à la maison et je n'ai presque pas fermé l'œil de la nuit. Elle m'a tourné le dos et je n'arrive pas à comprendre pourquoi. Si au moins je le savais, je me sentirais déjà mieux.

— C'est ce qu'il y a de terrible avec les femmes, constata sobrement Robert. Il n'y a pas de formule pour les comprendre. Pas de principe avéré. Même Stephen Hawking l'a dit et c'est un génie. Il affirme que les femmes demeurent le seul mystère insoluble de l'univers.

Là, Robert était dans son élément.

— Et puis, toutes ces sautes d'humeur, tous ces sentiments… Personnellement, je ne crois pas à ces bla-bla sur l'empathie. Comme quoi il faudrait toujours essayer de se *comprendre*. Qu'est-ce que c'est censé apporter ? Quoi qu'il arrive, il y a des malentendus entre les gens la moitié du temps. D'accord, on tend les bras vers l'autre, mais au fond de nos cœurs, on reste des inconnus. Au bout du compte, chacun est coincé dans sa peau. Dans ce qu'il tient pour la vérité. C'est pour ça que j'aime autant l'astrophysique. L'univers est régi par des lois et la clarté règne.

Ces propos me rappelèrent mon rêve.

— J'ai fait un affreux cauchemar, confiai-je. Paris était un vaisseau spatial, on s'éloignait de la Terre à une vitesse affolante et personne ne se souvenait de moi… même pas toi !

— Oui, oui, fit impatiemment Robert. Ce genre de rêve a pour caractéristique d'être confus et désagréable. C'est le cerveau qui élimine ses déchets. Tu avais dû manger trop lourd.

Je soupirai.

— Redis-moi pourquoi tu es mon ami, déjà, Robert ? J'ai oublié.

— Parce que les opposés s'attirent. Maintenant, contrairement à toi, il faut que j'y aille et que j'explique à mes étudiants les lois de Newton. Je passe te chercher ce soir après la dernière séance, on ira boire un verre. Non, pas de discussion ! On en profitera pour reparler de vendredi soir. Pas question que tu continues à broyer du noir.

Sur ces mots, il raccrocha.

Je finis mon café et posai la tasse dans l'évier. Orphée bondit sur le plan de travail et se mit à pousser des miaulements de reproche devant le robinet. Je l'ouvris et la regardai laper l'eau avec satisfaction. Ce jour-là, j'aurais volontiers échangé ma place avec la sienne.

Mon ami était doué pour obtenir gain de cause. Bien entendu, j'irais boire un verre avec lui ce soir-là – pas de discussion. Pourtant, Robert se trompait sur un point.

Nous n'allions pas débattre la question de savoir si je viendrais à son dîner, pour impressionner Anne-Sophie avec mon œil blessé. Nous n'allions pas du tout évoquer le vendredi. Assis dans un bistrot à moitié vide, nous passerions en revue quantité de prénoms masculins. Car, entre-temps, j'allais faire une découverte qui devait ranimer une histoire ancienne.

Ce lundi soir-là, Mme Clément était en congé, si bien qu'il me revenait de parcourir toutes les rangées après avoir donné le film deux fois de suite, pour y mettre de l'ordre et ramasser les diverses choses oubliées par les spectateurs.

— Assieds-toi un moment, j'ai bientôt fini, lançai-je à Robert, qui étudiait les nouvelles affiches dans le foyer.

Nous étions seuls dans le cinéma. Juste après la dernière séance, François avait quitté la salle de projection avec une hâte inhabituelle.

— *Le Patient anglais...* Qu'est-ce que c'est ? s'enquit Robert. Il est bon ?

Debout devant les photos de plateau du film d'Anthony Minghella, qui passerait le mercredi suivant dans le cadre de la série *Les Amours au Paradis*, il examinait Ralph Fiennes et Kristin Scott Thomas.

— C'est inspiré d'un roman. Une grande histoire d'amour tragique. Pas pour toi, donc, le raillai-je. Il vaut mieux que tu t'en tiennes à *Basic Instinct*.

— Pourquoi tu dis ça ? C'était drôlement palpitant, et j'ai trouvé Sharon Stone *tellement* sexy !

— C'est bien ce que je dis, commentai-je avant de disparaître avec l'aspirateur dans la salle vivement éclairée, tandis que Robert se vautrait sur la chaise pivotante de mon bureau.

Aspirer le sol d'une salle de cinéma, peut-être même passer l'aspirateur tout court, présente une dimension très contemplative. On peut donner libre cours à ses pensées, et tant que l'appareil fonctionne, personne ne risque de vous déranger.

Je n'entendis pas mon portable sonner, je n'entendis pas non plus Robert discuter au téléphone et rire bruyamment plusieurs fois, flatté. Je me déplaçais à un rythme régulier, attentif à l'éventuelle présence de mouchoirs ou de pièces de monnaie, bercé par le vrombissement monotone.

À la première rangée, je songeai au moment où, des années plus tôt, je tenais la main de la petite fille aux longues nattes. À la cinquième rangée, je me remémorai le jour où, sous le regard vigilant de mon oncle, j'avais eu le droit de charger ma première galette ; en l'ôtant, comme j'avais oublié de la serrer fermement entre mes mains, la moitié du film s'était débobinée à la manière d'un serpentin, en quelques secondes. À la douzième rangée, je repensai au fait que j'avais croisé oncle Bernard mort dans mon curieux rêve, la nuit passée. Je revis son sourire plein de bonté, et ses dernières paroles semblèrent se mêler au bourdonnement de l'aspirateur.

« Il faut que tu ailles au Cinéma Paradis, mon garçon. Vas-y, tu trouveras les réponses à tes questions… au Cinéma Paradis… »

Cela peut paraître étrange, et je ne suis pas du genre à croire au spiritisme, mais dans la solitude du cinéma et de mon cœur, je me demandai soudain si des signes pouvaient nous arriver de l'au-delà. Mon oncle défunt m'avait-il fait parvenir un message, ou était-ce mon subconscient qui me jouait des tours ?

J'étais au Cinéma Paradis, mais à l'exception d'une écharpe rangée trois et d'un rouge à lèvres rangée quinze, je n'avais rien trouvé de notable.

Arrivé à la dix-septième rangée, j'éteignis l'appareil. Cela valait la peine de tenter le coup.

Mélanie s'asseyait toujours rangée dix-sept. Cette particularité m'avait interpellé, alors que je me demandais encore quelle histoire pouvait bien correspondre à la jeune femme en manteau rouge.

Je retournai dans mon bureau pour y prendre une lampe de poche.

— Fini ?

Robert, au téléphone, avait levé les yeux lorsque j'étais entré, l'air déterminé.

— Encore une minute, précisai-je, et je regagnai la salle, le cœur battant.

Lentement, je parcourus la dix-septième rangée.

Je me baissai, je passai la main dans tous les espaces vides et les éclairai, je découvris deux chewing-gums collés sous des sièges et un stylo-bille coincé entre deux fauteuils, j'examinai les rayures sur les dossiers en bois de la rangée de devant, je glissai la tête sous chaque assise. J'ignore ce que je cherchais au juste, mais personne ne devait avoir inspecté aussi minutieusement les sièges bordeaux de la rangée dix-sept. Brusquement, j'étais persuadé que j'allais trouver quelque chose.

Et je trouvai effectivement quelque chose.

Lorsque Robert entra dans la salle, un quart d'heure plus tard, j'étais toujours accroupi, absorbé dans mes pensées, devant l'avant-dernier fauteuil de la dix-septième rangée, passant avec étonnement l'index sur deux initiales qu'on ne remarquait pas au premier coup d'œil parce qu'elles avaient foncé et qu'elles ne devaient pas avoir été gravées dans le bois la veille.

Manifestement, deux amoureux avaient voulu s'offrir l'éternité. Si l'on ne distinguait presque plus le cœur tracé autour des deux lettres réunies, on voyait encore bien ces initiales : *M. + V.*

Soudain, l'énigmatique phrase prononcée par Mélanie lors de notre rendez-vous à La Palette me revint. Elle m'avait beaucoup touché et je l'avais tout naturellement associée à mon cinéma, ma fantastique programmation, voire, obéissant à une audacieuse impulsion, à moi-même.

« Chaque fois que je cherche l'amour, je vais au Cinéma Paradis », avait dit Mélanie. À présent, je comprenais pourquoi.

25

— Okay, déclara Robert, ses yeux bleus étincelant. L'affaire me paraît claire comme de l'eau de roche. C'est « M » comme Mélanie. Tu as parfaitement raison, ça ne peut pas être un hasard.

J'opinai du chef, fébrile. Nous étions enfin du même avis, Robert et moi. Nous nous étions rendus Chez Papa, un jazz club cosy rue Saint-Benoît, entre le Café de Flore et Les Deux Magots. Après ma découverte rangée dix-sept, j'avais réalisé que je prendrais volontiers un verre de vin rouge. Ou deux. Derrière nous, un pianiste jouait doucement, accompagné par un violoncelliste qui pinçait ses cordes avec nonchalance.

— Mais qui est V. ? répondis-je.

— Eh bien, si on part du principe que M. n'est pas lesbienne, ça doit être un type quelconque.

— Pas un type quelconque. C'est son petit ami. Peut-être l'homme qui l'a trompée avec une collègue. Celle avec la boucle d'oreille en jade.

Robert secoua la tête.

— Non, non, réfléchis un peu. Pas besoin de s'appeler Sherlock Holmes pour constater que les initiales sont vieilles de plus d'un an. Ça doit être une relation qui remonte à un moment.

Il sortit de la poche de sa veste son Moleskine noir râpé et l'ouvrit.

— Alors, reprit-il. Des prénoms d'homme qui commencent par « V »… Il n'y en a pas des tonnes : Vincent, Valentin, Victor, Virgile… Qu'est-ce qui te vient d'autre ?

— Vivien, Valère, Vianney, Vito, Vasco… Ce n'est pas forcément un prénom français, si ?

— Pas obligé, trancha Robert qui avait soigneusement écrit tous les prénoms l'un au-dessous de l'autre. Sinon ? Vadim, Vassily, Varus…

— Vladimir, complétai-je en grimaçant, repensant soudain à la vieille Russe givrée chez qui j'avais sonné, rue de Bourgogne.

— Pourquoi souris-tu comme ça ?

— Oh, je pensais juste à Dimitri.

— Dimitri ? Qui est Dimitri ? demanda Robert.

— Ah, fis-je, me donnant un mal fou pour réprimer un rire. Pas important. – J'eus un geste évasif de la main. – Disons… une vieille connaissance.

Je m'esclaffai.

— J'ai l'impression qu'il te manque le sérieux nécessaire, commenta Robert qui me regardait avec irritation, sentant sans doute son autorité sapée. Qu'est-ce qui te prend, Alain ? Ne dis pas d'âneries. On cherche des hommes dont le prénom commence par un « V ».

— Oui, je sais. Excuse-moi, déclarai-je en me ressaisissant.

Robert but une gorgée de vin et poussa son carnet vers moi.

— Bon... Maintenant, concentre-toi. Est-ce qu'un de ces prénoms te paraît familier ? Mélanie l'a peut-être mentionné pendant votre discussion ?

Tandis qu'il attendait, je consultai la liste et murmurai plusieurs fois les différents prénoms. Puis j'essayai de me rappeler tout ce que Mélanie m'avait raconté. Seulement, je ne me souvenais pas qu'elle ait évoqué un prénom masculin commençant par « V ».

— Je suis désolé, mais ça ne me dit rien, conclus-je, déçu.

— Réfléchis encore. Je suis sûr que ce V. joue un rôle important. Si on sait qui est V., tout le reste s'éclaircira.

— Mince, lâchai-je avec humeur. Il n'y a pas d'autre prénom qui commence par « V » ?

— Ma foi... fit Robert en haussant les sourcils, l'air très mystérieux. J'en aurais bien un.

— Oui ? demandai-je en retenant mon souffle.

— Vercingétorix ?

Nous nous séparâmes à 23 h 20. Même en rêve, je n'aurais jamais imaginé que, peu avant minuit, je me retrouverais dans un taxi – faisant route vers une destination qui ne m'était pas tout à fait inconnue.

— Si quelque chose te revient... n'hésite pas à m'appeler, à n'importe quelle heure, avait précisé Robert en me glissant la liste des prénoms dans la main.

Il s'exprimait comme le commissaire d'une série télévisée. L'enquête portant sur l'affaire V. lui plaisait tant, qu'il avait totalement perdu de vue son projet favori du moment : le dîner avec Melissa et Anne-Sophie.

Je descendis la rue Saint-Benoît et tournai à droite, rue Jacob. Mon pied me faisait toujours souffrir, mais j'étais tellement plongé dans mes pensées que je le remarquais à peine. Même si la recherche des prénoms ne nous avait pas permis de progresser, j'avais au moins l'impression d'être sur la piste d'un secret.

C'était par nostalgie que Mélanie venait dans mon cinéma et s'asseyait systématiquement à la même rangée. Cela correspondait à l'image que j'avais d'elle.

Quand les deux amoureux avaient-ils laissé une trace de leur passage, dans la certitude trompeuse que leurs sentiments dureraient pour l'éternité ? Cela remontait-il à loin ? S'étaient-ils souvent rendus au Cinéma Paradis, ou une seule fois, peut-être ? S'étaient-ils blottis l'un contre l'autre, rangée dix-sept, regardant *Cyrano de Bergerac*, le film préféré de Mélanie – le plus beau qui puisse exister pour deux êtres épris ?

Un pincement de jalousie me traversa. J'aurais aimé être celui qui, durant les tirades enflammées de Cyrano à la belle Roxane, avait tenu la main de Mélanie.

Je m'arrêtai en soupirant devant la vitrine de Ladurée et fixai, impassible, les jolies boîtes vieux rose et vert tilleul, garnies de macarons et autres délices. Si j'avais été avec Mélanie, un soir, je lui aurais apporté des macarons à la framboise, tant leur teinte tendre me faisait penser à la couleur de sa bouche. Je l'aurais couverte d'attentions. La veille au soir, son sourire avait eu quelque chose de déchirant. Presque comme si c'était elle qui devait me laisser partir, et non l'inverse. Quel mystère nous séparait, empêchant notre bonheur ? Cela avait-il un rapport avec le passé ? Avec le Cinéma Paradis ? Je revoyais les deux initiales gravées dans le bois. Que s'était-il passé entre M. et V. ? Qu'était-il advenu de leur amour ?

Quand je repensais à la façon dont Mélanie, lors de notre première et unique soirée, avait parlé des hommes de sa vie, je me disais que son issue ne pouvait pas avoir été heureuse.

« J'ai le don de tomber amoureuse des mauvais numéros », avait-elle dit. « Au bout du compte, il y a toujours une autre femme. »

L'énigmatique V. était-il un homme marié qui lui en avait fait accroire ? Une autre femme s'était-elle interposée dans leur relation ? Un accident tragique, mortel, avait-il laissé M. seule ? Se pouvait-il qu'il y ait une ressemblance, un lien entre V. et ma personne ? Est-ce pour cette raison qu'elle avait été disposée à entamer une histoire avec moi ? Avait-elle seulement été disposée à le faire ?

Je l'ignorais. Il y avait tant de choses que je ne savais pas ! Pourtant, à cet instant, je me sentais très proche de Mélanie. Regardant mon reflet dans la vitrine, je m'attendais presque à voir son visage surgir derrière le mien.

Curieusement, j'éprouvais la même impression que la veille quand, debout sur le toit-terrasse du Georges, je contemplais l'horizon parisien comme j'aurais fixé le lointain à bord d'un paquebot.

Une femme s'était approchée dans mon dos, discrètement, et pourtant, j'avais perçu ce mouvement léger, presque insaisissable. C'était Solène, et je l'avais aussitôt senti. Cette fois, personne ne s'approcha ; la vitrine continuait à ne refléter que mon visage.

Je m'apprêtais à poursuivre mon chemin, lorsque j'entendis des pas pressés. Une femme coiffée d'un chapeau et portant un lourd sac en bandoulière remontait la rue Bonaparte ; elle héla un taxi qui roulait en direction du boulevard Saint-Germain. Il s'arrêta à la hauteur de Ladurée. L'inconnue ouvrit la portière arrière et jeta avec soulagement son bagage sur le siège. Avant de monter, elle lança, à bout de souffle :

— Avenue Victor-Hugo, vite !

La voiture s'éloigna et je me remis en route, méditant sur le fait que l'illustre auteur porte lui aussi un prénom commençant par « V ». Avais-je déjà développé une perception sélective concernant les prénoms masculins en « V » ? Le prénom Victor me plaisait-il particulièrement pour une raison ou une autre ? Toujours est-il que, soudain, un souvenir flou émergea des profondeurs de mon subconscient. Le prénom Victor devait-il me dire quelque chose ? Il ne me disait rien.

Pourtant...

Secouant la tête, je fis encore quelques pas, puis je m'arrêtai net et me frappai le front de la main. Une vision fulgurante me propulsa dans le passé – une place paisible, une cigarette qu'on allume, des confidences nocturnes devant l'étalage d'un joaillier. Une personne avait bien mentionné le prénom Victor quelques semaines plus tôt. Une personne qui connaissait le Cinéma Paradis de longue date et, après des années, était revenue chercher celle qu'elle était jadis. Je voyais, comme si elle se tenait devant moi, une femme splendide aux cheveux blonds.

Mais, ce n'était pas Mélanie.

26

La moquette étouffait le bruit de mes pas. Obéissant à une impulsion, j'avais couru jusqu'à la station de taxis devant la Brasserie Lipp et demandé au chauffeur de me conduire au Ritz. Mes pensées tourbillonnaient alors telles des feuilles soulevées par le vent d'automne, mais désormais, tandis que je me retrouvais devant la porte de sa suite, un calme absolu régnait dans mon crâne. Il n'était pas loin de minuit et je n'espérais qu'une chose : qu'elle soit là.

Je frappai doucement, puis plus fort. Ensuite, je remarquai le bouton de sonnette, et avant même que je puisse le presser, la porte s'ouvrit.

Pieds nus, vêtue d'une nuisette fluide en satin gris argent, Solène se tenait devant moi et me regardait avec surprise.

— Alain ! s'exclama-t-elle, et son visage au teint clair rosit.

— Je peux entrer ?

— Oui, naturellement.

Elle ouvrit un peu plus la porte et je franchis le seuil. En d'autres circonstances, j'aurais prêté plus d'attention au décor somptueux – les meubles en bois noble, tendus de précieux tissus jaunes à motif de roses, les lourds rideaux brodés d'or, la cheminée en marbre où étaient posés deux cierges et une pendule semblant venir tout droit de Versailles –, mais pour l'instant, seule l'occupante m'intéressait.

Elle me précéda, silencieuse, et indiqua un fauteuil.

Je m'assis, le cœur battant.

— Excuse cette irruption tardive, commençai-je.

— Pas besoin de présenter des excuses, Alain, je ne vais jamais au lit avant une heure.

Solène se laissa glisser dans le fauteuil à côté du mien, appuya sa tête blonde contre le haut dossier et eut un sourire impénétrable.

— J'aime les irruptions tardives… Ton mal de crâne est passé ?

— Écoute, Solène, il faut que je te parle. C'est important.

— Je m'en doutais.

Assise là, aussi belle et mystérieuse qu'une Lorelei, elle se mit à jouer avec une mèche de cheveux comme si elle avait tout le temps du monde.

— Alors, de quoi veux-tu me parler, Alain ? Vas-y, je ne mords pas, déclara-t-elle finalement.

— Hier soir, sur la terrasse, tu as dit que tu aimerais m'apporter ton aide…

— Oui ? demanda-t-elle, lâchant sa mèche et me fixant attentivement.

— Eh bien, je crois que tu pourrais vraiment m'aider.

— Je ferai de mon mieux.

— Bon, hésitai-je, mettant de l'ordre dans mes pensées. Tout est tellement perturbant... Je ne sais par quel bout prendre cette histoire... – Je fis une pause pour réfléchir. – Je n'avais pas de migraine, hier soir. Ce n'est pas la raison pour laquelle... pour laquelle je suis parti si précipitamment...

— Je sais, commenta Solène en inclinant la tête sur le côté. Je l'ai compris tout de suite, imbécile. Il suffisait de voir ta figure pour comprendre à quel point tu étais troublé. Tu n'as pas d'explication à me donner, je me réjouis que tu sois venu. Te sauver juste comme ça... – Elle eut un léger rire. – Je ne te comprends que trop bien. Parfois, on fuit ses propres sentiments...

Elle se pencha vers moi et son regard doux et éloquent m'irrita.

Je me redressai.

— Solène. Je n'ai pas *fui* quelque chose ou quelqu'un. J'ai vu Mélanie hier soir. Je l'ai suivie, mais elle m'a échappé. Elle a sauté dans le métro et elle a disparu. Il était évident qu'elle ne voulait pas me parler...

— Méla ?

À présent, c'était Solène qui avait l'air irrité.

— Non, pas Méla. Mélanie, la femme en manteau rouge. Celle que je cherche depuis le début. Elle se trouvait à l'autre bout du toit-terrasse et nous fixait. Je suis certain qu'elle m'a reconnu. Ensuite, elle a pris ses jambes à son cou. Comme si elle venait de voir le diable en personne.

Les traits de Solène se crispèrent, mais elle se ressaisit rapidement.

— Et que veux-tu de moi, Alain ?

Je pris une profonde inspiration, puis les mots se ruèrent hors de ma bouche.

— J'étais au Cinéma Paradis, ce soir. Et là, rangée dix-sept, sa préférée, j'ai trouvé une inscription étrange. Un cœur avec deux initiales. Gravé sur le siège de devant. On ne distingue presque plus le cœur, mais les lettres sont encore nettes : M. et V.

Solène écoutait mes explications, yeux écarquillés.

— C'est « M » comme Mélanie, forcément, poursuivis-je avec excitation. Et le V. est l'initiale d'un prénom masculin. Seulement, Mélanie n'a jamais évoqué qui que ce soit dont le prénom commence par « V ». Toi, si. Et tu connais le Cinéma Paradis depuis ton enfance. Il a fallu un moment pour que ça me revienne : dans le temps, tu voulais quitter Paris, et il y avait cet étudiant de San Francisco. Ton petit ami, si mes souvenirs sont bons. Victor. Il s'appelait Victor.

J'avais la poitrine comme prisonnière d'un étau et il fallut que je m'arrête pour reprendre mon souffle.

— Ce n'est pas un hasard, Solène. Alors, maintenant, je voudrais savoir une chose : qui est Victor ? Qu'est-ce qui s'est passé à l'époque ? Qu'y a-t-il eu entre Mélanie et Victor, qui était ton petit ami ? Quel lien existe-t-il entre Mélanie et toi ?

Solène avait blêmi. Ses yeux papillotaient, agités. Elle se leva et, sans dire un mot, s'approcha de sa coiffeuse. Elle y prit un objet, une photo dans un cadre en argent, et me le tendit.

Sur ce vieux cliché en noir et blanc, on voyait deux petites filles portant d'épais manteaux d'hiver ;

debout devant le parapet d'un pont, sans doute à Paris, elles se tenaient par la main, riantes. Les cheveux blond clair de la plus grande, qui avançait avec coquetterie un de ses pieds chaussés de bottines, étaient relevés et retenus par un énorme nœud blanc. La plus petite avait des tresses blond foncé et, dans ses grands yeux marron, on lisait une charmante timidité.

Incrédule, je contemplais les visages enjoués, préfigurant déjà les adultes que deviendraient ces enfants. Un coin de ma mémoire auditive avait capturé un rire, un « ha, ha, ha ! » soudain et spontané que, sans en être conscient, j'avais reconnu chez une autre femme. Celle qui se tenait devant moi, hagarde, la mine contrite.

— Mais… fis-je doucement. Ce n'est pas possible !

Solène eut un hochement de tête presque imperceptible.

— Si, répondit-elle. Mélanie est ma sœur.

27

— Il y a, dans la vie, des phrases qu'on n'oublie jamais, allait me confier Solène, un profond chagrin assombrissant le bleu de ses yeux.

La phrase qu'elle n'oublierait jamais avait été prononcée par sa sœur.

« Le principal, c'est que tu obtiennes ce que tu veux, tout le reste ne t'intéresse pas ! » avait haineusement lancé Mélanie. « Je ne veux plus te voir, tu entends ? Disparais ! »

Cette nuit-là, dans une luxueuse suite du Ritz, j'allais entreprendre un voyage dans le temps donnant un accès direct aux cœurs blessés de deux sœurs qui, enfants, étaient inséparables.

Avant de commencer son récit, qui devait se prolonger jusqu'aux premières heures du matin, Solène me pria de lui faire une description précise de la femme en manteau rouge.

— Je veux être sûre à cent pour cent, expliqua-t-elle.

Je m'exécutai, même s'il ne faisait aucun doute pour moi que la plus jeune des deux fillettes sur la photo n'était autre que Mélanie.

Lorsque je mentionnai la bague en or aux roses ciselées, Solène hocha la tête, bouleversée.

— Oh, mon Dieu, murmura-t-elle. Oui, c'est l'anneau de Maman.

Elle me regardait, l'air tourmenté.

— Mélanie m'a dit que sa mère était morte et que cette bague était un souvenir d'elle, ajoutai-je. Elle n'a absolument pas parlé de son père.

— Mélanie aimait Maman par-dessus tout. Elle avait beaucoup moins d'atomes crochus avec Papa. Dans notre famille, j'étais sa préférée à lui. La petite diablesse qui avait le goût de l'aventure, qui faisait rire tout le monde et traînait avec les garçons du voisinage. Mélanie était la plus réservée de nous deux. Elle vivait dans son monde. Elle était rêveuse et hypersensible. Un jour, alors que notre mère rentrait à la maison une heure plus tard que prévu, elle a trouvé Mélanie dans l'armoire à vêtements, affolée. Elle s'y était réfugiée, persuadée qu'il était arrivé quelque chose à Maman. Elle avait une imagination débordante, inventait des histoires qu'elle notait dans un cahier d'écolier. Elle le cachait jalousement sous son matelas et personne n'avait le droit de le lire.

Solène sourit.

— Bien que très différentes, nous nous aimions tendrement. Parfois, le soir, Mélanie se glissait dans mon lit et je lui caressais le dos jusqu'à ce qu'elle s'endorme. J'ai fait mes premières expériences avec les garçons du lycée voisin, et ma petite sœur nous observait derrière la porte quand on s'embrassait. De temps en temps nous allions au Cinéma Paradis. Papa travaillait à la Poste mais il n'a jamais réellement gravi les échelons, et nous n'avions pas les moyens pour ce genre de distraction. Nous aimions toutes les deux aller voir des films. Pour moi, c'était plutôt un stratagème pour retrouver secrètement un garçon, mais pour ma sœur, les dimanches après-midi au cinéma étaient infiniment précieux. Elle s'immergeait dans ces films, ses rêveries l'emmenaient ailleurs.

Solène s'interrompit, avant de reprendre :

— On pourrait croire à m'entendre qu'on a été malheureuses. C'est faux, nous avons eu une belle enfance. Nous nous sentions en sécurité. Mes parents avaient souvent des problèmes d'argent mais ils ne se sont jamais disputés, ou très rarement. On sentait le profond attachement qu'ils éprouvaient l'un pour l'autre. « Je me réjouis chaque fois que ta mère passe le seuil de la porte », m'a dit un jour Papa. Il souffrait de ne pas pouvoir offrir à Maman plus que cet appartement sombre au rez-de-chaussée dans lequel il nous arrivait, l'hiver, de ne chauffer que la cuisine et le salon pour faire des économies. Quant à Maman, elle ne perdait jamais sa bonne humeur et sa sérénité. Les fleurs étaient le seul luxe qu'elle s'accordait. Il y en avait toujours sur la table du salon. Des tournesols, des roses, des glaïeuls, des myosotis, des lilas… Elle aimait particulièrement les lilas.

Elle se tut un moment et reposa avec soin le cadre sur la coiffeuse.

— Le moment est venu, je ne sais plus quand précisément, où je me suis soudain sentie à l'étroit à la maison. Je sortais plus souvent, j'avais des amis qui vivaient dans des foyers aisés et pouvaient se montrer généreux. Je suis devenue insatisfaite. J'aurais aimé étudier le chant, au lieu de ça, j'ai commencé un apprentissage. Mélanie avait dix-sept ans et allait encore au lycée. J'en avais vingt et je me suis juré de ne pas m'encroûter dans ce magasin de prêt-à-porter masculin, boulevard Raspail. Je voulais conquérir le monde.

— Et alors ? Qu'est-ce qui s'est passé ? fis-je, et je donnai moi-même la réponse. Alors, Victor, l'étudiant étranger, est arrivé et tu es tombée follement amoureuse de lui.

— Alors, Victor, l'étudiant étranger, est arrivé et ma sœur est tombée follement amoureuse de ce séduisant Américain blond aux yeux rieurs. Il sous-louait un appartement à quelques immeubles de chez nous. Mélanie a croisé son chemin un dimanche, à une séance du Cinéma Paradis. Ce jour-là, j'avais de meilleurs projets. J'avais été invitée par la famille d'une amie à passer l'été dans sa maison de vacances, au bord de la mer. Je n'allais pas laisser passer ça ! Et, pendant que je faisais tourner la tête des jeunes hommes à Deauville, Mélanie faisait une rencontre fatidique à Paris.

Solène se passa la main dans les cheveux et poussa un petit rire triste.

— Le hasard a voulu que Victor soit assis à côté d'elle au cinéma. Ils se sont regardés, et... coup de foudre. Ma timide sœur, qui n'était jamais tombée amoureuse avant, qui avait décliné toutes les avances comme une princesse Turandot – entre nous, il n'y en avait pas eu tant que ça –, lui a offert son cœur sans hésiter. Ces deux-là sont devenus inséparables, pour le plus grand bonheur de Mélanie. Elle idolâtrait

Victor, et chaque fois qu'elle parlait de lui, ses yeux se mettaient à briller comme des bougies. C'était touchant à voir. Je crois qu'elle aurait suivi Victor jusqu'au bout du monde.

— Ensuite ? demandai-je en retenant mon souffle.

— Ensuite, la méchante sœur est entrée en scène, répondit laconiquement Solène.

Elle avait cherché à adopter un ton impassible, mais je notai qu'elle avait du mal à poursuivre son récit. Elle alla jusqu'au minibar et se versa un scotch.

— Je crois qu'il me faut un *drink*. Toi aussi ?

Je secouai la tête. Lentement, Solène souleva le lourd verre en cristal taillé et but quelques gorgées, puis elle s'appuya contre la coiffeuse.

— Quand je suis rentrée à la fin de l'été, Mélanie m'a présenté son petit ami. Il était très mignon, un vrai beau gosse californien, et je dois avouer que j'étais surprise de voir ma sœur avec un jeune homme aussi attirant.

Elle avala une nouvelle gorgée de scotch.

— Enfin... La suite sera vite racontée. Nous sommes allés ensemble dans un café de Saint-Germain et j'ai parlé avec passion, à ma manière, de mes vacances et de mes expériences au bord de la mer. J'ai ri et plaisanté, j'ai un peu flirté avec le petit ami de ma sœur. Je ne peux même pas dire que j'avais une idée derrière la tête, j'étais juste moi-même, tu comprends ?

Je hochai la tête, muet. J'imaginais très bien le tableau.

— Bref, il s'est passé ce qui se passait toujours quand nous allions quelque part, Mélanie et moi. Je suis devenue l'unique centre d'intérêt, ma sœur a pâli comme la lune dans le ciel et a fini par se taire.

— Oh, mon Dieu, articulai-je.

Je me doutais de ce qui allait suivre. « Elle est solaire », avait expliqué Allan Wood en parlant de Solène. « Tout le monde recherche sa présence. »

— Bientôt, Victor n'a plus eu d'yeux que pour moi. Il avait beau avoir été charmé par Mélanie, il était maintenant envoûté par la grande sœur, dont le caractère et l'âge semblaient bien mieux s'accorder aux siens. Il me suivait quand je me rendais boulevard Raspail, il guettait mon passage et m'embrassait dans le dos de Mélanie. « Allez, juste un baiser », voilà ce qu'il répétait chaque fois que je le repoussais en riant. « Personne ne nous regarde. Et tu as une si belle bouche, on ne peut pas s'en empêcher. » Plus tard, il m'a proposé : « Accompagne-moi en Californie, le soleil y brille toute l'année, on aura une vie superbe. » Il était très séduisant, il avait cette magnifique légèreté qui me plaisait de plus en plus. Au bout du compte, j'ai cessé de résister.

Solène soupira et fixa le fond de son verre.

— J'aurais peut-être été en mesure d'y mettre un terme, mais à l'époque, je ne possédais pas encore le discernement nécessaire. Et puis, me disais-je, je n'y peux rien si un homme tombe amoureux de moi, même si c'est le petit ami de ma sœur. J'étais jeune et sans scrupules, et la perspective de pouvoir suivre Victor en Amérique m'a fait balayer toute hésitation.

Me regardant, elle leva les mains en un geste d'excuse.

— Qui sait si Victor serait resté avec Mélanie, si j'avais réagi autrement ? Qui reste avec son premier amour ?! demanda-t-elle en secouant la tête. Je n'avais pas réalisé à quel point c'était sérieux pour Mélanie. Elle n'avait que dix-sept ans !

Solène se mordit la lèvre inférieure.

— Un jour, elle nous a surpris. C'était affreux. Le moment le plus épouvantable que j'aie jamais vécu. Mélanie est restée quelques minutes dans l'embrasure de la porte, blême ; ni Victor ni moi n'osions ouvrir la bouche. D'un coup, elle s'est mise à crier, complètement hystérique : « Solène, comment peux-tu me faire ça ? Tu es ma sœur ! Tu es ma *sœur !* Tu aurais pu avoir n'importe qui, mais il a fallu que tu me prennes Victor, pourquoi ? » Alors, elle a prononcé cette phrase qu'il m'arrive encore d'entendre aujourd'hui, sa voix douce chargée de haine : « Le principal, c'est que tu obtiennes ce que tu veux, tout le reste ne t'intéresse pas ! Je ne veux plus te voir, tu entends ? Disparais ! »

— Mon Dieu, c'est horrible ! murmurai-je.

— Oui. Horrible, répéta Solène. Les semaines qui ont suivi, Mélanie ne m'a pas adressé une seule fois la parole. Ni quand je lui ai demandé pardon, ni quand nos parents ont essayé de nous réconcilier, ni quand je suis entrée dans sa chambre pour lui dire adieu, avant de prendre mon vol pour San Francisco. Elle était assise à son bureau et ne s'est même pas retournée. Elle était comme pétrifiée. Je l'avais trahie, profondément blessée. Elle ne pouvait pas me pardonner.

La main plaquée sur la bouche, je fixais, consterné, la femme blonde qui luttait pour faire bonne contenance.

— Et plus tard ? Avez-vous repris contact ? demandai-je finalement.

— Nous ne nous sommes revues qu'une fois. À l'enterrement de nos parents. Rien de très réjouissant, commenta Solène en reposant son verre.

— Quand était-ce ?

— Trois ans après mon départ pour la Californie, à peu près. Les affaires marchaient déjà bien pour moi, j'avais mes premiers vrais rôles. Je connaissais le succès et je me réjouissais d'offrir à mes parents ce voyage sur la Côte d'Azur. Je t'en ai parlé quand on se promenait place Vendôme, tu te souviens ?

J'opinai du chef. Comment aurais-je pu oublier cette balade ?

— Ensuite, mes parents ont eu cet accident en se rendant à Saint-Tropez. Ils sont morts sur le coup. La sœur de ma mère a eu la gentillesse de me prévenir. Les corps avaient déjà été rapatriés à Paris et j'ai pris le premier avion pour la capitale. Quand Mélanie m'a aperçue à l'enterrement, elle est sortie de ses gonds. Elle s'est écriée qu'après lui avoir pris son petit ami, je lui enlevais nos parents. Qu'il fallait que je disparaisse, parce que je détruisais toujours tout.

— Mais c'est absurde ! m'exclamai-je, bouleversé. Ce n'était pas ta faute.

Solène essuya une larme et me regarda avec douleur.

— Pourtant, je voulais juste exaucer le vœu le plus cher de mes parents !

— Tu n'as rien à te reprocher, Solène, lui assurai-je. Du moins, pas en ce qui concerne tes parents. Ce n'était qu'un tragique accident ! Personne n'y peut rien.

Solène hocha la tête et prit un mouchoir.

— C'est aussi ce qu'a affirmé tante Lucie. Elle m'a appelée pour m'annoncer que Mélanie avait fait une dépression nerveuse. Elle a ajouté que ma sœur ne pensait pas un mot de ce qu'elle m'avait dit. Plus tard, j'ai su que Mélanie avait emménagé près du Pouldu, où vit notre tante. Apparemment, elle ne supportait plus Paris. Quand l'accident est arrivé, elle habitait encore chez nos parents, tu vois ?

— Et après ?

Solène haussa les épaules, désemparée.

— Rien. Je n'ai plus eu de nouvelles de Mélanie. J'ai tenté de respecter son souhait, mais elle n'a jamais cessé de me manquer.

28

Solène revint vers moi et se laissa tomber dans son fauteuil, visiblement épuisée et bouleversée.

— Cette histoire avec Victor est un chapitre peu glorieux de ma vie, je n'aime pas beaucoup en parler, expliqua-t-elle avant d'enfouir un moment son visage dans ses mains, puis elle releva les yeux. J'aimerais effacer ce qui est arrivé, mais c'est impossible. J'ai très souvent maudit le jour où j'ai cédé aux avances de Victor. Il aurait suffi que je dise non, pourtant. – Elle se redressa et joignit les mains. – Crois-moi, Alain, si je pouvais remonter le cours du temps, j'agirais autrement.

— Et qu'est devenu Victor ? la questionnai-je.

— Je ne sais pas. Peu après notre arrivée à San Francisco, je l'ai perdu de vue et j'ai poursuivi mon chemin de mon côté, précisa-t-elle en caressant l'accoudoir de son siège. Pour moi, ce n'était pas si important, je me sentais juste attirée par lui.

— As-tu éprouvé la même chose pour moi ? m'enquis-je.

Le visage de Solène se teinta de rose tendre.

— Oui… peut-être. Je t'apprécie, tu m'as tout de suite plu, que faire ? demanda-t-elle les yeux rougis par les larmes, tentant de dissiper l'atmosphère pesante qui s'était abattue sur la pièce comme une nuée de corbeaux. Tu dois l'avoir remarqué. Mais cette fois, je n'avais aucune chance.

Elle sourit et je lui rendis son sourire. Puis je redevins grave.

— Je t'apprécie également Solène, beaucoup, même. Je te l'ai dit hier encore. On a partagé un moment merveilleux sur cette terrasse, un moment que je n'oublierai jamais.

— Et c'est précisément ce moment qui a peut-être signé ta perte.

Je hochai la tête et me frottai le front.

— Mélanie m'aime et je l'aime, répondis-je, malheureux. Je l'aime vraiment par-dessus tout. À l'idée qu'elle croit que la pire expérience de sa vie se répète, j'en ai le cœur déchiré. Pourquoi ne pas m'avoir dit plus tôt que c'était ta sœur ?

Solène m'adressa un coup d'œil perplexe.

— Comment aurais-je pu l'imaginer, Alain ? Tu m'as confié sur la place Vendôme que tu étais amoureux, mais tu n'as pas mentionné son prénom. Ensuite, les paparazzi sont arrivés, il y a eu tous ces articles de journaux et la femme en manteau rouge s'est envolée. Seulement, je n'en savais rien, et toi-même, tu n'as pas fait le rapprochement entre notre arrivée et la disparition de Mélanie. Plus tard, Allan m'a raconté que vous cherchiez sa fille, Méla ; c'est là que j'ai entendu le nom de Mélanie pour la première fois. Je l'avoue, quand il s'est avéré que Méla n'était pas la bonne, j'ai eu des doutes. Sauf que, la dernière fois que j'avais entendu parler de ma sœur, elle vivait en Bretagne. Pourquoi aurais-je dû supposer que ta Mélanie et elle ne faisaient qu'une seule et même personne ? Ça paraissait complètement improbable. Quelle coïncidence absurde, tu te rends compte ! Je reviens à Paris après dix ans d'absence et ma sœur s'éprend d'un homme qui pourrait aussi me plaire, déclara Solène avec un sourire mélancolique, avant de saisir ma main. Vraiment, Alain, je n'en avais aucune idée. Un soupçon, au mieux. Loin de moi l'envie de te mener en bateau ! C'est uniquement quand tu m'as parlé des deux initiales, du fait qu'elle s'asseyait toujours dans cette rangée du Cinéma Paradis, que j'ai compris que c'était Mélanie. Il *faut* que tu me croies.

Sa voix avait revêtu des accents attristés.

— Bien sûr que je te crois, Solène. C'est juste la faute à pas de chance, vous auriez pu vous croiser au Cinéma Paradis. Mais au moins, tout ça se tient pour moi, maintenant.

Un long silence s'installa. Je m'adossai à mon fauteuil et mon regard se perdit dans les ornements de la pendule dorée, sur le manteau de la cheminée. Il était 4 h 10 du matin, je n'avais pas sommeil mais j'étais lessivé. Tandis que je m'enfonçais dans une étrange léthargie, celle qui s'impose lorsqu'on a dépassé le stade du coup de pompe, je fis défiler dans ma tête le film de cette histoire avec ses rebondissements et ses coïncidences dont certaines, en fin de compte, qui n'en étaient pas vraiment.

Des personnes plus sages que moi se sont déjà interrogées sur la dialectique du destin et du hasard. Destin ou hasard, si la vue d'une jeune femme en manteau rouge, au charme particulier, me toucha en plein cœur, à tel point que je m'en épris ? Destin ou hasard, si sa sœur se retrouva deux jours plus tard devant le Cinéma Paradis ?

Ce n'est certainement pas par hasard que je me promenai autour de la place Vendôme avec Solène et l'étreignis, ému, après qu'elle m'eut parlé de la mort de ses parents ; ce moment devait s'avérer fatidique car il serait immortalisé par des paparazzi, photo compromettante publiée par un journal qui allait atterrir, par hasard, entre les mains d'une femme frappée par le destin. Une femme amoureuse qui, séjournant chez sa tante, loin de Paris, dans un petit village appelé Le Pouldu, serait désormais persuadée que la pire expérience de sa vie se répétait.

En revanche, ce que j'avais d'abord pris pour un hasard, pour la conjonction purement temporelle et donc insignifiante de deux événements, n'en était pas un.

Solène Avril s'était rendue à Paris et Mélanie n'avait pas honoré notre rendez-vous. Je n'avais pas fait le rapprochement entre ces deux faits. Pourtant, Mélanie s'était délibérément mise en retrait, et j'en connaissais maintenant la raison.

J'ignorais si c'était le destin ou le hasard qui avait voulu que Mélanie soit sur le toit-terrasse du Georges, au moment même où Solène me serrait contre elle. Peu importe. Cette étreinte innocente et, pour autant, pas tout à fait dénuée d'arrière-pensées, avait constitué la preuve qu'un homme qu'elle aimait avait succombé, une fois de plus, aux charmes de sa sœur. Elle s'était enfuie, furieuse et déçue, avant de m'adresser un sourire énigmatique, et résigné, en posant sa main sur la vitre du métro dans un geste spontané.

Solène fut la première à reprendre la parole.

— Il faut qu'on la retrouve, Alain. Rien n'est encore perdu. Il faut qu'on retrouve Mélanie et qu'on lui explique tout.

Je hochai lentement la tête. Peu à peu, ma raison assaillie par des images frappantes réalisait qu'il y avait de nouveau de l'espoir, que les chances de toucher au but n'avaient jamais été aussi élevées.

— Au moins, j'ai un nom. Voilà qui va considérablement me faciliter les choses, commentai-je.

Souriant, je me revis jouant les détectives rue de Bourgogne. Maintenant qu'il était exclu que Mélanie ait un autre homme dans sa vie, il m'apparaissait de plus en plus curieux qu'elle ait disparu dans l'immeuble au châtaignier : le nom d'Avril ne figurait sur aucune des plaques.

— Mélanie Avril, dis-je à voix haute, pour goûter la sonorité de ces deux mots. C'est merveilleusement léger. Ça me fait penser à une journée de printemps à Paris. La pluie rebondit sur les pavés, puis le ciel se déchire, le soleil se reflète dans les flaques et les gens sont de bonne humeur...

— Alain, tu es incorrigible ! Le patronyme de Mélanie n'est pas Avril, mais Fontaine. Exactement comme moi. Solène Avril est mon nom d'artiste.

— Ah bon, lâchai-je, ébahi.

J'aurais pu envisager qu'« Avril » soit un pseudonyme… Beaucoup de comédiens se choisissent un nom qui sonne bien, tout le monde le sait.

— Eh oui, mon cher, sourit Solène. C'est le business du cinéma. Je ne m'appelle même pas Solène…

— Et comment t'appelles-tu en réalité ?

— Marie. Mais ça ne me paraissait pas assez spectaculaire. Et la Marie du petit appartement en rez-de-chaussée, à Saint-Germain, n'existait déjà plus à l'époque. Je me suis réinventée. J'espère ne pas avoir détruit toutes tes illusions.

— Non, assurai-je. Fontaine est aussi un très beau nom de famille.

Il me plaisait vraiment. Le problème était que quantité de Parisiens s'appelaient ainsi. Fontaine comptait parmi les patronymes français les plus fréquents ; hélas, personne ne le portait dans l'immeuble rue de Bourgogne. Même Robert, mon ingénieux ami, aurait dû charger toutes les étudiantes de sa faculté de passer l'annuaire parisien au peigne fin.

À condition que Mélanie Fontaine figure bien dans un annuaire ! Peut-être, comme souvent de nos jours, ne possédait-elle qu'un portable. Encore que… Je l'imaginais décrochant le combiné d'un vieux téléphone en bakélite noire, plutôt que manipulant un smartphone. Quoi qu'il en soit, rechercher une Mélanie Fontaine ne serait sûrement pas une promenade de santé.

Solène paraissait avoir deviné mes pensées.

— Ne t'inquiète pas, Alain. En cas de besoin, je peux passer par ma tante, puisque Mélanie séjournait encore chez elle il y a peu. Tante Lucie aura sûrement son adresse. Remarque, elle s'est remariée après la mort de mon oncle, précisa-t-elle en plissant le front. J'espère que son nom me reviendra. – Elle poussa un amusant soupir de désespoir. – Pas d'inquiétude, je finirai bien par le découvrir. Même s'il faut que je monte dans un train pour Le Pouldu ! Je devrai peut-être entreprendre le voyage un jour, de toute façon.

Solène semblait transportée à l'idée de partir sur les traces de Mélanie.

— Je vais la retrouver, tu verras, répéta-t-elle plusieurs fois.

— Merci, Solène.

Pour moi, Marie serait toujours Solène.

Lorsque je pris congé d'elle au petit matin, elle me serra très fort.

— Ça m'a soulagée d'en parler après toutes ces années, me confia-t-elle en me regardant droit dans les yeux. Tu sais, Alain, je crois que ce n'est pas un simple hasard si nous nous sommes rencontrés. Je suis venue à Paris pour tourner ce film, mais au fond, j'ai fait le déplacement parce que j'avais le mal du pays. Je pensais souvent à ma sœur et au passé, aux ruelles familières de Saint-Germain, et je me demandais ce qu'elle devenait. Je suis passée devant notre ancien immeuble et j'ai regardé le nom des occupants du rez-de-chaussée. Je me suis recueillie sur la tombe de mes parents et je leur ai dit à quel point ils me manquaient. À quel point Mélanie me manquait. Et maintenant, j'ai enfin la chance de réparer le mal que j'ai fait. Cette fois, je ne gâcherai rien. – Elle secoua la tête avec détermination. – Cette fois, je veillerai à ce que ma sœur soit réunie avec l'homme qu'elle aime. Et qui l'aime en retour…

Je la regardais, touché.

— Et maintenant, file ! ordonna-t-elle avant de me donner un petit baiser sur la bouche. Mais sache que, dans une autre vie, je ne garantis rien.

— Dans une autre vie, tu auras sûrement un frère.

— Exactement, répondit-elle, les yeux étincelants. Un frère comme toi.

Arrivé au bout du long couloir, je me retournai.

Dans l'embrasure, Solène me fixait en souriant. La lumière des plafonniers faisait flamboyer ses cheveux blonds.

Quelques instants plus tard, je retrouvais la place Vendôme. Paris s'éveillait.

29

Selon Cervantès, l'amour n'a pas de meilleur ministre que l'occasion. Quant à moi, j'attendais juste l'occasion de serrer dans mes bras la femme que j'aimais, et je n'étais pas très doué dans ce domaine. Celui de l'attente, bien sûr. Existe-t-il une seule personne qui aime attendre ? Je n'en ai encore rencontré aucune.

Je passai les deux jours suivants en proie à une agitation teintée de joie et d'énervement, qui me rappelait l'impatience de l'enfance, quand Noël approchait et qu'on allait et venait discrètement devant la porte du salon, espérant entrapercevoir les cadeaux. Je me mis à compter les heures. Je n'avais jamais autant consulté ma montre.

J'étais sans nouvelles de Solène, à l'exception d'un appel confus au cours duquel, interrompue par de la friture sur la ligne, elle m'avait annoncé qu'elle rencontrait des difficultés, mais continuait les recherches. Elle tournait alors des scènes de pique-nique dans le bois de Boulogne et la communication n'était pas très bonne.

Pour ne pas rester inactif, j'avais feuilleté un annuaire de Paris, cherchant à la lettre « F ». Le résultat avait été accablant, comme je m'y attendais. Solène devrait sans doute se rendre au Pouldu pour retrouver sa tante Lucie.

Robert avait jugé toute l'histoire sensationnelle.

— Incroyable ! s'était-il exclamé. Elle est géniale, cette Solène, j'aimerais vraiment faire sa connaissance ! Tu me dois un service, Alain, ne l'oublie pas.

Mon ami estimait en effet que c'était *lui* qui avait fourni l'indication décisive, parce qu'il avait eu l'idée de dresser la liste de tous les prénoms masculins commençant par « V ».

— Tu vois, avait-il conclu. Il suffit de procéder de façon systématique, et la solution s'impose. Tiens-moi au courant, je suis sur des charbons ardents.

Je l'étais aussi. Quand je ne travaillais pas au cinéma, je me promenais au jardin du Luxembourg pour me calmer, je traînais dans les cafés et regardais par la vitre, songeur, je restais allongé sur le canapé à la maison et bayais aux corneilles, jusqu'à ce qu'Orphée saute sur moi et miaule d'un air de reproche. À chaque minute libre, j'imaginais mes retrouvailles avec Mélanie. Où et comment celles-ci se dérouleraient, ce qu'elle dirait, ce que je dirais… Je fantasmais des dialogues délicieux, sublimes, qui auraient fait de moi le scénariste idéal pour un film d'amour. Il y avait cependant *une* question que je ne me posais pas : si notre rencontre aurait seulement lieu.

Au Cinéma Paradis, il était prévu que je projette *Sérénade à trois* à la dernière séance – une comédie d'Ernst Lubitsch reposant sur le thème du triangle amoureux « deux hommes, une femme ». En accrochant les affiches où figuraient Miriam Hopkins, Gary Cooper et Fredric March, je songeai que, s'il y avait un remake, Solène Avril reprendrait idéalement le rôle de Miriam, une blonde à la repartie facile ; incapable de choisir entre deux hommes qui sont amis, elle se décide pour les deux. La réplique culte, « *It's true we had a gentleman's agreement, but unfortunately, I am no gentleman* », lui plairait sûrement. En règle générale, les accords de gentleman entre hommes et femmes ne sont pas respectés…

Je souris. Dans notre cas, la sérénade à trois relevait d'une autre configuration, mais comme dans cette bonne vieille comédie de Lubitsch, j'espérais un *happy end* avec réconciliation générale.

Ce soir-là, j'avais l'intention d'appeler Solène pour lui demander s'il y avait du neuf. Par acquit de conscience, je sortis mon portable de la poche de ma veste pour m'assurer que je n'avais pas manqué un message. Naturellement, il n'y avait rien.

Je n'avais pas relaté à Mme Clément et François les détails de l'histoire insensée réunissant deux sœurs si différentes et le candide propriétaire d'un cinéma d'art et d'essai, mais bien entendu, mon chagrin et mon humeur versatile, ces dernières semaines, ne leur avaient pas échappé. Après l'euphorie du sentiment amoureux, l'excitation, la perplexité totale et la dépression la plus profonde, je traversais désormais une phase de nervosité survoltée.

Lorsque j'entrai dans la salle de projection pour la cinquième fois ce jour-là et manipulai les bobines de film en fredonnant – avant de renverser la tasse de François par mégarde –, celui-ci se contenta de hausser les sourcils. Mme Clément, elle, n'était pas dotée de la même patience.

— Qu'est-ce qui vous arrive, monsieur Bonnard ? Vous ne tenez pas en place, c'est insupportable ! s'exclama-t-elle avec sa franchise habituelle, alors que j'alignais pour la énième fois les programmes posés sur le comptoir du guichet, sans cesser de loucher sur mon téléphone portable. Si vous avez l'intention d'être dans nos pattes, allez plutôt boire un verre quelque part.

— Ne soyez pas insolente, madame Clément. Dans mon cinéma, je peux me tenir où bon me semble.

— Bien entendu, monsieur Bonnard, fit Mme Clément avec un hochement de tête résolu. Mais pas dans nos pattes, s'il vous plaît.

En soupirant, je décidai de suivre son conseil. Et, tandis que l'établissement se remplissait pour la séance de 18 heures, les spectateurs venant voir *Les Petits Mouchoirs*, je sortis m'allumer une cigarette, fis quelques pas, tête baissée, et me heurtai à un couple qui se dirigeait vers l'entrée du Cinéma Paradis, bras dessus, bras dessous.

— Oh, pardon, murmurai-je, et je levai les yeux.

Une femme aux cheveux noirs et un homme d'affaires sans porte-documents, qui avait clairement perdu du poids, me saluèrent.

— Bonsoir, répondis-je, déconcerté, tant le bonheur qu'ils affichaient paraissait insolent.

304

La femme brune s'arrêta et tira son compagnon par la manche.

— On lui raconte, Jean ? demanda-t-elle, et sans attendre sa réponse, elle se tourna vers moi. Vous êtes bien Alain Bonnard, le propriétaire du Paradis, non ?

Je hochai la tête.

— Nous voulions vous remercier, reprit-elle, radieuse.

— Aha. Pourquoi ?

— C'est grâce à votre établissement que nous sommes tombés amoureux.

Même un aveugle aurait vu que les flèches de Cupidon ne les avaient pas ratés.

— Eh bien ! Dites donc ! C'est… fantastique ! lançai-je en souriant. La plus belle chose qui puisse vous arriver dans un cinéma.

Ils opinèrent du chef, heureux.

— Pourtant, ce soir-là, toutes les places avaient été vendues… alors que nous nous réjouissions tellement de voir ce film ! Et donc… plus un seul ticket, expliqua l'homme d'affaires en clignant des yeux derrière ses lunettes. Elle était déçue, j'étais déçu, qu'allions-nous faire de notre soirée ?

— C'est là qu'il m'a invitée à prendre un café, et nous avons découvert que nous venions depuis très longtemps au Paradis, tous les deux. Même si je n'avais jamais remarqué Jean avant.

Elle rit et je repensai aux innombrables après-midi où elle était venue, seulement accompagnée de sa petite fille.

— C'est de cette manière que nous avons fait connaissance. Jean souffrait d'une rupture amoureuse. J'étais moi-même au beau milieu d'une crise, j'avais découvert que mon mari me trompait. Nous avons parlé et parlé encore, et... eh bien... Nous sommes ensemble, maintenant. Tout ça grâce à des places de cinéma que nous n'avons pas pu acheter. Vous ne trouvez pas que c'est un hasard étonnant ?

Elle rit encore, comme si elle n'en revenait toujours pas.

Je hochai la tête. La vie était pleine de hasards étonnants. Qui aurait pu le savoir mieux que moi ?

Dans le café non loin du Cinéma Paradis, une vieille connaissance « m'attendait ». L'homme s'y était installé pour boire un verre de vin avant la dernière séance, et il leva brièvement les yeux de son journal lorsque j'entrai.

Avant de m'asseoir, j'échangeai donc un signe de tête avec le professeur. Je ne savais pas trop quoi commander – ces dernières semaines, ma consommation de café avait augmenté de façon dramatique. Si je continuais à ce rythme-là, j'allais développer un ulcère.

— Vous désirez ? s'enquit le serveur en essuyant énergiquement le dessus de la petite table ronde et en balayant quelques miettes de pain, qu'il envoya par terre.

Seul le café me venait à l'esprit. Dans les situations de crise, ce breuvage était tout bonnement irremplaçable.

— Un café au lait, s'il vous plaît, réclamai-je.

Lorsque la grande tasse blanche se retrouva devant moi, fumante, je sortis mon téléphone portable. Il était 20 heures, le soir tombait et j'espérais qu'Allan Wood ait enfin tourné ses scènes de pique-nique dans le bois de Boulogne.

Solène décrocha aussitôt mais n'avait aucune nouvelle à me communiquer. Elle avait encore sollicité ses anciens voisins, seulement, parmi les personnes se souvenant de la famille Fontaine, nul n'aurait pu dire où Mélanie avait emménagé à son retour de Bretagne. Pour autant, Solène rejetait l'idée d'entrer en contact avec tous les Fontaine de Paris.

— On pourra toujours le faire, le cas échéant, m'exposa-t-elle. Pour le moment, ça demanderait beaucoup trop de temps. Heureusement, nous avons d'autres options.

— *Une* autre option, grognai-je.

— Peut-être, mais elle est très prometteuse. Je fais ce que je peux, Alain, tu crois que je n'ai pas envie de revoir ma sœur le plus vite possible ? Écoute, il faudra patienter jusqu'à la fin de la semaine, je ne peux pas me libérer avant.

Je gémis.

— Mais il reste trois jours !

— Je vais au Pouldu ce week-end, insista Solène. Ne t'inquiète pas, une fois que j'aurai retrouvé ma tante, nous retrouverons aussi Mélanie. Ce n'est plus qu'une question de temps.

Je poussai un profond soupir et tambourinai des doigts sur le plateau en marbre clair. J'aurais volontiers fumé une cigarette.

— Cette attente me rend dingue. J'ai un drôle de pressentiment, Solène. On est si près du but ! Je ne voudrais pas que quelque chose aille de travers au dernier moment. Imagine que ta tante tombe de l'échelle en faisant la poussière et qu'elle se brise les cervicales. Ou que Mélanie rencontre un de ces stupides millionnaires en faisant une croisière… Je serais définitivement hors jeu.

Solène éclata de rire.

— Tu regardes trop de films, Alain. Tout ira bien.

— C'est ça, rétorquai-je. J'ai déjà entendu cette phrase plusieurs fois. Je déteste cet optimisme de circonstance. Tu t'entendrais parfaitement avec mon ami Robert !

— Robert ? Qui est-ce ?

— Un astrophysicien qui aime les femmes et ne laisse rien entamer sa bonne humeur, grommelai-je (en effet, je n'avais jamais connu Robert mal luné). Il serait encore capable de dire que tout ira bien en tombant avec un parachute qui ne s'ouvre pas.

— Mais je trouve ça merveilleux, assura Solène. J'espère que tu me le présenteras un jour.

— Chaque chose en son temps. Pour l'instant, il faut qu'on retrouve Mélanie.

Posant mon téléphone près de ma tasse, je remarquai le regard du professeur. Je fis une grimace d'excuse. À l'évidence, mon coup de fil avait importuné tout le monde. Le problème avec les portables ? Sans s'en rendre compte, chacun déballe sa vie privée.

— Cherchez-vous quelqu'un ? demanda-t-il, son regard bleu clair chargé de sympathie. Pardonnez-moi de vous adresser ainsi la parole, mais je n'ai pas pu m'empêcher d'entendre votre conversation.

Il m'adressa un sourire amical, et j'eus un sentiment de déjà-vu.

Quelques semaines plus tôt – le jour où j'avais adressé la parole à Mélanie pour la première fois –, je m'étais retrouvé dans le même endroit avec le professeur. À l'époque, il m'avait souhaité bonne chance.

Je haussai les épaules, puis opinai du chef. Dans l'intimité de ce café, le vieil homme devint soudain un familier.

— Oui, soupirai-je. Mais c'est une longue histoire.

Le professeur mit son journal de côté et me considéra avec attention.

— L'un des rares avantages de l'âge, c'est qu'on a beaucoup de temps. Si vous le voulez, je vous écoute avec plaisir.

Fixant les yeux sages de ce vieillard que je ne connaissais pas du tout, au fond, je songeai que mes confidences seraient accueillies par une personne de confiance. C'est ainsi que je me mis à parler, et le professeur se pencha un peu vers moi, sa main en cornet près de son oreille.

— Mais au fait, vous la connaissez ! m'exclamai-je au beau milieu de mon récit. C'est cette jeune femme en manteau rouge avec laquelle j'avais rendez-vous il y a quelques semaines. Vous l'avez aperçue au cinéma ce jour-là, dans le foyer, vous vous rappelez ? Ah ! Je ne sais pas combien de fois je suis allé dans cet immeuble rue de Bourgogne, persuadé qu'elle y habitait. Aucun des occupants ne l'avait croisée, alors que je l'avais raccompagnée jusque dans la cour intérieure, où pousse un vieux châtaignier. Tant et si bien qu'il m'est arrivé de douter de ma santé mentale…

Je bus une gorgée de mon café au lait, et vis le professeur hausser les sourcils avec étonnement.

— Mais elle *était* rue de Bourgogne, déclara-t-il lentement. Je l'y ai rencontrée moi-même. – Il hocha la tête, quant à moi, j'avais du mal à saisir ce que je venais d'entendre. – Je connais l'immeuble au châtaignier. Il se trouve en face d'une papeterie, n'est-ce pas ?

— Oui ! m'écriai-je, et j'eus la sensation que l'adrénaline jaillissait dans toutes les fibres de mon corps. Oui ! Alors… Mais comment… Pourquoi…

Je me tus, désemparé.

— Une fois par semaine, je rends visite à un vieil ami, rue de Bourgogne. Je connais Jacob depuis l'université et malheureusement, il est presque aveugle. Un jour, à la fin du mois de mars – il me semble que c'était peu de temps avant votre rendez-vous –, j'ai croisé cette jeune femme dans la cage d'escalier et nous avons échangé quelques mots. Elle m'a raconté qu'elle logeait chez son amie pendant une semaine, pour s'occuper de son chat. Elle était vraiment charmante.

Enfin, toutes les pièces du puzzle s'assemblèrent. Je repensai au gros chat noir aux yeux verts, qui, cette nuit-là, avait sauté en bas du châtaignier, et je faillis pousser un cri de triomphe. Je repensai à la porte d'un appartement au deuxième étage, derrière laquelle miaulait un chat énervé. Je repensai à un chat qui ne buvait que l'eau des fleurs, celui de l'amie de Mélanie, cette amie qui travaillait au bar d'un grand hôtel. Je repensai à la voix coupante de Tashi Nakamura, qui avait assuré que sa voisine de palier n'était jamais là le soir, rapportant qu'elle claquait la porte quand elle rentrait chez elle à pas d'heure.

L'oiseau de nuit !

L'oiseau de nuit était l'amie de Mélanie. Elle ne pouvait jamais l'accompagner au cinéma le mercredi soir parce qu'elle travaillait. Et elle s'appelait… Une fois encore, je revis M. Nakamura.

— Leblanc ! lâchai-je. Son amie s'appelle Leblanc.

Le professeur réfléchit un moment.

— Oui, je crois que c'est ce qu'elle a dit… Leblanc. Linda Leblanc.

Je bondis et pris le vieil homme dans mes bras, puis je me ruai vers la porte.

— Hé ! monsieur Bonnard ! Vous oubliez votre téléphone portable ! s'écria-t-il.

Mais j'étais déjà dans la rue.

30

— Attendez-moi ici, je reviens tout de suite ! lançai-je au chauffeur lorsqu'il gara son taxi devant l'immeuble rue de Bourgogne.

Je bondis hors de la voiture et pressai comme un forcené le bouton de l'interphone correspondant au nom de Leblanc. Personne ne décrocha. Je m'en doutais, mais je voulais être sûr de mon fait.

Je rouvris en grand la portière du taxi et me laissai tomber sur le siège arrière.

— C'est reparti ! m'écriai-je. Au Ritz, s'il vous plaît. Faites vite ! Vite !

Le chauffeur, un Sénégalais aux grands yeux ronds à qui le mot « vite » ne paraissait rien dire, éclata de rire.

— Les gens sont toujours pressés à Paris, je me demande bien pourquoi ! lâcha-t-il d'une voix rauque, avant de passer tranquillement la seconde. Vous ne manquez jamais vos rendez-vous, mais vous ratez tout le reste dans la vie. Chez moi, il y a un proverbe : une calebasse de vin se remplit goutte par goutte.

Dodelinant de la tête avec satisfaction, il longea paisiblement la rue de Bourgogne.

C'était toujours pareil. À Paris, quand on prenait un taxi, on tombait soit sur un radical qui vous tenait des discours moroses sur la situation de la « Grande Nation » et l'incapacité des hommes politiques, tout en donnant des coups sur son volant pour souligner son point de vue, soit sur un philosophe du dimanche. Notre Sénégalais était visiblement de la seconde espèce. Peut-être que dans sa patrie d'origine, on comptait le temps en lunes, mais ce n'était pas assez rapide à mon goût, ce jour-là.

— On ne pourrait pas rouler un peu plus vite, quand même ? insistai-je. C'est pour une affaire importante.

Je me frappai la poitrine de la main, le geste éloquent.

Le Sénégalais se retourna et sourit.

— Okay, chef. Tu ordonnes et je conduis, tchac-tchac !

J'ignorais si « tchac-tchac » était une sorte de cri de guerre ou la variante sénégalaise de « hop, hop ». Quoi qu'il en soit, quelques minutes plus tard, nous traversions à une allure périlleuse les petites rues à sens unique du quartier gouvernemental, direction le pont de la Concorde, pour gagner la rive droite de la Seine.

Plaqué contre mon siège, j'entraperçus l'obélisque avant que le chauffeur, gardant la main sur le klaxon, grille un feu qui venait de passer au rouge.

Un piéton fit un bond de côté, effrayé, et je vis son visage furieux surgir près de ma vitre et disparaître aussi vite.

— Les vieilles personnes pensent que la rue leur appartient, déclara mon chauffeur, imperturbable.

C'était presque vert. – Il se retourna de nouveau sans baisser de régime, et la voiture fit un dangereux écart. – Chez moi, il y a un proverbe : qui veut chercher des puces sur la queue du lion doit être prudent.

— Chez moi, on dit qu'il faut regarder devant soi quand on roule, répliquai-je, angoissé.

— Ah ! Haha ! C'est drôle de chez drôle.

Il éclata d'un rire retentissant, comme si je venais de faire une bonne blague, mais au moins, il s'était remis à fixer la route.

Nous empruntions la rue Royale, où se pressaient les autos. Finalement, le chauffeur prit la rue Saint-Honoré, un peu moins passante. Je poussai un soupir de soulagement et m'affaissai sur mon siège.

Linda Leblanc, une des rares personnes qui puissent me révéler l'adresse actuelle de Mélanie, travaillait au bar d'un grand hôtel parisien. Et contrairement au nom de famille Fontaine, il y en avait un nombre assez limité dans la capitale.

Bien entendu, cela pouvait également être le Meurice, le Fouquet's ou le Plaza Athénée, mais au point où en était la situation, je pouvais tout aussi bien commencer par tenter ma chance au Ritz. Je connaissais déjà le Bar Hemingway…

Quelques instants plus tard, mon taxi s'arrêtait place Vendôme.

Le chauffeur consulta l'heure et eut un hochement de tête satisfait.

— C'était assez rapide ?

Je lui donnai le pourboire le plus généreux de ma vie.

À ce moment-là de la journée, il n'y avait pas encore beaucoup de monde au Bar Hemingway. Je me figeai dans l'entrée et regardai autour de moi. Derrière le comptoir, le barman secouait énergiquement son shaker ; il en versa le contenu rose dans un verre à cocktail, dont il décora le bord d'un fruit planté sur une petite pique.

Deux serveuses étaient appuyées contre ce même bar. L'une d'elles se dirigea vers moi, le pas souple, lorsque je m'installai sous une photographie d'Hemingway dans sa maison de Cuba, derrière sa machine à écrire.

Je la reconnus aussitôt. C'était la jeune femme au chignon sombre dont Allan avait dit qu'elle se tenait très droite, comme une ballerine.

Elle m'adressa un sourire professionnel.

— Bonsoir, monsieur. Que désirez-vous ?

Je me penchai en avant pour lire son badge.

Melinda Leblanc. Linda. Bingo !

J'entendais encore la voix d'Allan Wood dans mes oreilles : « Merci… Melinda. » Mes cellules grises se mirent à fredonner une mélodie.

— Monsieur ? répéta Melinda, l'air interrogateur. Que désirez-vous ?

Je m'accoudai à la table, appuyai mon menton sur mes deux mains et la regardai longuement.

— Une adresse, qu'en dites-vous ? proposai-je.

31

Je me présentai à Melinda Leblanc comme étant Alain Bonnard, et son sourire s'estompa.

— Ah, fit-elle. C'est *vous* ! déclara-t-elle d'un ton accusateur.

— Oui, dis-je, déconcerté. C'est moi. Vous êtes bien amie avec Mélanie Fontaine ?

Elle eut un hochement de tête imperceptible.

— Dieu soit loué, lâchai-je avec soulagement. Écoutez, vous devez me donner son adresse. Je la cherche depuis des semaines.

Linda me toisa, le regard froid.

— Je ne *dois* rien du tout. Vous voyez, je ne crois pas que Mélanie tienne absolument à vous revoir. Après ce que vous lui avez fait…

— Si ! l'interrompis-je. Je veux dire, non… Bon sang, je sais bien où vous voulez en venir, mais ce n'est qu'un terrible malentendu. Je n'ai rien fait. Aidez-moi, s'il vous plaît !

— Allons bon, un malentendu, me railla-t-elle sévèrement. On n'aurait pas vraiment dit ça, à écouter la version de Mélanie.

— Alors écoutez la mienne, martelai-je. Je vous en prie ! Donnez-moi dix minutes et je vous expliquerai tout. Il *faut* que je parle à Mélanie. Je... Mais enfin, vous ne comprenez pas ? Je *l'aime*.

L'amour constitue toujours un bon argument. Linda me fixa avec insistance pendant plusieurs secondes ; elle paraissait se demander si elle devait m'accorder cette faveur.

Puis elle regagna le comptoir, échangea quelques mots avec le barman et me fit signe de la suivre.

Il me faudrait user de toute ma persuasion pour convaincre la jeune femme au chignon de mon honorabilité, et lui arracher l'adresse si importante à mes yeux. Je devrais aussi lui faire promettre de ne pas avertir son amie de mes intentions.

Au cours de la discussion animée d'un quart d'heure qui se tint à voix basse, entre deux fauteuils situés tout près du Bar Hemingway, il fut très vite évident que le nom d'Alain Bonnard n'avait pas bonne presse auprès de Linda Leblanc. Si Mélanie avait tu à son amie que l'actrice Solène Avril était sa sœur, elle lui avait raconté qu'elle était tombée amoureuse du propriétaire du Cinéma Paradis et que ce dernier, quelques jours après leur premier rendez-vous, avait eu le culot inouï de sortir avec une autre.

— Voilà des semaines que Mélanie me rebattait les oreilles à votre sujet. Elle parlait sans arrêt de « cet homme incroyablement gentil » auquel elle n'osait pas adresser la parole. Je me suis fait une de ces joies quand ce gros mufle s'est enfin décidé à... Oh, pardon.

— Pas grave, assurai-je. Continuez.

Le lendemain de mon rendez-vous avec Mélanie, Linda avait retrouvé son appartement rue de Bourgogne où l'attendaient son amie, un chat bien disposé, un petit déjeuner copieux et une nouvelle sensationnelle.

Je gardais en mémoire le regard indécis de Mélanie devant l'entrée de l'immeuble, cette hésitation qui m'avait fait espérer qu'elle me proposerait de monter. Seulement, elle n'était pas chez elle et son amie rentrait de voyage le lendemain. Mélanie m'avait donc dit au revoir dans la cour, à regret. Et j'avais perdu sa trace.

— Lorsqu'elle est revenue du Pouldu une semaine plus tard, elle était au trente-sixième dessous, poursuivit Linda. Tout était fini, le propriétaire du cinéma avait une autre femme dans sa vie. C'est ce qu'elle a dit. Comment aurais-je pu me douter que son malheur ne reposait que sur un article à la noix ? Sur un article, et un traumatisme de jeune fille. De la façon dont elle a présenté la situation, on l'avait trompée, c'était un fait. Je la revois sanglotant sur mon canapé, affirmant qu'elle ne mettrait plus jamais les pieds dans ce fichu cinéma.

Linda secoua la tête, décontenancée.

— J'ai essayé de parler avec elle, je lui ai suggéré d'éclaircir les choses directement avec vous. Mais elle répétait sans arrêt qu'elle savait bien comment ça se terminerait, qu'elle avait déjà connu ça. Elle était bouleversée et j'ai cru qu'il valait mieux ne pas la presser de questions. J'ignorais totalement que Solène Avril était sa sœur. Je ne savais même pas qu'elle avait une sœur ! Mélanie n'aime pas beaucoup parler de son passé, conclut Linda en haussant les épaules.

Naturellement, cette dernière avait gardé un vif souvenir du soir où Solène Avril était venue au Bar Hemingway avec Allan Wood. Elle disait même se rappeler ma présence.

Plus tard, elle avait lu dans le journal qu'Allan Wood tournait des scènes de son nouveau film au Cinéma Paradis. Mais, comme nous tous, elle n'avait pas fait le rapprochement, retenant juste que l'infidèle Alain Bonnard, dont l'établissement jouissait des faveurs de la presse, couchait avec une autre femme.

— C'est si compliqué ! s'exclama-t-elle à la fin de notre échange, en notant une adresse dans le huitième arrondissement, non loin du pont Alexandre-III.

— Mélanie l'aime tellement qu'il lui arrive d'aller au travail à pied, juste pour s'accouder un moment au parapet. Vous étiez au courant ?

— Oui, elle a évoqué ce pont à notre premier rendez-vous.

Linda sourit, avant de reprendre :

— Ce que je veux dire par là, c'est que Mélanie est une jeune femme à part. Très originale. Et terriblement vulnérable. Il faut me promettre que vous la rendrez heureuse.

— Je ne demande rien d'autre. Mais il faudrait d'abord que je la revoie !

— À ce propos, au cours de vos explorations rue de Bourgogne, vous auriez pu croiser son chemin : elle travaille dans un petit magasin d'antiquités, rue de Grenelle. Il s'appelle *À la recherche du temps perdu*, vous êtes sans doute déjà passé devant ?

J'empochai le bout de papier avec un sourire.

Il semblerait que Paris soit une bonne complice quand il s'agit de réaliser un rêve romantique. Obéissant à une première impulsion, je voulus me précipiter chez Mélanie et lui faire la surprise de sonner à sa porte. Debout place Vendôme, je hélais un taxi lorsque le doute m'étreignit soudain.

Était-ce judicieux de faire irruption chez Mélanie au beau milieu de la nuit ? Allait-elle seulement m'ouvrir ? Peut-être ne me croirait-elle pas si je me présentais en bas de chez elle à une heure indue, criant dans l'interphone qu'il n'y avait rien entre sa sœur et moi. Après tout, elle m'avait vu au Georges dans les bras de Solène.

Je réfléchissais en me mordant les doigts de la main droite.

Ce n'est pas le moment de perdre ton sang-froid, Alain, me sermonnai-je. Pas de démarche inconsidérée.

J'avais l'adresse de Mélanie, c'était le principal. Tous les actes à venir devaient être soigneusement pesés.

Peut-être valait-il mieux passer la voir le lendemain à son travail, avec un gros bouquet de fleurs. Cela n'avait plus aucune importance, désormais, mais le nom de son propriétaire me revint brusquement. Il s'appelait Papin. Papin et non Lapin comme je le pensais.

J'éclatai d'un rire hystérique.

Le chauffeur de taxi, qui avait baissé sa vitre, m'adressa un regard interrogateur.

— Alors, monsieur ?

— J'ai changé d'avis ! lançai-je.

J'avais besoin des conseils d'une alliée et non d'un taxi.

Lorsque je voulus appeler Solène, je remarquai que mon téléphone portable ne se trouvait plus dans la poche de ma veste. J'avais dû le laisser au café. C'était contrariant, mais pas catastrophique. Je levai les yeux vers les fenêtres du grand hôtel. Par bonheur, j'étais au bon endroit, pour une fois.

— Alain ! Te revoilà ! s'exclama Solène, surprise, en ouvrant la porte de sa suite impériale. Il ne faudrait pas que ces visites nocturnes deviennent une mauvaise habitude !

Elle fit un pas de côté, souriante, et j'entrai.

— Tu ne vas pas me croire, annonçai-je. Ça y est, je sais où Mélanie habite.

32

La journée suivante fut la plus longue de ma vie. Pourtant, le souvenir des tourments doux-amers de l'attente, et de mon agitation teintée d'un léger doute, commence déjà à pâlir dans mon esprit.

L'être humain est ainsi fait : quand une suite d'événements connaît une issue heureuse, il oublie tout le reste. Je ne fais pas exception à la règle.

Si quelqu'un, aujourd'hui, me questionnait sur ce mémorable troisième jeudi de mai où le soleil ne perça les nuages qu'en fin d'après-midi, baignant Paris dans une lumière assez irréelle, je lui répondrais certainement que ce fut le jour le plus heureux de ma vie. Et que la nuit qui suivit, je ne le tairai pas, fut aussi la plus heureuse de ma vie.

Je me félicitais d'avoir suivi les conseils de Solène, même s'il m'en coûta. Au fond, c'était moi qui avais trouvé l'adresse de Mélanie. Cependant, ce ne fut pas moi qui, le lendemain, me rendis dans le petit magasin d'antiquités rue de Grenelle, peu avant la pause-déjeuner.

Solène m'avait instamment demandé de lui donner la préséance.

— Ce n'est qu'après avoir fait table rase des vieilles histoires qu'on peut bâtir quelque chose de nouveau, avait-elle déclaré alors que, assis sur un sofa, dans sa suite, nous nous consultions comme deux conspirateurs.

Solène allait donc s'expliquer d'abord avec sa sœur. Elle lui exposerait tout, et j'entrerais en scène ensuite.

Nous étions convenus que Solène m'appelle quand elles auraient parlé. Heureusement, je m'étais souvenu à temps que je n'avais plus mon portable, si bien que j'avais donné mon numéro de fixe à Solène.

Ce jour-là, j'avais quitté mon appartement tôt le matin pour aller acheter des fleurs pour Mélanie. J'avais choisi vingt roses thé odorantes et les avais rapportées chez moi, ivre de bonheur. Je les avais mises dans un vase, puis je m'étais installé sur le canapé, près du téléphone, attendant le coup de fil de Solène.

Bien sûr, j'étais conscient que sa conversation pourrait durer un moment. Entre hommes, ce genre d'affaire serait réglée en quelques mots et une poignée de main. Les femmes ont besoin de débattre de tout jusque dans les moindres détails. J'essayai de lire le journal, mais constatai rapidement que les nouvelles du monde ne m'intéressaient pas.

La pause-déjeuner passée, l'après-midi s'écoula sans nouvelles de Solène. Je me faisais café sur café, les battements de mon cœur devenaient irréguliers et Orphée flairait les roses.

À 16 h 30, paniqué, j'appelai l'horloge parlante pour m'assurer que mon téléphone fonctionnait.

À 17 heures, je fus envahi par une tristesse inimaginable, convaincu que les retrouvailles des deux sœurs s'étaient achevées par un drame sans nom et qu'il n'y avait plus d'espoir pour moi non plus.

À 17 h 30, je bondis du canapé et me mis à faire les cent pas dans le salon. Personne n'avait besoin d'autant de temps pour s'expliquer, pas même deux femmes.

— Et merde ! Merde ! Merde ! criai-je, et Orphée fila se réfugier sous le fauteuil, l'air craintif, aux aguets.

Je maudis l'idée stupide de Solène, je me maudis moi-même de ne pas m'être rendu rue de Grenelle ce matin-là. Finalement, dans un accès de désespoir impuissant, j'arrachai les fleurs à leur vase.

— Ah, à quoi bon, c'est foutu maintenant ! m'exclamai-je, et je fourrai les roses dans la poubelle, la tête en bas.

Alors, le téléphone sonna.

— Alain ? fit Solène d'une voix mouillée.

— Oui ? répondis-je, enroué. Pourquoi ne pas avoir appelé plus tôt ? Qu'est-ce qui se passe ? – Je me frottai le crâne, énervé. – Bon, tu l'as vue ou pas ?

Solène hocha la tête (je le supposai, en tout cas). Elle se mit à renifler, puis fondit en larmes.

— Ah, Alain ! sanglota-t-elle.

Ah, Alain !

Rien d'autre.

Parfois, je déteste les femmes ! Je souffrais depuis des heures, en proie à la plus grande des tensions, au bord de l'infarctus, et elle disait juste : « Ah, Alain ! »

Qu'était-il arrivé ? N'y avait-il pas eu réconciliation ? La vieille rancune l'avait-elle emporté ? Solène était-elle arrivée trop tard ? Mélanie avait-elle sauté du pont, ou pressé un de ces pistolets anciens contre sa tempe, avant d'appuyer sur la détente ?

Je m'efforçai de garder mon calme.

— Solène, déclarai-je, le ton pressant. Dis-moi ce qui s'est passé.

— Ah, Alain ! sanglota-t-elle de plus belle. C'était terrible. Je suis à bout. Mélanie vient de repartir chez elle et je retourne à l'hôtel. – Elle prit une inspiration tremblotante. – C'est les nerfs, tu comprends. On s'est crié dessus. On a pleuré. Mais en fin de compte, on s'est rabibochées. – Elle émit un bruit curieux, entre rire et hoquet. – Je ne peux pas arrêter mes larmes, Alain… Elle éclata de nouveau en sanglots tandis que, au comble du soulagement, je glissais contre le mur, près de la poubelle.

Je n'apprendrais jamais ce que les deux sœurs s'étaient dit au cours de ces heures interminables, avant de se réconcilier, enlacées, en pleurs, après dix ans de séparation. Pour moi, une seule chose comptait :

Mélanie voulait me voir. Ce soir-là, à 21 heures, elle m'attendrait au Café de l'Esplanade, en terrasse.

33

Il est des lieux magiques. Des lieux où l'on exprime secrètement un souhait. Des lieux où l'on se trouve. Des lieux où tous les vœux se voient exaucés.

Il se peut que je sois de parti pris (sûrement, même), mais le pont Alexandre-III est pour moi un de ces lieux.

Paris compte de nombreux ponts, certains très fameux. Avec ses splendides candélabres, ses quatre hauts piliers au sommet desquels des chevaux dorés s'envolent vers le ciel, ses dauphins, ses génies des eaux et ses Amours qui s'ébattent en rondes insouciantes devant le parapet en pierre, celui-ci me paraît différent de tous les autres.

Quand on habite et qu'on travaille à Saint-Germain, on s'y rend plutôt rarement. J'avais déjà traversé le pont Alexandre-III en voiture, bien sûr, mais je ne m'étais pas donné la peine de m'y arrêter. Et je ne l'avais pas non plus emprunté à pied. Jusqu'à ce jour où je devais revoir Mélanie.

Après ma discussion avec Solène, j'avais précautionneusement sorti les roses de la poubelle et les avais replacées dans leur vase. Je connaissais le

Café de l'Esplanade. Il se situait non loin du pont Alexandre-III, à l'angle de la rue de Grenelle et de la rue Fabert ; quand le temps était clément, on pouvait s'y attarder en terrasse jusqu'à une heure avancée de la soirée, en profitant de la vue.

Il était 18 heures. Encore trois heures avant mon rendez-vous avec Mélanie. C'était clairement trop long. Incapable de réfléchir avec lucidité, j'arpentais l'appartement en long et en large, et ma fébrilité croissait de minute en minute. Je me rendis dans la salle de bains et scrutai mon reflet dans la glace. Les bleuissures autour de mon œil gauche s'étaient estompées. Je retournai dans le salon, m'assis sur le canapé et fermai un moment les yeux. Peu de temps après, je le quittai d'un bond et changeai de chemise pour la seconde fois ce jour-là. Je me rasai de nouveau, mis un peu d'après-rasage, me peignis les cheveux, cherchai mes chaussures en daim brun et enfilai déjà ma veste.

Bref, je me préparai avec une excitation et un soin que j'avais rarement connus dans ma vie. J'imaginais Mélanie faisant de même de l'autre côté de la Seine.

Installée sur la commode, dans l'entrée, Orphée observait attentivement tous mes faits et gestes. Elle devait sentir que quelque chose n'était pas comme d'habitude. Son calme me rendait plus nerveux encore.

Alors, à 19 h 45, j'eus une idée. Pourquoi diable rester plus longtemps dans mon appartement ? La soirée était si paisible, j'irais à la rencontre de Mélanie.

Persuadé qu'elle passerait par son pont préféré pour se rendre au Café de l'Esplanade, je songeai que ce serait très romantique de l'attendre là-bas, sur la vieille construction en pierre.

J'ôtai de l'eau les opulentes roses thé. Deux étaient un peu pliées, mais toutes les autres étaient ressorties intactes de leur chute dans les bas-fonds.

— Souhaite-moi bonne chance, Orphée, demandai-je en ouvrant la porte.

Trônant toujours sur la commode tel un sphinx, Orphée me fixait de ses yeux verts, immobile.

Je refermai la porte derrière moi et me mis en route.

34

Il était 20 h 15 lorsque je posai le pied sur le pont Alexandre-III.

La première personne que je vis fut une mariée vêtue d'une robe blanche bouffante ; appuyée au parapet, elle se blottissait contre son époux. Debout sur le large trottoir de gauche, ils souriaient devant l'objectif d'un photographe.

Les mariées ont ceci de commun avec les trèfles à quatre feuilles qu'on se réjouit toujours de les voir, car on croit alors avoir la chance de son côté.

Arrivé plus ou moins au milieu du pont, sous un des candélabres Belle Époque à trois branches, je m'accoudai au garde-fou en pierre et, soudain, le charme du lieu m'enveloppa, une sensation rarement éprouvée dans ma vie.

L'air était doux, et le ciel baigné d'une lueur dorée ; le regard portait au loin et la beauté de la vue pénétrait de bonheur chaque fibre de mon corps.

Rive gauche, les voitures circulaient inlassablement sur le quai d'Orsay ; rive droite, où se dressait la verrière du Grand Palais, il n'y avait aucun trafic. D'ici quelques semaines, les tilleuls y exhaleraient leur parfum délicat. Des marches menaient à la rive bordée de péniches se balançant sur l'eau, le long desquelles se promenaient des passants.

En contrebas de mon poste d'observation, un bateau-mouche glissait sur le fleuve, s'acheminant vers les arches généreuses du pont des Invalides ; plus loin, la tour Eiffel s'élevait.

Après l'agitation des semaines passées, un calme absolu, merveilleux, grandiose, m'envahit.

Je pris une profonde inspiration, et une phrase, une seule, me vint à l'esprit : « Tout ira bien maintenant. »

Le ciel commença à changer de couleur et Paris devint un lieu magique, couleur lavande, qui paraissait flotter à quelques mètres au-dessus du sol.

Au moment même où les candélabres s'allumèrent et se mirent à briller le long du parapet comme autant de petites lunes blanches, je la vis.

Elle arrivait avec plus d'une demi-heure d'avance, longeant le pont sans hâte dans sa robe d'été. Elle portait des ballerines rouges, un cardigan jeté sur ses épaules, et à chaque pas, l'ourlet de sa jupe voletait autour de ses jambes. Elle marchait du côté où je me trouvais, mais elle était tellement plongée dans ses pensées qu'elle ne me remarqua qu'au moment d'arriver à mon niveau.

— Alain ! murmura-t-elle.

La surprise fit surgir un ravissant sourire sur son visage et elle repoussa, du geste qui m'était déjà si familier, ses cheveux derrière son oreille.

— Que fais-tu ici à cette heure ?

— Je t'attendais, soufflai-je.

Oubliés, les jolis mots que je voulais prononcer... Oubliées, les roses posées derrière moi, sur le garde-fou. Je regardais ses yeux encore rougis par les larmes, ses joues où se déposait un rose tendre ; je regardais sa bouche tremblante et la joie, l'attendrissement, le soulagement et le bonheur me déchiraient presque le cœur.

— Je n'ai fait que t'attendre !

Un battement de cils plus tard, nous étions dans les bras l'un de l'autre. Riant, pleurant. Nos bouches se trouvèrent sans grand discours.

Les secondes se transformèrent en années, les années en parcelle d'éternité. Nous nous embrassions sous un lampadaire ancien, comme à la lueur de la lune. Nous nous embrassions sur un des plus beaux ponts de Paris et il semblait alors qu'il n'appartenait qu'à nous. Vint le moment où nous prîmes notre envol dans le ciel, toujours plus haut, et Paris devint étoile parmi les étoiles.

Nous nous attardions, étourdis de bonheur, tels deux voyageurs dans le temps accédant enfin au lieu de leurs rêves. Accoudés au parapet, nos doigts entrelacés comme la première fois, nous regardions le fleuve dans lequel se reflétaient les lumières.

— Pourquoi ne pas être revenue au Cinéma Paradis ? demandai-je doucement. Tu aurais dû me faire confiance.

— J'avais peur, expliqua-t-elle, ses yeux sombres étincelant. Tellement peur de te perdre que j'ai préféré abandonner.

Je la repris dans mes bras.

— Ah, Mélanie… chuchotai-je, et j'enfouis mon visage dans ses cheveux qui embaumaient la vanille et la fleur d'oranger.

La serrant fort contre moi, j'essayais de résister à la vague de tendresse qui menaçait de me submerger.

— Tu ne me perdras jamais, repris-je. Je te le promets. Tu n'arriveras plus jamais à te débarrasser de moi, tu verras.

Elle hocha la tête, rit et essuya une larme sur sa joue. Puis elle dit exactement ce que j'avais pensé plus tôt, sur ce même pont :

— Tout ira bien maintenant.

Derrière nous, un bruit de pas traînants. Nous retournant, nous vîmes, stupéfaits, le vieil homme qui s'avançait, en pantoufles. Courbé en avant, il brandissait de temps en temps le poing, l'air furibond.

— C'est vraiment merdique ! lança-t-il avec colère. Merdique !

Un fou rire nous saisit.

Lorsque, bras dessus, bras dessous, nous traversâmes le pont Alexandre-III pour rejoindre la rive gauche de la Seine et le Café de l'Esplanade, il était 20 h 30 passées.

À l'endroit où nous venions de nous embrasser, un bouquet de roses oublié était posé sur un garde-fou en pierre, prouvant que même les vieux sages pouvaient se tromper, à l'occasion.

— Nous n'avions rendez-vous que dans une demi-heure, déclarai-je. Pourquoi te trouvais-tu si tôt sur le pont ?

— Je voulais simplement être ici, exposa Mélanie avant de hausser les épaules, embarrassée. Je sais que ça va paraître un peu étrange, mais à 19 h 45, j'ai brusquement eu l'impression qu'il fallait que j'aille sur le pont Alexandre-III. Je me suis dit : autant attendre là-bas qu'il soit l'heure de nous retrouver au Café. Et soudain, je t'ai aperçu.

Elle secoua la tête en souriant.

— On dirait bien qu'on a eu la même idée, hein ?

— Oui, fis-je en lui rendant son sourire. On dirait bien.

Au bout du pont, je ne pus m'empêcher de penser aux paroles de mon ami Robert.

Il avait raison – la vie n'était pas un film dans lequel les gens se rencontraient et se perdaient, pour se retrouver par hasard près de la fontaine de Trevi, quelques semaines plus tard, parce qu'ils avaient tous les deux eu l'idée d'y jeter une pièce et de faire un vœu.

Mais parfois, sans qu'on puisse se l'expliquer, les choses se passent précisément de cette manière.

Épilogue

Un an plus tard, la première d'*À Paris, tendrement* se tint au Cinéma Paradis. De tous les films tournés par Allan Wood, il allait devenir l'un de ses plus grands succès.

Il s'était passé beaucoup de choses au cours de ces derniers mois.

Pour commencer, j'avais récupéré mon téléphone portable. Le professeur me l'avait rapporté au cinéma, mais ce soir-là, j'avais le bonheur de ne pas m'y trouver. J'étais avec Mélanie et nous avions oublié le monde entier.

Après le tournage, Allan Wood s'était envolé pour New York avec sa fille Méla, afin de lui montrer ses endroits préférés puis d'aller pêcher avec elle dans les Hamptons – sa nouvelle passion.

Solène avait acquis un immense appartement non loin de la tour Eiffel, pour avoir un petit pied-à-terre parisien – comme elle l'avait expliqué avec un clin d'œil. Mélanie et Solène se voyaient chaque fois que cette dernière était en ville, ce qui arrivait souvent. Parfois, les deux sœurs venaient ensemble voir un vieux film au Cinéma Paradis, mais plus jamais Mélanie ne s'assit rangée dix-sept.

Mme Clément avait acheté un petit chien. François, lui, sortait depuis peu avec une fille. Souvent assise près de lui dans la salle de projection, elle attendait patiemment la fin de la séance.

Dans mon bureau, j'avais punaisé au grand panneau d'affichage le faire-part de mariage de M. et Mme Petit – les deux « malchanceux » tombés amoureux parce que tous les tickets étaient vendus.

Melissa avait brillamment réussi ses examens et elle était partie à Cambridge pour intégrer l'Institute of Astronomy.

Resté seul, Robert, d'abord sidéré par son absence, s'était rapidement ressaisi et m'avait présenté, un mois plus tard, une beauté noire d'une grande élégance, prénommée Laurence.

Mais le plus beau, c'est qu'une femme occupait mon appartement depuis quatre semaines. Mélanie avait emménagé chez moi et des cartons non déballés traînaient encore partout. Cela ne me dérangeait pas. Quand je me réveillais le matin et que je voyais son joli visage, mon bonheur était parfait.

Chaque énigme était résolue, chaque question élucidée. Seule une interrogation me traversait encore la tête de temps à autre. Qui était le vieil homme en pantoufles ? J'étais retourné plusieurs fois avec Mélanie dans l'immeuble rue de Bourgogne, invité à dîner par son amie Linda (ses talents de cuisinière étaient limités, mais elle faisait de fantastiques cocktails). Je ne devais jamais revoir le vieillard au pas traînant. Certaines choses demeurent malgré tout des mystères à jamais.

Le soir de la première, la foule des grands jours se pressait au Cinéma Paradis. De nombreux visages m'étaient connus. Solène Avril, sans conteste la star de ce spectacle, avait naturellement répondu présente. Après tout, mon établissement l'avait vue grandir. Howard Galloway, couché à l'hôtel avec une infection virale, en voulait au monde entier. Allan Wood avait fait le déplacement, ainsi qu'une partie de l'équipe du film. Je remarquai également Carl Sussman, presque méconnaissable : il avait rasé sa barbe et arborait désormais une moustache à la Hemingway. Les journalistes patientaient dans la salle de cinéma, et Robert attendait que je lui présente Solène. Toutes mes connaissances, tous mes amis étaient là – leur nombre avait un peu grossi par rapport à l'année précédente.

Linda avait pris un congé ce soir-là et mettait les pieds au Cinéma Paradis pour la première fois, le professeur et le couple Petit n'auraient pas voulu manquer l'événement et je découvris même, dans le foyer, l'autre Mélanie de l'immeuble rue de Bourgogne.

Tous étaient venus pour *À Paris, tendrement*. Moi aussi, je me réjouissais de voir ce film ; forcément, je ne pouvais que penser à ma propre histoire.

Soudain, une main se posa sur mon épaule.

— Alors, tu vas enfin me la présenter ? s'enquit Robert. Je suis venu seul exprès.

Je soupirai.

— Tu es terrible, Robert, tu le sais ? demandai-je en le tirant par la manche en direction de mon bureau, où Solène attendait le début du film avec Mélanie, Allan Wood et Carl, autour d'un café. De toute façon, on a réservé une table chez Lipp.

Solène était superstitieuse. Cela portait malheur de trinquer avant une projection.

— Solène, voici quelqu'un qui veut absolument faire ta connaissance, déclarai-je en poussant mon ami dans la pièce. C'est Robert, l'inébranlable optimiste... Je t'ai déjà parlé de lui.

Solène fixa avec intérêt l'homme blond, bronzé, regard éclatant.

— Ah, Robert ! s'exclama-t-elle. Enchantée ! Je me demande pourquoi Alain vous a caché aussi longtemps. Vous êtes le chimiste, n'est-ce pas ?

— L'astrophysicien, la corrigea Robert avec un sourire, se délectant manifestement à la vue de cette femme resplendissante.

— Un astrophysicien, magnifique ! s'écria Solène, et toute personne ne la connaissant pas aurait pu jurer que, sa vie durant, elle n'avait fait que se passionner pour l'astrophysique. Il faudra que vous m'en disiez plus après, *j'adore* l'astrophysique !

Ensuite, nous nous rendîmes à notre tour dans la salle de cinéma, et la projection débuta.

Bien entendu, le cinéma n'est pas le théâtre. Le grand écran n'offre pas cette incroyable présence scénique, et bien que le spectateur soit libre de quitter la salle si un film ne lui plaît pas, il n'a pas la possibilité de faire connaître directement au metteur en scène ou aux comédiens son enthousiasme ou son mécontentement. En revanche, quiconque a eu l'occasion d'assister à la première d'un long-métrage, en présence des acteurs (encore mieux), sait que c'est une expérience très singulière.

En outre, le cinéma présente un avantage imbattable par rapport au théâtre : nulle part, sur aucune scène au monde, l'illusion n'est plus parfaite, l'identification plus grande et la réalité plus puissamment abolie que dans une salle obscure.

Au théâtre, les gens rient, pleurent à l'occasion. Le cinéma, lui, est le lieu où naissent les grands sentiments, où tout ce qui se déroule au-delà des portes battantes n'a plus aucune importance, le temps d'un film.

Le lieu où le rêve devient réalité.

À Paris, tendrement en était l'illustration. Cette comédie douce-amère allait toucher notre point le plus sensible. Le cœur.

Après l'ultime dialogue, après que les dernières mesures de la musique du générique se furent évanouies, un silence inhabituel régna. On aurait pu entendre une mouche voler. Puis les applaudissements déferlèrent. Assis près de Mélanie qui serrait un mouchoir chiffonné, je frappais dans mes mains comme tout le monde. En cet instant, j'étais juste un spectateur parmi les autres.

Lorsque le réalisateur et son actrice se présentèrent devant l'écran noir, le public scanda pendant de longues minutes ses « Bra-vo ! Bra-vo ! Bra-vo ! » – ce merveilleux mot exprimant l'éloge le plus haut, commun à plusieurs langues.

Je m'avançai à mon tour. Les journalistes posèrent leurs questions. Les photographes prirent leurs photos. Allan Wood dit quelques mots et Solène se montra merveilleuse, comme toujours. Les spectateurs rirent et applaudirent encore.

Finalement, Solène leva la main, souriante.

— Ce film revêt une importance particulière pour moi. Je n'oublierai jamais le tournage à Paris, surtout dans ce cinéma, commença-t-elle. Car, grâce à des hasards étranges et heureux, par le biais d'une histoire trop compliquée pour que je la raconte ici, j'ai retrouvé quelqu'un qui compte énormément à mes yeux. Ma sœur…

Elle tendit les mains vers Mélanie qui quitta son siège, hésitante.

— Elle n'aime pas trop les feux de la rampe, précisa Solène avec un clin d'œil, mais ce soir, il faudra qu'elle fasse une exception. Après tout, nous avons passé une partie de notre enfance dans cet établissement.

Mélanie, les joues cramoisies, se dirigea vers Solène sous les applaudissements du public. Elle eut un sourire embarrassé lorsque cette dernière la prit dans ses bras. Voir les deux sœurs si différentes ainsi réunies était un spectacle qui ne laissait personne indifférent.

— Comment voulez-vous rivaliser avec ça ? soupira Allan Wood en remontant ses lunettes.

Les spectateurs se levèrent de leur fauteuil l'un après l'autre et applaudirent encore, frénétiquement. Je fis alors un pas en avant, répondis aux dernières questions et prononçai quelques mots de remerciement. Tandis que deux ou trois personnes s'apprêtaient à s'en aller, un des journalistes intervint.

— Au fait, quel est votre film préféré, monsieur Bonnard ?

— Mon film préféré ? répétai-je, et je réfléchis un moment.

Un silence religieux s'installa dans la salle. Je pris la main de Mélanie, debout à côté de moi. Elle me regardait et tout mon bonheur, tout mon univers semblaient tenir dans ses yeux.

— Mon film préféré n'est projeté sur aucun écran au monde, répondis-je finalement en souriant. Pas même ici, au Cinéma Paradis.

FIN

LES AMOURS AU PARADIS

Les 25 films d'amour du Cinéma Paradis

À bout de souffle

Before Sunrise

Camille Claudel

Casablanca

César et Rosalie

Chambre avec vue

Cinema Paradiso

Cyrano de Bergerac

Diamants sur canapé

Ensemble, c'est tout

La Fille sur le pont

Le Dernier métro

Le Patient anglais

Le Rayon vert

Les Amants du Pont-Neuf

Les Choses de la vie

Les Enfants du paradis

L'Insoutenable Légèreté de l'être

Orgueil et préjugés

Orphée

Sérénade à trois

Tout peut arriver

Un Américain à Paris

Une grande année

Young Goethe in love

Nicolas Barreau
au Livre de Poche

Le Sourire des femmes   nº 33619

Le hasard n'existe pas ! Aurélie, jeune propriétaire d'un restaurant parisien, en est convaincue depuis qu'un roman lui a redonné goût à la vie après un chagrin d'amour. À sa grande surprise, l'héroïne du livre lui ressemble comme deux gouttes d'eau. Intriguée, elle décide d'entrer en contact avec l'auteur, un énigmatique collectionneur de voitures anciennes qui vit reclus dans son cottage. Qu'à cela ne tienne, elle est déterminée à faire sa connaissance. Mais l'éditeur du romancier ne va pas lui faciliter la tâche… Au sein d'un Paris pittoresque et gourmet, *Le Sourire des femmes* nous offre une comédie romantique moderne, non sans un zeste de magie et d'enchantement.

Tu me trouveras au bout du monde   n° 34015

Lorsque Jean-Luc Champollion, jeune galeriste de talent et don Juan à ses heures, reçoit la lettre d'une énigmatique correspondante, ce ne sont que les prémices d'un irrésistible jeu de piste amoureux. Que désire cette femme qui distille savamment les indices et tarde à se dévoiler ? Comment la convaincre de tomber le masque ? Jean-Luc devra-t-il aller jusqu'au bout du monde pour la tenir enfin dans ses bras ? Après l'immense succès du *Sourire des femmes*, Nicolas Barreau nous offre un savoureux marivaudage contemporain servi par une langue galante et inventive. Un pur moment de bonheur !

Rosalie, jeune propriétaire d'une coquette papeterie au cœur de Saint-Germain-des-Près, passe ses journées à peindre les vœux des autres sur des cartes postales en attendant que les siens se réalisent. Jusqu'au jour où Max Marchais, le célèbre auteur jeunesse, débarque dans sa boutique pour lui proposer d'illustrer son nouvel album. *Le Tigre bleu*. Rosalie est comblée ! Mais c'était compter sans l'irruption d'un professeur de littérature américain qui assure que ce conte lui appartient. Commence alors une enquête haletante pour démêler le mystère qui entoure le manuscrit. Une promenade savoureuse et romantique dans un Paris littéraire où le destin et l'amour s'écrivent à l'encre bleue.

Le Café des petits miracles, 2018.

La Vie en Rosalie, 2016. Le Livre de Poche, 2017.

Tu me trouveras au bout du monde, 2015. Le Livre de Poche, 2016.

Le Sourire des femmes, 2014. Le Livre de Poche, 2015.

Le Livre de Poche s'engage pour
l'environnement en réduisant
l'empreinte carbone de ses livres.
Celle de cet exemplaire est de :
300 g éq. CO$_2$
Rendez-vous sur
www.livredepoche-durable.fr

PAPIER À BASE DE
FIBRES CERTIFIÉES

Composition réalisée par PCA

––––––––––

Achevé d'imprimer en janvier 2018, en France sur Presse Offset par
Maury Imprimeur – 45330 Malesherbes
N° d'imprimeur : 224147
Dépôt légal 1re publication : février 2018
LIBRAIRIE GÉNÉRALE FRANÇAISE – 21, rue du Montparnasse – 75298 Paris Cedex 06